EXCEL 2

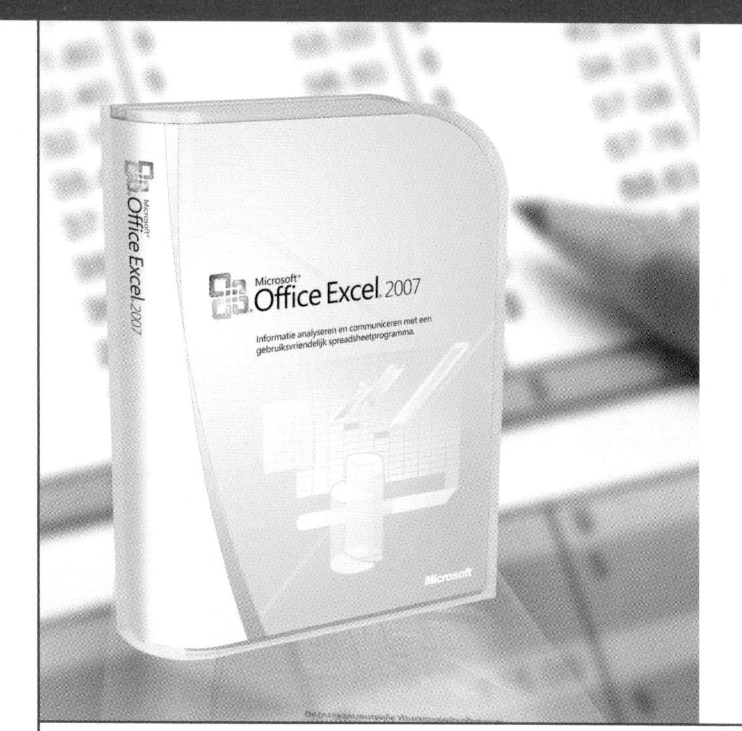

Wilfred de Feiter

Uitgever Easy Computing N.V.
Horzelstraat 100
1180 Brussel

Easy Computing B.V.
Jansweg 40
2011 KN Haarlem

E-mail boeken@easycomputing.com
Web www.easycomputing.com

Auteur Wilfred de Feiter
Eindredactie Evelyne Blancke
Vormgeving *Phaedra creative communications*, Westerlo
Cover Hilde Clement

ISBN 978-90-456-4073-0
NUR 991
Wettelijk Depot D/2007/6786/17

Belangrijke opmerking
Wanneer in dit boek methodes en programma's vermeld worden, gebeurt dit zonder inachtneming van patenten, aangezien ze voor amateur- en studiedoeleinden dienen. Alle informatie in dit boek werd door de auteurs met de grootste zorgvuldigheid verzameld respectievelijk samengesteld. Toch zijn fouten niet helemaal uit te sluiten. Easy Computing neemt daarom noch garantie, noch juridische verantwoordelijkheid of enige andere vorm van aansprakelijkheid op zich voor gevolgen die op foutieve informatie berusten. Wanneer u eventuele fouten tegenkomt, zijn de auteurs en de uitgever dankbaar wanneer u deze aan hen doorgeeft. Wij wijzen er verder op dat de in het boek genoemde soft- en hardwarebenamingen en merknamen van de betreffende firma's over het algemeen door fabrieksmerken, handelsmerken, of patentrecht beschermd zijn.

Inhoud

Inleiding 7

1 Nieuw in Excel 2007 9

Wat valt meteen op? 9
- Office-knop 10
- Snelle toegang 10

Menu- en knoppenbalk 11
- Sneltoetsen 12
- Stijlen bekijken en toepassen 12
- Formulebalk 13
- Statusbalk 14
- Werkbladen 14
- Grootte van het werkblad 15
- Formules invoeren 15
- Voorwaardelijke opmaak 15
- Sorteren op kleur 16
- Meer dan 1000 verschillende items 17
- Titels blokkeren 17
- Automatisch AutoFilter 18
- SmartArt 18
- Opmaak 19
- Draaitabellen 19
- Opslaan in bestandsindeling XML 20
- Afdrukken 20

2 Van start met Excel 2007 21

Excel starten 21

Wat zie ik op mijn scherm? 22
- Groot, heel erg groot 23

Basisbewerkingen in Excel 24
- Kolom breder maken 25
- Getallen opmaken als prijzen 26
- Aantallen invullen 27
- Een formule typen 28
- Formule kopiëren 28
- Totaalprijs berekenen 29
- Datum invullen 29

Opslaan en sluiten 30

3 Uw tabellen opmaken 31

Celstijlen ... 31
Opmaak en valuta veranderen ... 33
Randen ... 34
Tabel of lijst? ... 35
Stijlen voor tabellen ... 38
Een nieuw lid toevoegen aan de tabel ... 39
AutoCorrectie-opties ... 40
Ontwerpen ... 41
Een andere tabelstijl ... 42
Een eigen tabelstijl maken ... 44
Voorwaardelijke opmaak ... 46
Zoeken en vervangen ... 46
Boven het gemiddelde ... 48
Gegevensbalken ... 52
Kleurenschalen ... 53
Pictogramseries ... 54
Hoe werkt die verdeling? ... 54
Opmaakregel aanpassen ... 55
Verschillende soorten regels ... 56
Dubbele waarden laten opvallen ... 59
Opmaak verwijderen ... 60

4 Samenvattingen maken 61

Een draaitabel creëren ... 61
Wijzig een kopje ... 63
Pas de draaitabel aan ... 64
Bekijk de resultaten per filiaal ... 66
Top 2000 ... 67
Welke platen van Boudewijn de Groot? ... 69
Groeperen ... 70

5 Sorteren en filteren 73

Alfabetisch sorteren ... 73
Sorteren op achternaam ... 73
Sorteren op meerdere kolommen ... 75
Sorteren op kleur ... 77
Sorteren op maand ... 79
Filteren ... 80
Welke pupillen zitten in elftal F1? ... 80
Selectiefilter uitschakelen ... 82
Per kolom wissen ... 82
In één keer alle filters wissen ... 82
AutoFilter uitschakelen ... 82
Wie zijn er jarig in maart? ... 83
Geboren in 1998 of 1999? ... 84

6 Grafieken 85
De snelste grafiek 85
Andere grafiekstijl toepassen 86
Titel aanpassen 87
Iets minder snel 89
Grafiek vergroten 90
Grafiek op een eigen werkblad 91
Indeling van de grafiek veranderen 91
Een ander grafiektype kiezen 92
Grafiek op basis van meer reeksen 94
Twee aansluitende reeksen 94
Twee niet aansluitende reeksen 96
Grafiektitel staat in cel A1 99
Een gecombineerde grafiek 100
Draaitabelgrafiek 101

7 Werken met formules 105
Alles optellen 105
Eén kolom of rij optellen 105
Alternatieve totaaltelling 106
Formule zelf typen 107
Gegevens in meerdere kolommen of rijen optellen 108
Groen driehoekje 108
Kopiëren met de vulgreep 109
Slepen met de vulgreep 109
Gemiddelde berekenen 109
De ALS-functie 111
Logische test 113
Waarde-als-waar 113
Waarde-als-onwaar 113
Een geneste ALS-functie 113
Provisie berekenen 115
Dollartekens 119
Eigen berekeningen 119
Operatoren 119

8 Gegevens exporteren en importeren 121
Opslaan als pdf 121
Invoegtoepassing downloaden 121
En dan opslaan als pdf 122
En XPS dan? 123
Importeren van een webpagina 124
Beurkoersen 124
Andersom werken 125
Gegevens bijwerken 126

Bestanden importeren ... 127
Tekstbestand met komma's ... 127
Komma-gescheiden-bestand (csv) ... 130
Koppeling plakken ... 131

9 Afdrukken 133

Een brede tabel printen ... 133
De marges aanpassen ... 134
Afdrukvoorbeeld ... 135
Pagina-indeling ... 135
Kop- en voetteksten ... 136
Titels herhalen op meerdere vellen ... 138
Lijnen afdrukken ... 140
Pagina-einde invoegen en verwijderen ... 140
Pagina-einde verslepen ... 141
Meerdere werkbladen afdrukken ... 142

10 Praktische voorbeelden 143

Bestellijst maken ... 143
Maximaal 24 stuks bestellen ... 144
Invoercontrole uitproberen ... 145
Foutmelding aanpassen ... 145
Formule opstellen en kopiëren ... 145
ALS-functie gebruiken ... 146
Totaal berekenen ... 146
Voor welk filiaal? ... 147
Valideren ... 147
Alternatieve bestellijst ... 148
Aantallen beperken ... 148
Artikelnummers krijgen een naam ... 149
Keuzelijst maken ... 149
Andere gegevens opzoeken ... 149
Welke naam heeft die tabel? ... 149
Verticaal zoeken ... 150
Gaat dat goed? ... 151
De bijbehorende prijs opzoeken ... 152
Formules voor prijs en totaal ... 153
Besteldatum automatisch invullen ... 153
Bladen beveiligen ... 154

Index 157

Inleiding

Excel is een programma dat voor veel uiteenlopende taken wordt ingezet. De één maakt er gebruik van om lijsten met gegevens te beheren, terwijl de ander juist buitengewoon veel met formules werkt om allerlei berekeningen te laten uitvoeren. Weer anderen gebruiken de grafieken om te laten zien welke resultaten zijn bereikt of zetten Excel in om gegevens van andere toepassingen te bewerken.

In Excel 2007 is Microsoft afgeweken van de lay-out uit de voorgaande versies. De overbekende menubalk is vervangen door een aantal tabbladen. Wordt een ander tabblad aangeklikt, dan verschijnen andere knoppen in het lint (benaming voor de balk met knoppen). Die knoppen zijn wat groter geworden en zorgen ervoor dat een bepaalde taak sneller uitgevoerd kan worden. Even wennen in het begin! Sommige andere vernieuwingen in Excel 2007 vallen minder snel op. Zo is de capaciteit van een werkblad aanzienlijk toegenomen. In hoofdstuk 1 leest u meer over het nieuwe uiterlijk en de nieuwe eigenschappen.

Wie nooit eerder met Excel gewerkt heeft, bladert beter door naar hoofdstuk 2. Hierin worden de basisprincipes en de typische terminologie van het programma uitgelegd. U gaat aan de slag met een eerste werkblad en leert getallen en andere gegevens invoeren.

Vooral bij grote hoeveelheden data is het belangrijk om bepaalde getallen te laten opvallen. Met voorwaardelijke opmaak kunnen cellen die aan een bepaalde voorwaarde voldoen bijvoorbeeld een andere kleur krijgen, maar u kunt ook gekleurde balken of pictogrammen laten zien. De term 'tabel' heeft in deze versie een speciale betekenis gekregen: geeft u van een aantal cellen aan dat deze een tabel vormen, dan verschijnen meteen AutoFilter-knoppen, worden toegevoegde rijen automatisch onderdeel van de tabel en kan de opmaak snel worden aangepast. Hoofdstuk 3 handelt hierover.

Gegevens samenvatten door ze te groeperen is een vriendelijke manier om te kunnen schakelen tussen de hele tabel en slechts een bepaald deel. Hét instrument voor het maken van samenvattingen is de draaitabel. Ontdek de mogelijkheden in hoofdstuk 4.

In grote hoeveelheden gegevens is het belangrijk om efficiënt te kunnen sorteren en selecteren. Daar leest u meer over in hoofdstuk 5.

Voor het maken van de mooie grafieken moet u in hoofdstuk 6 zijn. Kies voor een snelle werkwijze met één druk op een toets of creëer een eigen sjabloon.

Berekeningen maken is iets waar Excel goed in is! Hoe u formules samenstelt en welke functies u kunt gebruiken leert u in hoofdstuk 7.

Hoofdstuk 8 laat zien hoe u gegevens kunt uitwisselen: door gegevens uit Excel te exporteren naar bijvoorbeeld een webpagina of een pdf-bestand, maar ook door gegevens te importeren.

Hoofdstuk 9 gaat over de mogelijkheden om uw data netjes af te drukken of duidelijk weer te geven op het scherm.

In het laatste hoofdstuk wordt aandacht besteed aan een praktisch voorbeeld, het opstellen van een bestellijst, waarbij reeds ingevoerde gegevens moeten worden gebruikt. Verschillende manieren en technieken worden beschreven. Deze kunt u dan in uw eigen modellen toepassen.

Veel succes en plezier bij het doornemen van de vele mogelijkheden die Excel 2007 u biedt.

INFO

In deze Snelgids wordt gewerkt met oefenbestanden die u kunt downloaden van de website van Easy Computing (**www.easycomputing.com**) of van de website van de auteur (**www.imagine-it.nl**).

Wilfred de Feiter

Nieuw in Excel 2007

Wie al eerder met Excel werkte, ontdekt in dit eerste hoofdstuk wat de belangrijkste nieuwigheden in versie 2007 zijn. Sommige vernieuwingen vallen meteen op; andere merkt u pas wanneer u de grenzen gaat opzoeken.

INFO

Beginnende gebruikers van Excel leren vanaf hoofdstuk 2 omgaan met de vele facetten van dit veelzijdige rekenprogramma.

Wat valt meteen op?

De Office-knop, de knop in de linkerbovenhoek, is samen met de gewijzigde knoppenbalk het eerste wat opvalt wanneer u Excel 2007 opstart. De term 'werkbalk' is trouwens vervangen door 'lint' (of ribbon in het Engels). Hierin zijn de opdrachten ondergebracht die horen bij een menukeuze. De menu's **Start**, **Invoegen**, ... hebben de opmaak van tabbladen gekregen en worden ook met de naam 'tabblad' aangeduid. Begint u met Excel, dan is het tabblad **Start** geopend en ziet u op het lint allemaal opdrachten die te maken hebben met het invoeren, opmaken en bewerken van gegevens. Er is meer te zien en te doen dan in de werkbalken **Standaard** en **Opmaak** uit voorgaande Excel-versies.

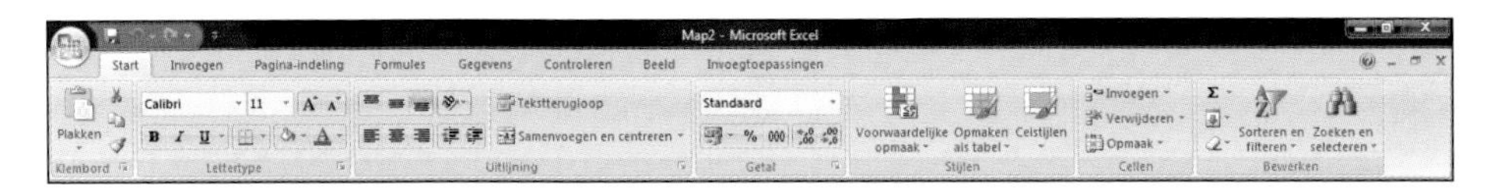

TIP

Door te dubbelklikken op een tabblad worden de opdrachten in het lint verborgen. Klik daarna één keer en de knoppen worden weer getoond maar ze verdwijnen meteen na het uitvoeren van een opdracht. Een dubbelklik laat de knoppen weer definitief terugkeren.

Office-knop

Dit is de knop helemaal linksboven. Door hierop te klikken verschijnen opdrachten die u kent uit het menu **Bestand** (zoals **Nieuw**, **Openen**, **Opslaan**, **Afdrukken**, ...). Onderin staat de knop **Opties voor Excel**. Hiermee kunt u instellingen van Excel aanpassen (zoals vroeger via **Extra** / **Opties**). Er zijn andere rubrieken en de tabbladen zijn verdwenen; in plaats daarvan wordt de informatie onder elkaar gezet en soms moet u de schuifbalk gebruiken (zoals bij de optie **Geavanceerd**).

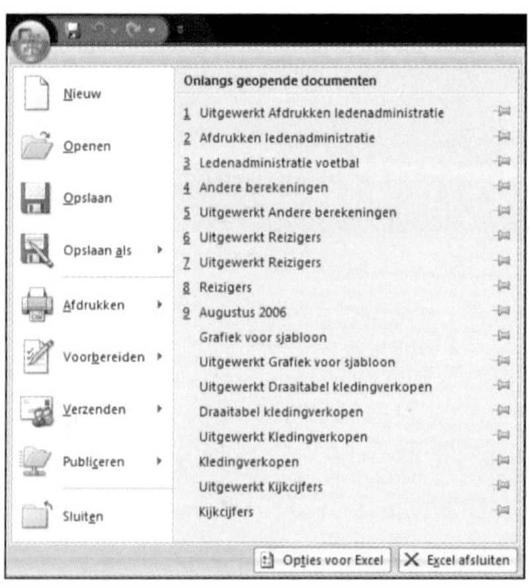

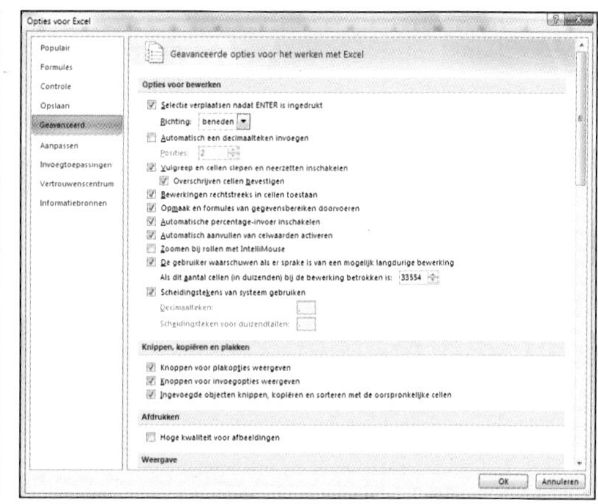

Snelle toegang

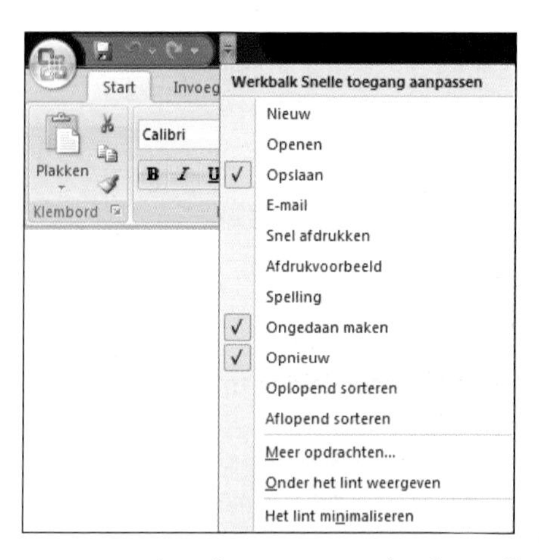

Naast de Office-knop staat een klein werkbalkje. De naam van deze werkbalk is **Snelle toegang**. Hierin worden standaard drie knoppen weergegeven: **Opslaan**, **Ongedaan maken** en **Opnieuw**. Maar er is ook een knop waarmee u de inhoud en de plaats van deze werkbalk kunt aanpassen. Dat is de knop rechts naast de werkbalk. Klikt u hierop, dan kunt u opdrachtknoppen zoals **Nieuw**, **Openen**, **Afdrukvoorbeeld** enzovoort toevoegen. Deze opdrachten selecteert in de lijst die wordt gepresenteerd, maar door te klikken op **Meer opdrachten** kunt u op de ouderwetse manier de werkbalk aanpassen. Verder zijn er twee opdrachten die te maken hebben met de weergave aan de bovenkant van het scherm. Het lint kan geminimaliseerd worden, zodat er meer ruimte ontstaat voor de inhoud van een werkblad, of u kunt de werkbalk **Snelle toegang** onder het lint laten weergeven.

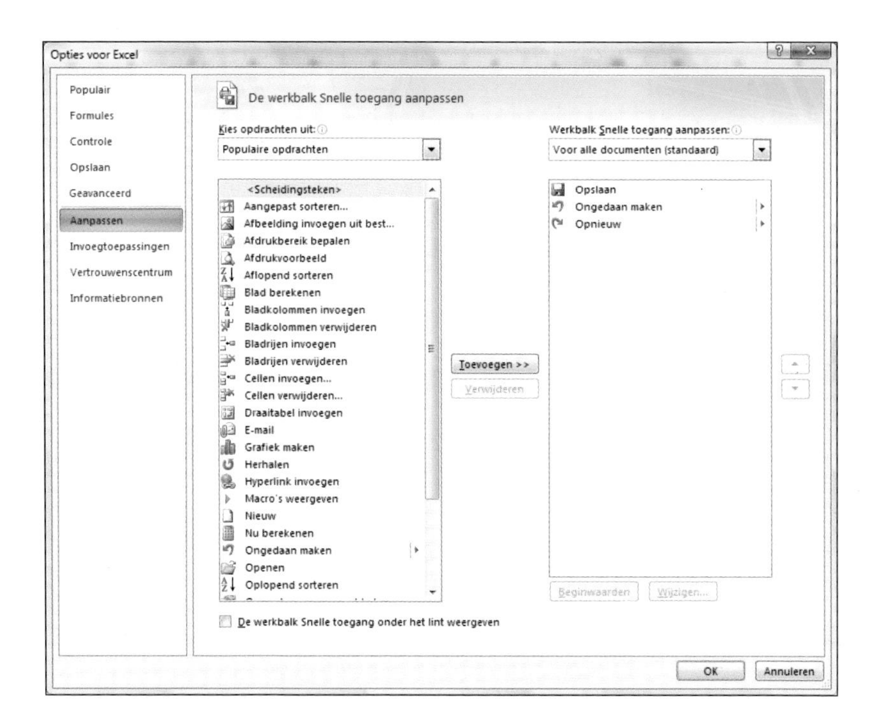

Menu- en knoppenbalk

Ook in de menubalk is er één en ander aangepast. Klikt u een ander tabblad aan, dan verandert de inhoud van het lint en u ziet andere knoppen. Door te klikken op de tab **Pagina-indeling** wordt het lint gevuld met een groot aantal opdrachten waarmee bepaald kan worden hoe de pagina wordt afgedrukt.

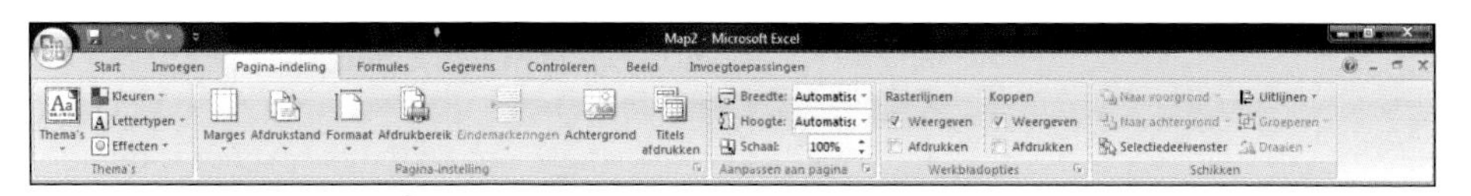

Sommige knoppen zijn voorzien van keuzepijlen waarmee een lijst kan worden opgeroepen met extra mogelijkheden. Andere knoppen leiden tot een dialoogvenster waarin de opties kunnen worden ingesteld, bijvoorbeeld de knop **Titels afdrukken**. Wilt u toch wat dieper gaan in de instellingen, dan klikt u op het pijltje rechtsonder een groep opdrachten. Deze knop heeft de naam **Startpictogram voor dialoogvensters** gekregen. Hiermee wordt een dialoogvenster opgeroepen, bijvoorbeeld het venster **Pagina-instelling** met de vertrouwde tabbladen **Pagina, Marges, Koptekst/voettekst** en **Blad**. Gebruikt u de knop bij **Werkbladopties**, dan wordt hetzelfde dialoogvenster geopend, maar dan is het tabblad **Blad** meteen geselecteerd.

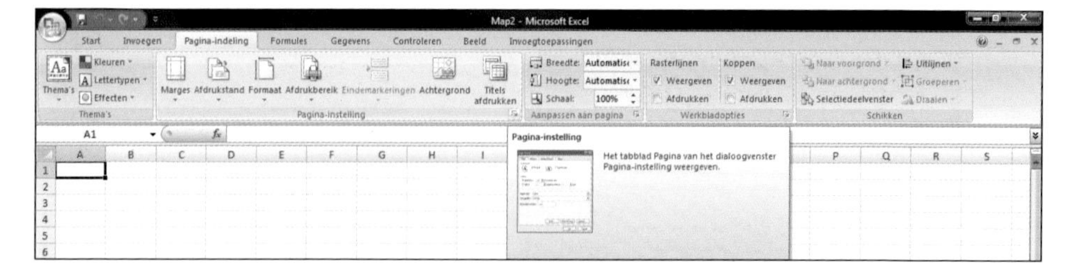

Sneltoetsen

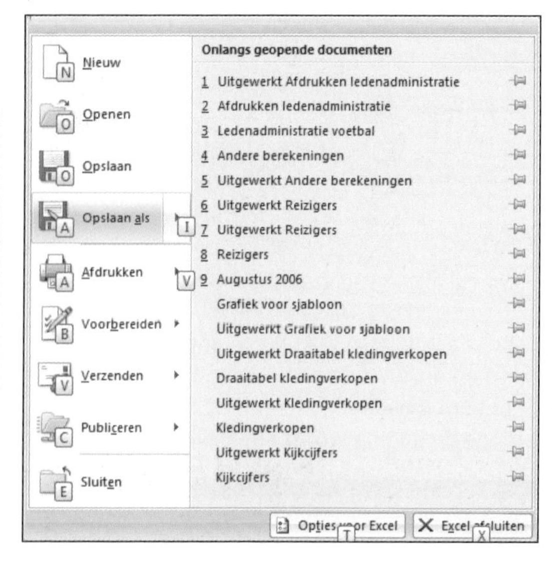

De sneltoetsen die gebruikt kunnen worden om via het toetsenbord opdrachten te geven, verschijnen na het indrukken van de functietoets [F10] of [Alt], in de vorm van letters op het betreffende onderdeel. Drukt u tegelijk [Alt] en die specifieke lettertoets in, dan wordt een opdracht uitgevoerd of een nieuwe menulijst opgeroepen. Ook in menulijsten die vervolgens openen, verschijnen weer de letters die gebruikt kunnen worden (nu zonder [Alt]) en de vertrouwde onderstreepte letters in de menulijsten. Is één van de tabbladen naast de Office-knop geselecteerd, dan kan met de pijltoetsen (links en rechts) een ander tabblad worden geselecteerd.

Stijlen bekijken en toepassen

Vooral de opmaakmogelijkheden voor gegevens is in Excel 2007 flink onder handen genomen. Het algemene principe is opmaak eerst tonen en pas toepassen nadat geklikt is. U kunt kiezen uit een aantal stijlen en het volstaat om met de muis over een stijl te bewegen om te zien hoe de gegevens zullen worden opgemaakt. Bevalt een bepaalde stijl, dan past u de opmaak definitief toe door op die stijl te klikken.

In een tabel kunt u kiezen om een hele tabel in één keer op te maken of per cel de stijl aan te passen.

> **INFO**
>
> Let op! Ook in deze versie van Excel stopt de selectie van een lijst bij een lege rij en een lege kolom.

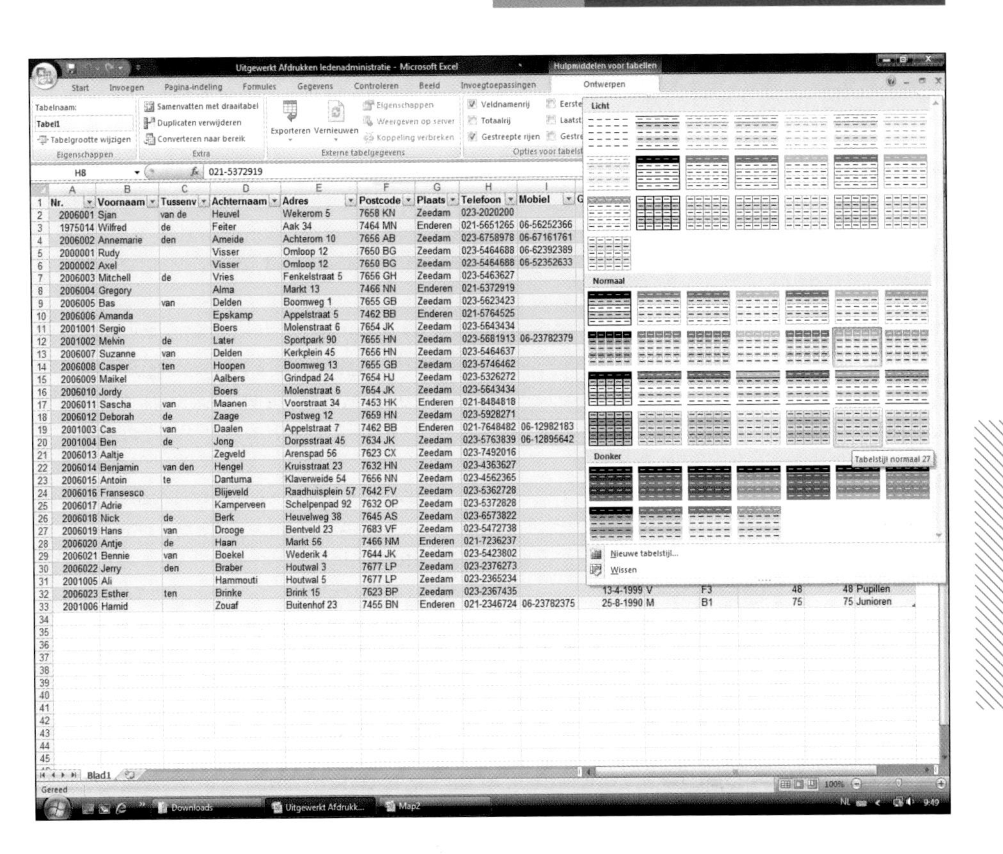

Formulebalk

Op het eerste gezicht is er aan de formulebalk niet zoveel aangepast, maar dat is slechts schijn. Het naamvak kan vergroot worden door te verslepen en de formulebalk kan gespreid worden over meerdere regels, zodat u ook langere formules goed kunt lezen en bewerken.

```
AK5   =SOM(ALS(E5=1;1)+(ALS(H5=1;1)+(ALS(K5=1;1)+(ALS(N5=1;1)+(ALS(Q5=1;1)+(ALS(T5=1;1)+(ALS(W5=1;1)+(ALS(Z5=1;1)+(ALS(AC5=1;1)+(ALS(B6=1;1)+(ALS(B7=1;1)+(
ALS(B8=1;1)+(ALS(B9=1;1)+(ALS(B10=1;1)+(ALS(B11=1;1)+(ALS(B12=1;1)+(ALS(B13=1;1)+(ALS(B14=1;1)))))))))))))))))))
```

Statusbalk

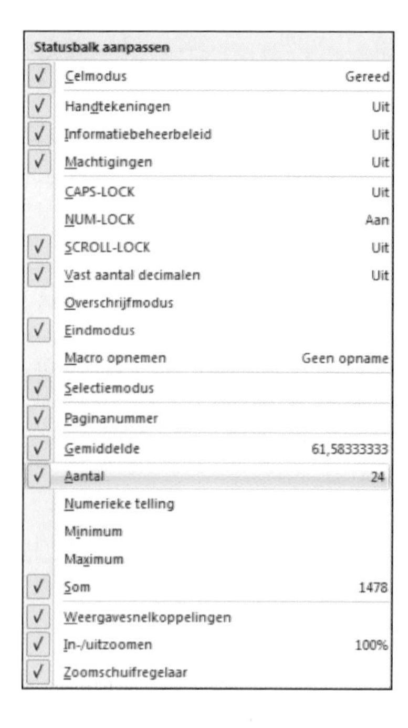

Een relatief onbekend deel van de statusbalk, namelijk dat deel waar u zonder een formule in te voeren een telling op geselecteerde cellen kunt uitvoeren, is uitgebreid. Het is mogelijk om meerdere berekeningen tegelijkertijd weer te geven. Het aanpassen van de statusbalk is dan ook flink uitgebreid. Wilt u in één keer het aantal cellen dat gevuld is met een waarde, de som en het gemiddelde van die cellen weten, dan kan dat. Ook is nu aangegeven dat u wilt zien of [Caps Lock], [Num Lock] of [Scroll Lock] zijn ingeschakeld. Deze indicatoren verschijnen in gewone tekst aan de linkerkant van de statusbalk. Er kan een pagina-aanduiding worden getoond en u kunt makkelijker in- en uitzoomen.

Werkbladen

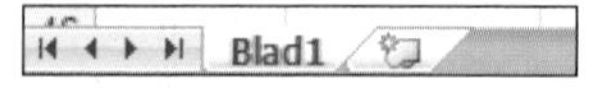

Bij de werkbladen is een nieuwe tab verschenen met een sterretje erop. Dit is bij Microsoft over het algemeen het symbool voor een nieuw onderdeel; in dit geval dus de knop om een nieuw tabblad in te voegen. Eén klik volstaat en het werkblad wordt niet meer vooraan ingevoegd, maar achteraan. Dat scheelt weer een handeling, want meestal zijn werkbladen niet vooraan maar juist achteraan gewenst. Het maakt hierbij niet uit welk werkblad geselecteerd is tijdens de klik.

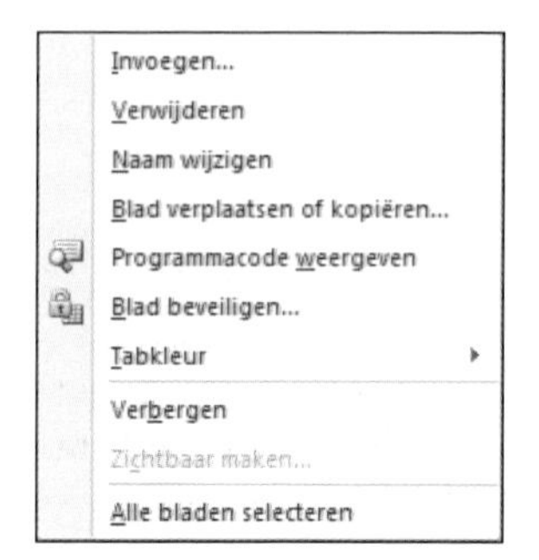

Nieuw is de optie om met een rechtsklik het betreffende werkblad te beveiligen.

Grootte van het werkblad

Aan het werkblad is niet te zien hoe groot het is, daarvoor moet u de celaanwijzer verplaatsen. Met behulp van de sneltoets [Ctrl]+[→] en [Ctrl]+[↓] wordt de laatste cel op het werkblad geselecteerd. Dit is cel XFD1048576. Excel 2007 is nu uitgerust met 1.048.576 kolommen en 16384 rijen. Dat levert 17.179.869.184 cellen op. Uitgaande van een beeldscherm dat 18 kolommen en 38 rijen weergeeft, betekent dit dat u op uw scherm slechts een fractie van het ganse werkblad ziet. Toch is de uitbreiding van kolommen een opluchting voor gebruikers die jaarschema's maken en voor elke dag van het jaar een kolom willen gebruiken.

TIP

De kolombreedte is beperkt tot 255 tekens, maar mocht er meer tekst in moeten, dan kan dit door de rijhoogte aan te passen. De volgende beperking is het aantal tekens in een cel dat niet groter dan 32.767 tekens kan zijn. Het aantal werkbladen in een werkmap wordt beperkt door het beschikbare geheugen.

Formules invoeren

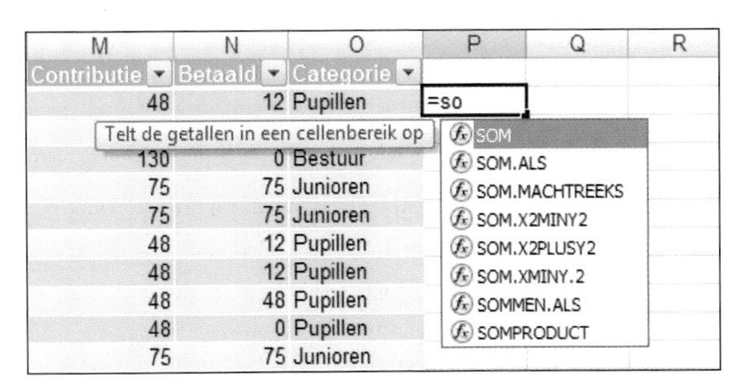

Voor het invoeren van formules bestaat nu de functie **Auto-aanvullen**. Terwijl u typt, verschijnt een lijstje van functies die beginnen met de letters die u al hebt getypt. Staat de gewenste functie bovenaan, dan kunt u deze invoeren door op [Tab] te drukken; anders navigeert u met de pijltoetsen naar de juiste functie en drukt dan op [Tab]. U kunt natuurlijk ook gewoon klikken. Door op de naam van de functie te klikken, krijgt u uitleg erover.

Voorwaardelijke opmaak

Dit betekent dat cellen die aan een bepaalde voorwaarde voldoen, een andere opmaak krijgen. Dat gaat nu een stuk sneller, doordat een aantal voorwaarden al is ingebakken. U selecteert een aantal cellen en geeft aan dat u kleur wilt zien bij cellen die bijvoorbeeld een waarde bevatten die groter is dan het gemiddelde van de selectie. Het is zelfs niet nodig eerst een gemiddelde te berekenen.

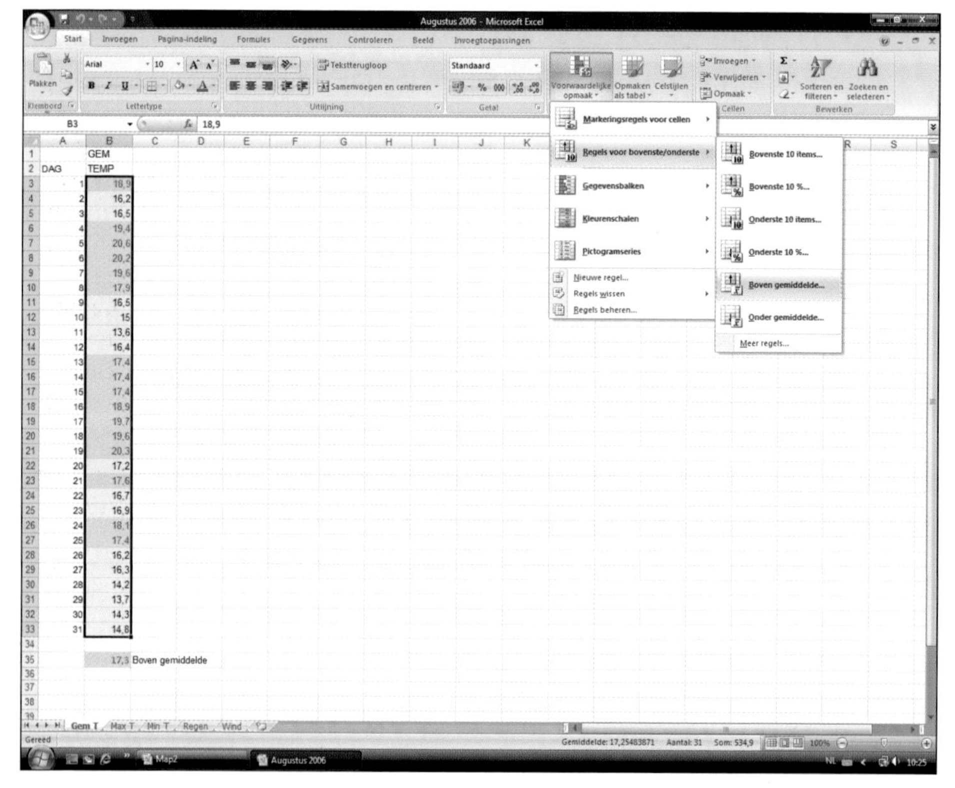

Maar het is ook mogelijk om in de cellen een kleurbalk te laten verschijnen die groter wordt naarmate de waarde groter is. Meer hierover in hoofdstuk 3.

Sorteren op kleur

Sorteren op inhoud (of dat nu getallen zijn of tekst) was altijd al mogelijk maar er kan nu ook worden gesorteerd op celkleur of tekenkleur. De zojuist aangebrachte kleur kan mooi gebruikt worden om de getallen die groter zijn dan het gemiddelde bovenaan te zetten. Natuurlijk kon dat ook al door aflopend te sorteren, maar misschien hebt u een werkblad waarbij bepaalde cellen zijn opgemaakt met een kleur.

Ook het aantal kolommen waarop in één keer kan worden gesorteerd is behoorlijk uitgebreid. In het venster **Sorteren** klikt u daarvoor op de knop **Niveau toevoegen** (tot een maximum van 64 kolommen per sortering).

Meer dan 1000 verschillende items

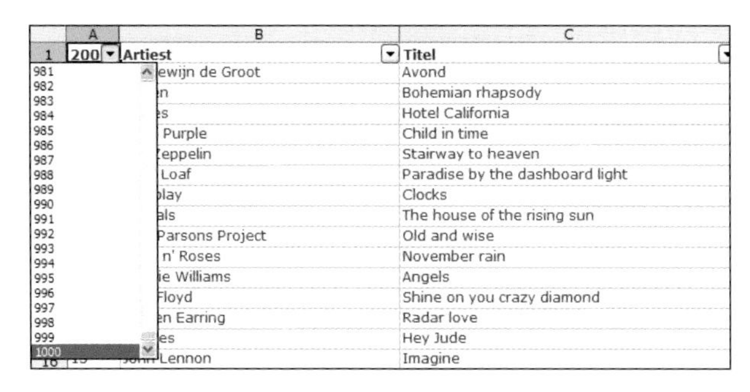

Misschien is het nooit opgevallen omdat uw lijst nooit meer dan 1000 verschillende items bevatte, maar dat is wel degelijk de grens die in oudere versies van Excel zat. De keuzelijst die wordt opgebouwd bij het oproepen van **AutoFilter** kon gewoon niet meer items bevatten.

Dat aantal is nu vertienvoudigd. Er kunnen dus 10.000 verschillende items in de keuzelijst staan.

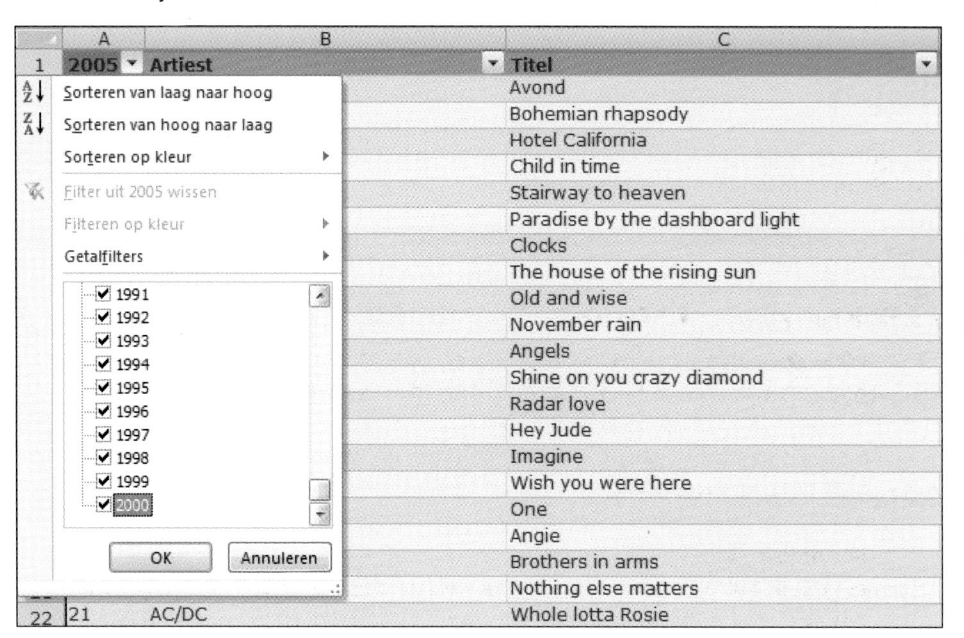

Titels blokkeren

Titels vastzetten is uitermate handig en daarom is dit nu ook opgenomen in een knop, met daarin drie mogelijkheden: **Titels blokkeren**, **Bovenste rij blokkeren** en **Eerste kolom blokkeren**. Bij de laatste twee opties maakt het niet uit welke cel is geselecteerd; bij de eerste optie wel want de kolommen links en de rijen boven de geselecteerde cel worden vastgezet. Dat was in vorige versies ook zo. Deze knop staat in het lint wanneer op de tab **Beeld** wordt geklikt.

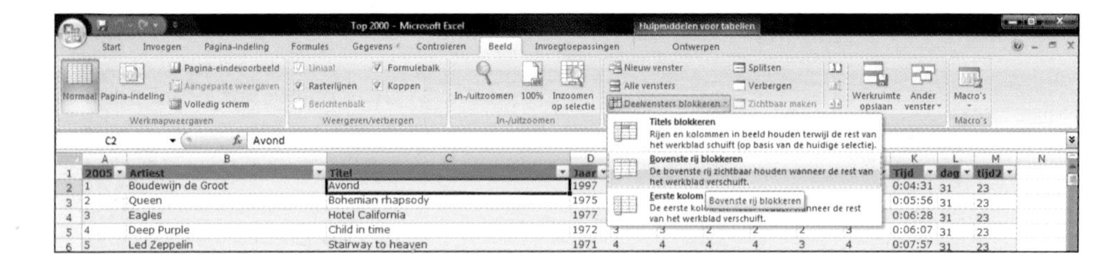

Automatisch AutoFilter

Na het invoeren van gegevens is het bereik met gegevens eenvoudig om te zetten in een tabel, een functie die ook in Excel 2003 aanwezig is. Klik ergens in de lijst en klik dan op **Opmaken als tabel** of selecteer de tabel en klik op **Invoegen / Tabel**. Na het invoegen verschijnt een extra vermelding in de titelbalk, met de naam **Hulpmiddel voor tabellen** en een extra tabblad met de naam **Ontwerpen**, waarmee u het verdere ontwerp van de tabel kunt bepalen. Denk hierbij aan de opmaak, maar ook aan het toevoegen van een **Totaalrij**. Deze extra tab met bijbehorende knoppen verschijnt weer zodra u weer in de tabel klikt. In de groep **Eigenschappen** kan de naam voor de tabel worden aangepast. De naam kan in formules worden gebruikt.

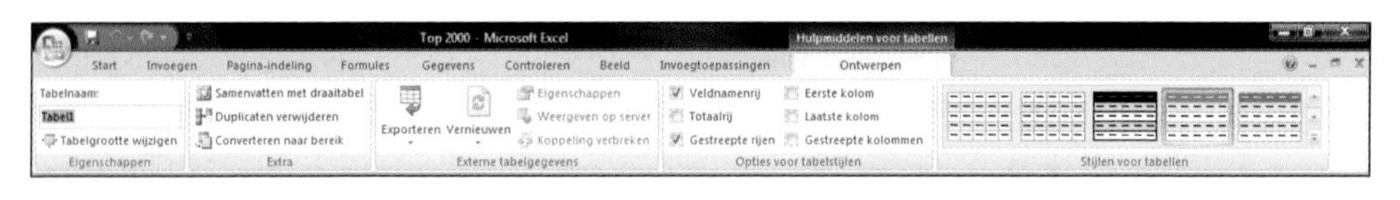

SmartArt

Nieuw is een groot aantal afbeeldingen met de verzamelnaam SmartArt. Het gaat om organisatiediagrammen, cyclusdiagrammen enzovoort. Zo'n verzameling was al in eerdere versies aanwezig, maar deze is nu behoorlijk uitgebreid en er is gewerkt aan een consequente kleurstelling door met stijlen te werken, zowel voor de tabellen die al eerder in dit hoofdstuk zijn aangegeven, maar ook in deze diagrammen.

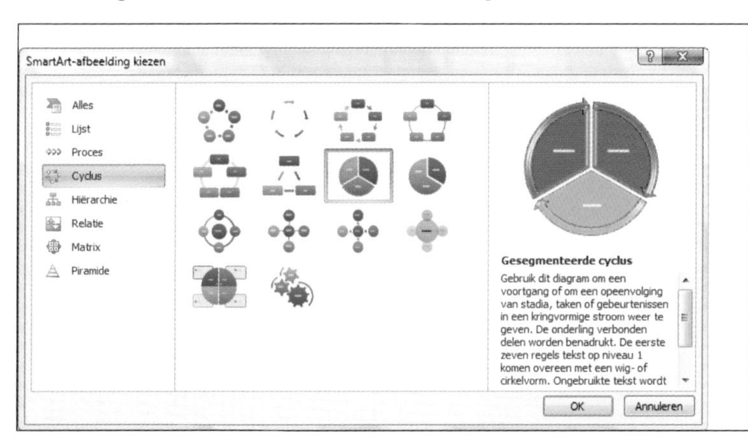

Opmaak

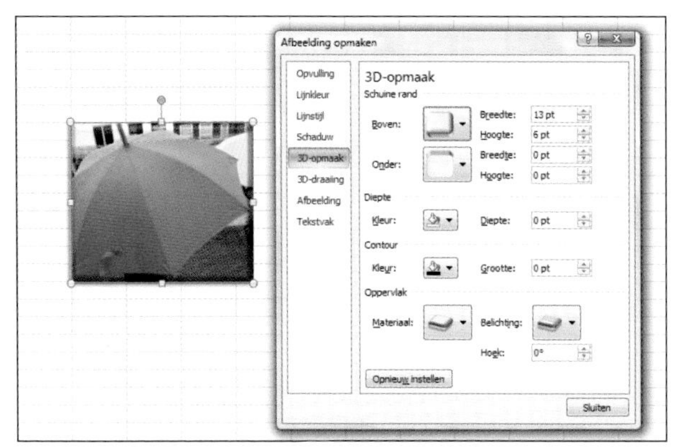

Afbeeldingen die zijn ingevoegd in Excel kunnen nu beter opgemaakt worden. Naast de gekende schaduw kunt u nu ook de opmaak van een vorm in 3D aanpassen.

Draaitabellen

De draaitabellen zijn weer flink onder handen genomen. Slepen van velden is niet meer nodig. Aan de rechterkant verschijnt een taakvenster met daarin de veldnamen van de tabel in kwestie, en daaronder zijn de verschillende gebieden van de draaitabel weergegeven. 'Paginavelden' zijn omgedoopt tot 'Rapportfilter' en de andere onderdelen hebben hun oorspronkelijke namen behouden. In hoofdstuk 4 komt u de draaitabellen weer tegen.

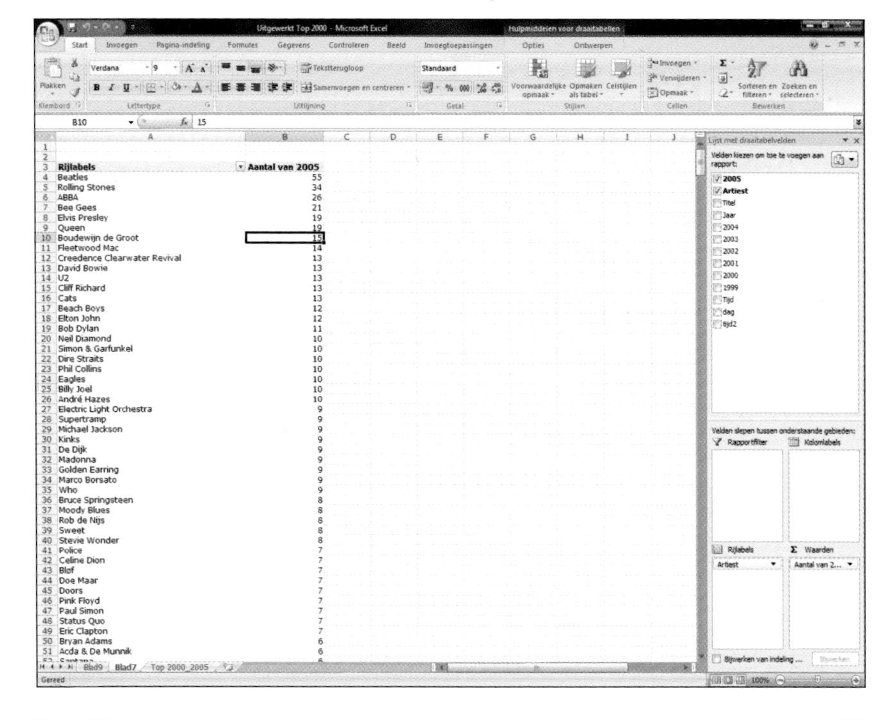

Opslaan in bestandsindeling XML

> **INFO**
>
> Gaat u opslaan in de indeling voor Excel 2003, dan verschijnt een waarschuwing met de toelichting dat er functionaliteitverlies optreedt, met een toelichting op welke onderdelen van de werkmap dit betrekking heeft.

De vernieuwde bestandsindeling is één van de opvallendste wijzigingen. Deze komt echter pas aan het licht wanneer u bestanden gaat opslaan en misschien wilt openen in een oudere versie. De extensie eindigt niet meer in .xls maar in xlsx. Die x is afkomstig van de indeling XML, de standaard voor het opslaan van bestanden in Office 2007. Opvallend is dat de bestandsgrootte behoorlijk is afgenomen.

Afdrukken

De weergave van het afdrukvoorbeeld heeft concurrentie gekregen van de weergave **Pagina-indeling**. U krijgt meteen de kop- en voetteksten in beeld en er is duidelijk te zien welke kolommen en rijen er op een pagina passen. Deze instelling is terug te vinden onder **Beeld**.

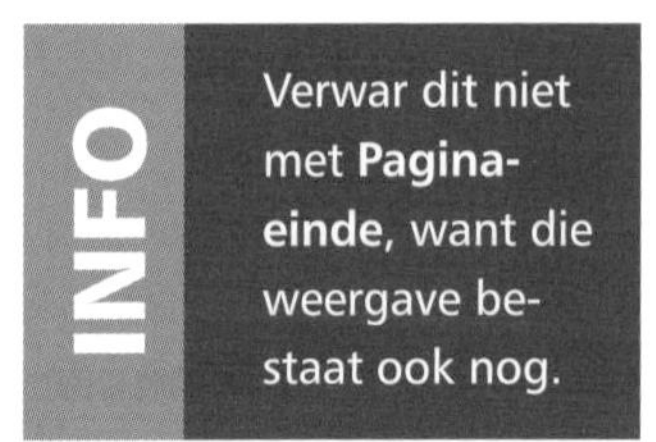

INFO
Verwar dit niet met **Pagina-einde**, want die weergave bestaat ook nog.

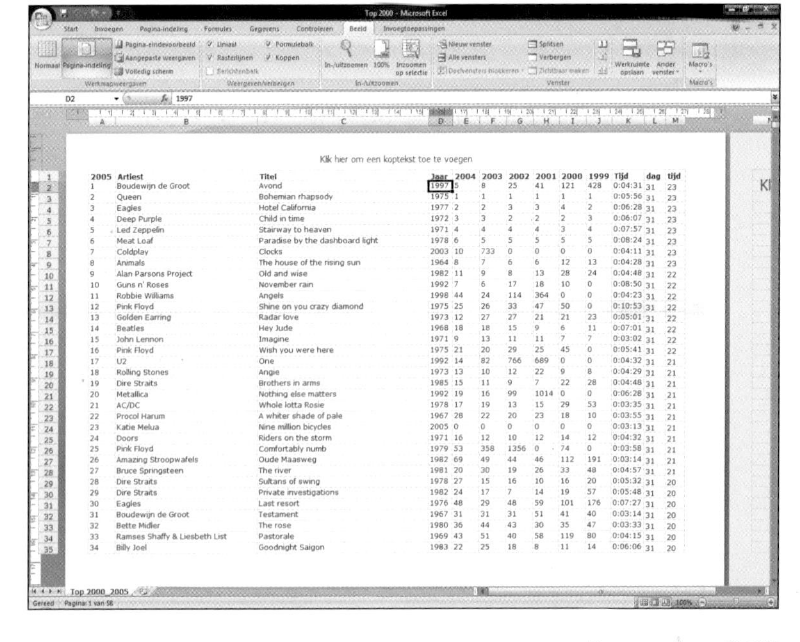

2005	Artiest	Titel	Jaar	2004	2003	2002	2001	2000	1999	Tijd	dag	tijd
1	Boudewijn de Groot	Avond	1997	5	8	25	41	121	428	0:04:31	31	23
2	Queen	Bohemian rhapsody	1975	1	1	1	1	1	1	0:05:56	31	23
3	Eagles	Hotel California	1977	2	2	3	3	4	2	0:06:28	31	23
4	Deep Purple	Child in time	1972	3	3	2	2	2	3	0:06:07	31	23
5	Led Zeppelin	Stairway to heaven	1971	4	4	4	4	3	4	0:07:57	31	23
6	Meat Loaf	Paradise by the dashboard light	1978	6	5	5	5	5	5	0:08:24	31	23
7	Coldplay	Clocks	2003	10	733	0	0	0	0	0:04:11	31	23
8	Animals	The house of the rising sun	1964	8	7	6	6	12	13	0:04:28	31	23
9	Alan Parsons Project	Old and wise	1982	11	9	8	13	28	24	0:04:48	31	22
10	Guns n' Roses	November rain	1992	7	6	17	18	10	0	0:08:50	31	22
11	Robbie Williams	Angels	1998	44	24	114	364	0	0	0:04:23	31	22
12	Pink Floyd	Shine on you crazy diamond	1975	25	26	33	47	50	0	0:10:53	31	22
13	Golden Earring	Radar love	1973	12	27	27	21	21	23	0:05:01	31	22
14	Beatles	Hey Jude	1968	18	18	15	9	6	11	0:07:01	31	22
15	John Lennon	Imagine	1971	9	13	11	11	7	7	0:03:02	31	22
16	Pink Floyd	Wish you were here	1975	21	20	29	25	45	0	0:05:41	31	22
17	U2	One	1992	14	82	766	689	0	0	0:04:32	31	21
18	Rolling Stones	Angie	1973	13	10	12	22	9	8	0:04:29	31	21
19	Dire Straits	Brothers in arms	1985	15	11	9	7	22	28	0:04:48	31	21
20	Metallica	Nothing else matters	1992	19	16	99	1014	0	0	0:06:28	31	21
21	AC/DC	Whole lotta Rosie	1978	17	19	13	15	29	53	0:03:35	31	21
22	Procol Harum	A whiter shade of pale	1967	28	22	20	23	18	10	0:03:55	31	21
23	Katie Melua	Nine million bicycles	2005	0	0	0	0	0	0	0:03:13	31	21
24	Doors	Riders on the storm	1971	16	12	10	12	14	12	0:04:32	31	21
25	Pink Floyd	Comfortably numb	1979	53	358	1356	0	74	0	0:03:58	31	21
26	Amazing Stroopwafels	Oude Maasweg	1982	69	49	44	46	112	191	0:03:14	31	21
27	Bruce Springsteen	The river	1981	20	30	19	26	33	48	0:04:57	31	21
28	Dire Straits	Sultans of swing	1978	27	15	16	10	16	20	0:05:32	31	20
29	Dire Straits	Private investigations	1982	24	17	7	14	19	57	0:05:48	31	20
30	Eagles	Last resort	1976	48	29	48	59	101	176	0:07:27	31	20
31	Boudewijn de Groot	Testament	1967	31	31	31	51	41	40	0:03:14	31	20
32	Bette Midler	The rose	1980	36	44	43	30	35	47	0:03:33	31	20
33	Ramses Shaffy & Liesbeth List	Pastorale	1969	43	51	40	58	119	80	0:04:15	31	20
34	Billy Joel	Goodnight Saigon	1983	22	25	18	8	11	14	0:06:06	31	20

Van start met Excel 2007

2

Excel is een programma dat zich presenteert als een groot vel ruitjespapier. U kunt dit vergelijken met een ringband gevuld met tabbladen en daartussen vellen papier die bedrukt zijn met ruitjes. De tabbladen zitten bij de ringband meestal aan de zijkant; in Excel vindt u ze terug aan de onderkant van het scherm. En net als op een gewoon vel ruitjespapier kunt u hier allerlei aantekeningen op maken, maar Excel biedt ook de mogelijkheid om met formules te werken. In zo'n formule geeft u dan de opdracht een berekening uit te voeren, bijvoorbeeld het aantal artikelen dat u wilt aanschaffen vermenigvuldigen met de prijs per stuk. Wijzigt u het aantal artikelen, dan wordt automatisch de nieuwe totaalprijs berekend...

Hebt u nog niet eerder met Excel gewerkt, dan is het handig om dit hoofdstuk door te nemen. De belangrijkste termen komen aan de orde en er wordt besproken hoe u gegevens kunt invoeren en formules gebruikt om berekeningen te laten uitvoeren.

Excel starten

De eerste stap is natuurlijk het opstarten van Excel. In de voorbeelden werken we met Windows Vista.

Gebruikt u een oudere versie van Windows dan zult u merken dat de opdrachten er misschien iets anders uitzien, maar de stappen zijn grotendeels gelijk.

1. Klik op de knop **Starten** (linksonder, met Windows-logo).
2. Klik op **Alle programma's**.
3. Klik op **Microsoft Office**.
4. Kies **Microsoft Office Excel 2007**.

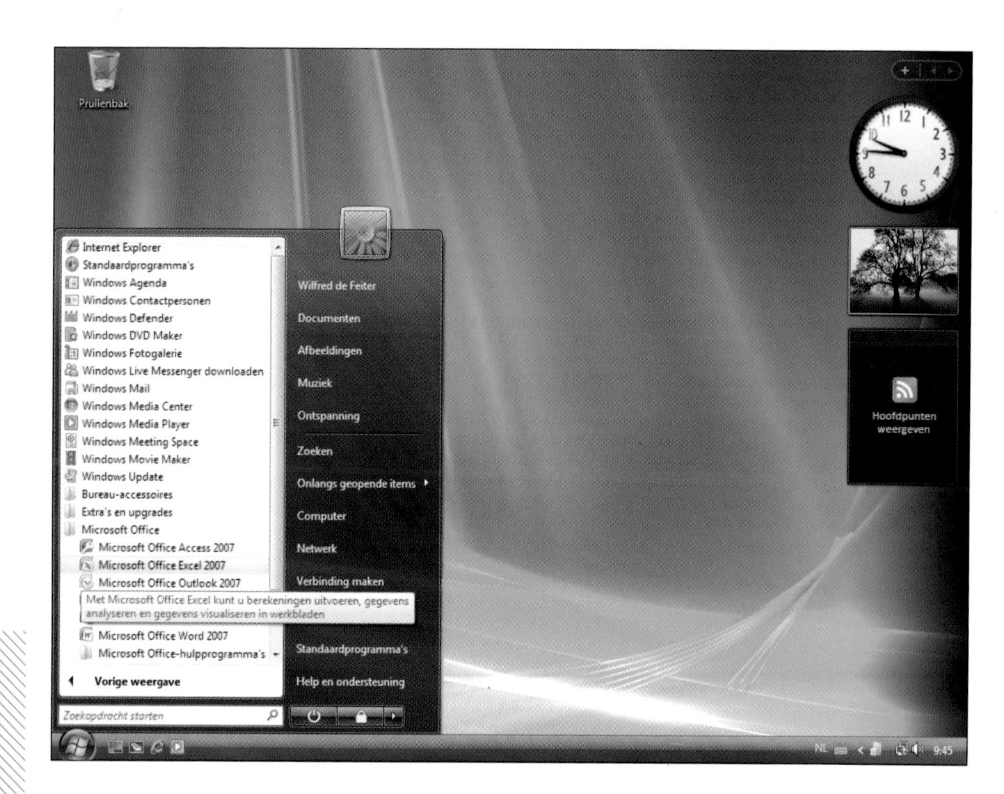

Wat zie ik op mijn scherm?

Het grootste deel van het Excel-venster wordt in beslag genomen door het 'ruitjespapier'. Er rond ziet u onderdelen als een titelbalk, het lint, de formulebalk, schuifbalken, kolom- en rijaanduidingen, de tabbladen en de statusbalk.

1 De Office-knop
2 De werkbalk Snelle toegang
3 De titelbalk
4 De tabbladen
5 Het lint
6 De formulebalk
7 Kolommen
8 Rijen
9 Tabs van de werkbladen
10 Statusbalk

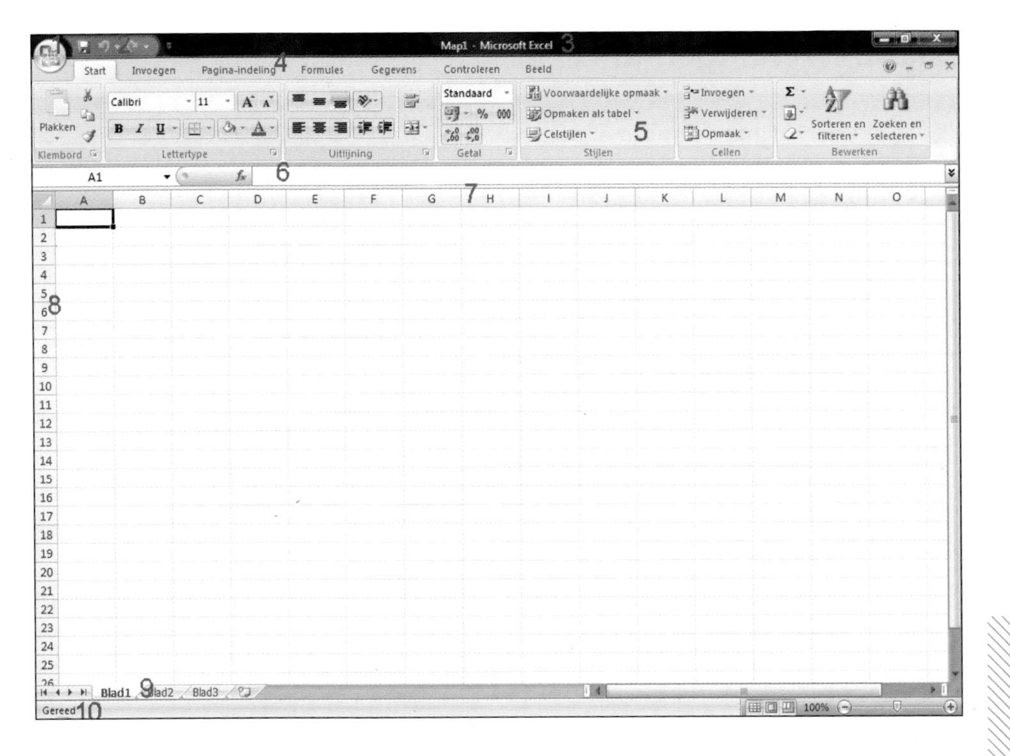

Groot, heel erg groot

Het totale aantal cellen op één werkblad is dus 16384 maal 1048576 en dat is 17.179.869.184 cellen, ruim 17 miljard.

Besef wel dat het gedeelte dat nu op uw scherm zichtbaar is (hoeveel precies is afhankelijk van de instellingen van uw monitor) slechts een heel klein deel is van het eerste vel ruitjespapier. Elk **werkblad** (aanduiding voor een tabblad in Excel) bestaat uit 16.384 **kolommen**, aangegeven met lettercombinaties van A tot en met XFD, en 1.048.576 **rijen**. Voor de kolommen wordt eerst het alfabet gebruikt, dat zijn 26 kolommen, en dan de volgende 26 kolommen met twee letters van AA tot en met AZ enzovoort. Elk ruitje wordt een **cel** genoemd en deze wordt aangegeven met een combinatie van letters (kolom) en cijfers (rij). De eerste cel is cel A1; de laatste XFD1048576.

Basisbewerkingen in Excel

In een cel kunt u getallen of datums invoeren. Verder kunt u ook gewoon tekst typen, maar dat kan even goed een formule zijn. In het volgende voorbeeld wordt een kleine bestellijst gemaakt. Het is de bedoeling dat een klant in de bestellijst de datum invoert, aantallen artikelen en dat Excel dan uitrekent wat de prijs is én het totaalbedrag.

TIP
Met een muisklik kunt u ook de celaanwijzer verplaatsen, maar via het toetsenbord werkt het vaak handiger.

Eerst gaat u de muisaanwijzer in cel A1 zetten met behulp van een sneltoets. U verplaatst daarna de celaanwijzer nog enkele keren en telkens zonder de muis te gebruiken.

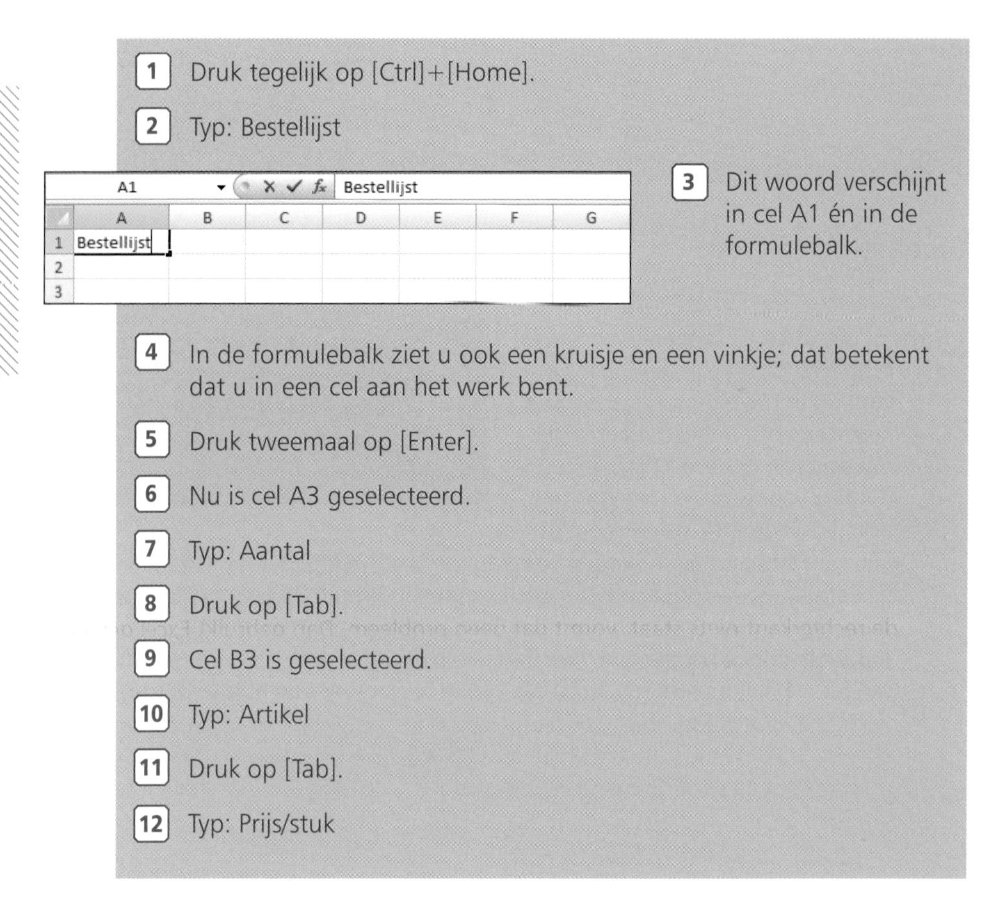

1 Druk tegelijk op [Ctrl]+[Home].

2 Typ: Bestellijst

3 Dit woord verschijnt in cel A1 én in de formulebalk.

4 In de formulebalk ziet u ook een kruisje en een vinkje; dat betekent dat u in een cel aan het werk bent.

5 Druk tweemaal op [Enter].

6 Nu is cel A3 geselecteerd.

7 Typ: Aantal

8 Druk op [Tab].

9 Cel B3 is geselecteerd.

10 Typ: Artikel

11 Druk op [Tab].

12 Typ: Prijs/stuk

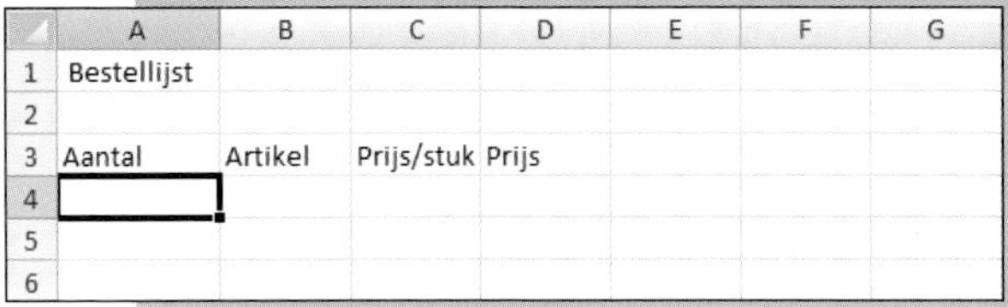

	A	B	C	D	E	F	G
1	Bestellijst						
2							
3	Aantal	Artikel	Prijs/stuk	Prijs			
4							
5							
6							

13 Druk op [Tab].

14 Typ: Prijs

15 Druk op [Enter].

16 Druk op [Home].

17 Cel A4 is nu geselecteerd.

Tot nu toe hebt u enkel tekst ingetypt. Het lijstje met artikelen bevat echter ook getallen, namelijk prijzen. Daarom staat het netjes om deze getallen te voorzien van het eurosymbool. Doe dit nadat de prijzen zijn getypt.

1 Vul nu de cellen B4 tot en met C10 met de volgende gegevens:

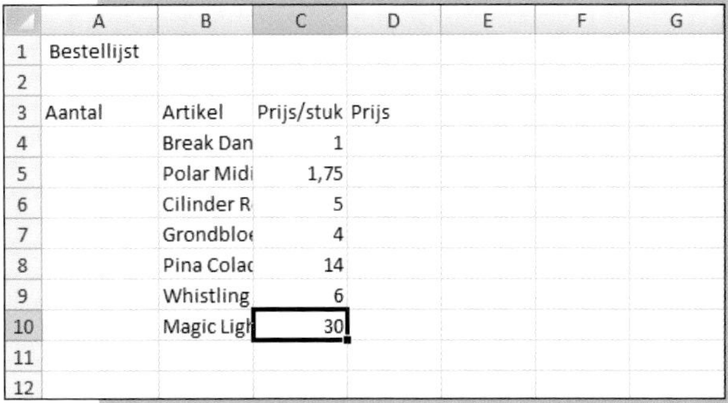

	A	B	C	D	E	F	G
1	Bestellijst						
2							
3	Aantal	Artikel	Prijs/stuk	Prijs			
4		Break Dan	1				
5		Polar Midi	1,75				
6		Cilinder R	5				
7		Grondbloe	4				
8		Pina Colac	14				
9		Whistling	6				
10		Magic Ligh	30				
11							
12							

Break Dance	1,00
Polar Midi	1,75
Cilinder Rood	5,00
Grondbloemen	4,00
Pina Colada	14,00
Whistling Thunder	6,00
Magic Light	30,00

2 Schrik niet als de tabel er niet perfect lijkt uit te zien.

Kolom breder maken

Het valt meteen op dat de tekst in kolom B niet compleet wordt weergegeven. De teksten zijn te lang voor de breedte van de kolom. Zolang er in de cellen aan de rechterkant niets staat, vormt dat geen probleem. Dan gebruikt Excel gewoon de ruimte van de lege kolom. Hier staan in kolom C echter de prijzen. Kolom B moet dus breder worden gemaakt om alle tekst erin te tonen. Het snelste gaat dit door te dubbelklikken op het randje tussen de kolomaanduidingen van kolom B en C. De kolom neemt dan automatisch de breedte aan van het langste woord. Wilt u zelf kiezen hoe breed de kolom wordt, klik dan op het randje en sleep naar rechts.

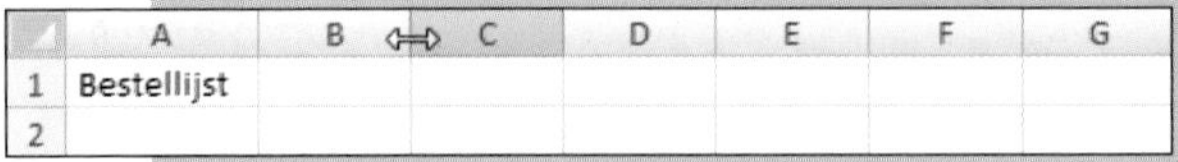

	A	B	C	D	E	F	G
1	Bestellijst						
2							

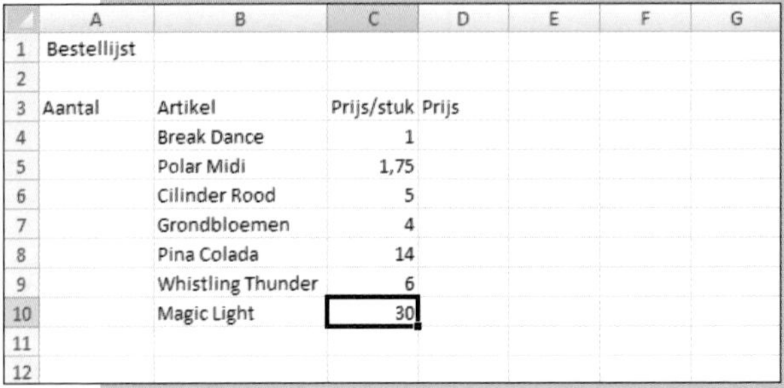

	A	B	C	D	E	F	G
1	Bestellijst						
2							
3	Aantal	Artikel	Prijs/stuk	Prijs			
4		Break Dance	1				
5		Polar Midi	1,75				
6		Cilinder Rood	5				
7		Grondbloemen	4				
8		Pina Colada	14				
9		Whistling Thunder	6				
10		Magic Light	30				
11							
12							

1. Verplaats de muis naar het lijntje tussen kolomkop B en C.
2. De aanwijzer verandert in een dubbele pijl.
3. Dubbelklik.
4. Kolom B is nu breed genoeg voor alle tekst.

Getallen opmaken als prijzen

Ook al hebt u het lijstje getallen perfect ingetypt (bijvoorbeeld 1,00), toch zien de bedragen er nu anders uit. De standaardinstelling van Excel is namelijk dat overbodige nullen worden weggelaten. Maar die nullen en het symbool voor de euro zijn in een prijslijst wél belangrijk! Omdat in kolom D later ook met prijzen wordt gewerkt, gaat u voor die cellen alvast de opmaak goed instellen. Dat kan met de optie **Financiële getalnotatie**. Selecteer eerst de cellen C4 tot en met D10 en klik dan in het lint op de knop met het bankbiljet en de muntjes. Cellen selecteert u door erover te slepen.

INFO

U mag het eurosymbool wel zelf typen, gevolgd door een spatie en het bedrag. Excel herkent dit dan als een valutasymbool en maakt de cel correct op. In het voorbeeld wordt dit niet gedaan omdat het bij andere voor- of achtervoegsels zoals km of liter, juist niet de bedoeling is deze te typen. Doet u dit wel dan kan Excel niet meer met het getal rekenen, omdat het een combinatie van getal en tekst is geworden.

1. Plaats de muisaanwijzer op cel C4.
2. Sleep nu tot en met cel D10.

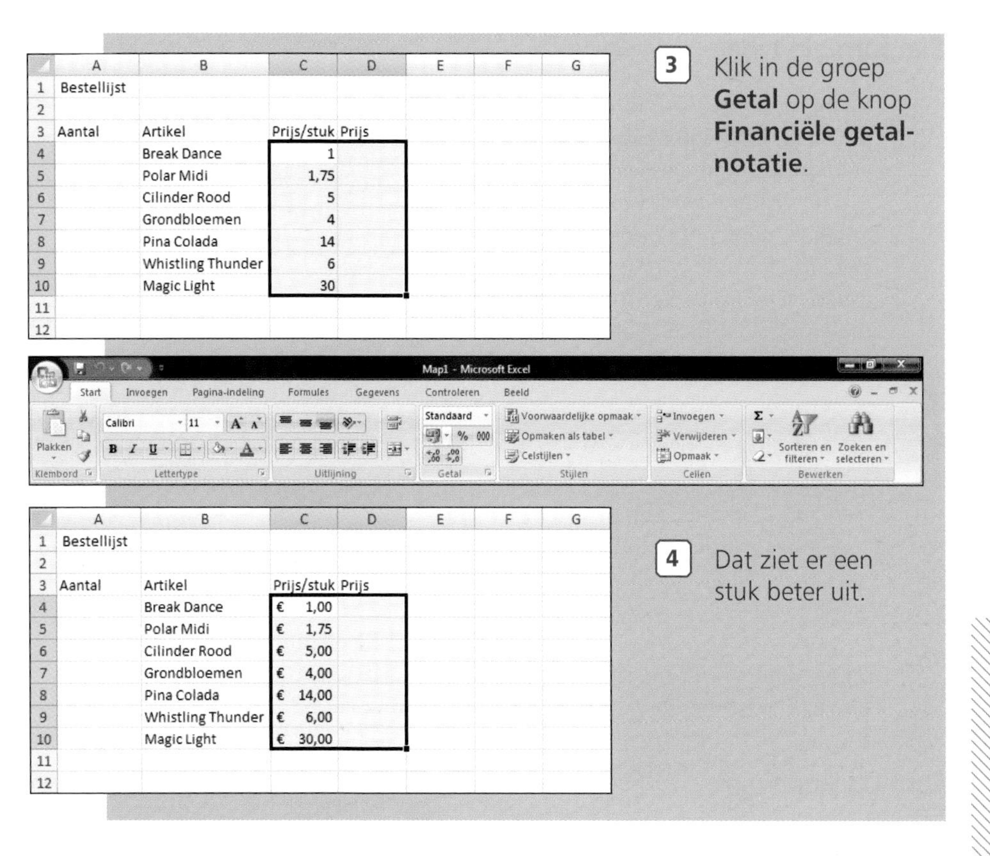

3 Klik in de groep **Getal** op de knop **Financiële getalnotatie**.

4 Dat ziet er een stuk beter uit.

Aantallen invullen

Nu gaat u bij bepaalde artikelen een aantal invullen. Daarna kunt u de volgende stap zetten, namelijk het opstellen van de formules om de prijs uit te rekenen. Er wordt niet van elk artikel wat besteld.

1 Klik in cel A4.

2 Typ: 5

3 Klik in cel A8.

4 Typ: 2

5 Klik in cel A10.

6 Typ: 1

Een formule typen

In kolom D moet een formule worden ingevuld: het aantal moet vermenigvuldigd worden met de prijs per stuk. U gaat echter niet verwijzen naar getallen, maar naar celnamen. Zo kan dezelfde formule voor verschillende artikelen gebruikt worden. Een formule begint in Excel met het is-gelijk-teken. Voor vermenigvuldigen wordt het sterretje gebruikt.

TIP Voor delen gebruikt u de schuine streep, bijvoorbeeld =A4/D4. Optellen blijft gewoon de + en aftrekken de -.

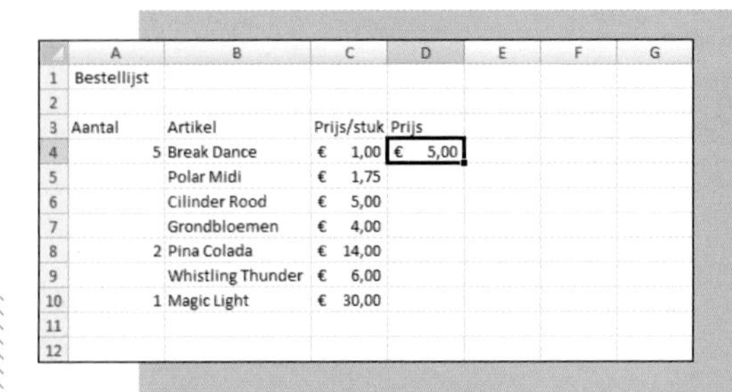

	A	B	C	D	E	F	G
1	Bestellijst						
2							
3	Aantal	Artikel	Prijs/stuk	Prijs			
4	5	Break Dance	€ 1,00	€ 5,00			
5		Polar Midi	€ 1,75				
6		Cilinder Rood	€ 5,00				
7		Grondbloemen	€ 4,00				
8	2	Pina Colada	€ 14,00				
9		Whistling Thunder	€ 6,00				
10	1	Magic Light	€ 30,00				
11							
12							

1. Klik in cel D4.
2. Typ: =A4*C4
3. Klik in de formulebalk op het vinkje.
4. Bekijk nu in cel D4 de uitkomst zoals die is berekend.

Formule kopiëren

De formule in cel D4 is correct en kan gekopieerd worden naar de cellen eronder. Het kopiëren gaat op een speciale manier: met de vulgreep. Dat is het kleine zwarte vierkantje rechtsonder.

INFO U kunt ook telkens de nieuwe formules zelf typen, maar kopiëren gaat sneller en vermindert de kans op fouten.

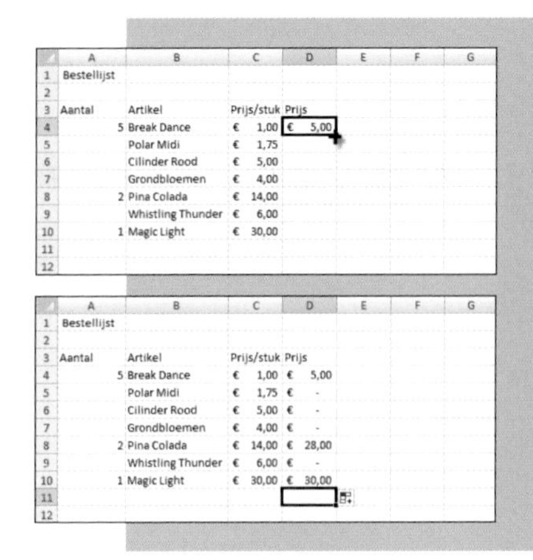

	A	B	C	D	E	F	G
1	Bestellijst						
2							
3	Aantal	Artikel	Prijs/stuk	Prijs			
4	5	Break Dance	€ 1,00	€ 5,00			
5		Polar Midi	€ 1,75				
6		Cilinder Rood	€ 5,00				
7		Grondbloemen	€ 4,00				
8	2	Pina Colada	€ 14,00				
9		Whistling Thunder	€ 6,00				
10	1	Magic Light	€ 30,00				
11							
12							

	A	B	C	D	E	F	G
1	Bestellijst						
2							
3	Aantal	Artikel	Prijs/stuk	Prijs			
4	5	Break Dance	€ 1,00	€ 5,00			
5		Polar Midi	€ 1,75	€ -			
6		Cilinder Rood	€ 5,00	€ -			
7		Grondbloemen	€ 4,00	€ -			
8	2	Pina Colada	€ 14,00	€ 28,00			
9		Whistling Thunder	€ 6,00	€ -			
10	1	Magic Light	€ 30,00	€ 30,00			
11							
12							

1. Plaats de muisaanwijzer op de vulgreep.
2. De muisaanwijzer verandert in een zwart plusteken.
3. Dubbelklik.
4. De formules zijn nu gekopieerd.
5. Meteen ziet u overal wat de prijs per artikel is.

Totaalprijs berekenen

De totaalprijs hoeft u niet zelf te berekenen. Excel kan dat snel in uw plaats! Maak daartoe gebruik van de knop **Som**, de knop met het $\sum$-teken (Sigma, wordt in de wiskunde gebruikt om aan te geven dat er opgeteld moet worden). Door eerst de cellen met de totaalprijzen per artikel te selecteren en dan op de knop **Som** te klikken, wordt de juiste formule ingevuld.

1. Selecteer D4 tot en met D10.
2. Klik in de groep **Bewerken** op de knop **Som**.
3. Het totaalbedrag voor de bestelling staat nu in cel D11.

Door te klikken op cel D11 verschijnt in de formulebalk de overeenkomstige formule, namelijk =SOM(D4:D10). Lees dit als: tel alles op van D4 tot en met D10.

Datum invullen

Om de bestellijsten netjes op volgorde van binnenkomst te kunnen sorteren gaat u ook nog een datum intypen. U doet dat door de getallen voor de dag, de maand en het jaar in te typen, gescheiden door streepjes. Daaraan herkent Excel dat het geen getal is maar een datum.

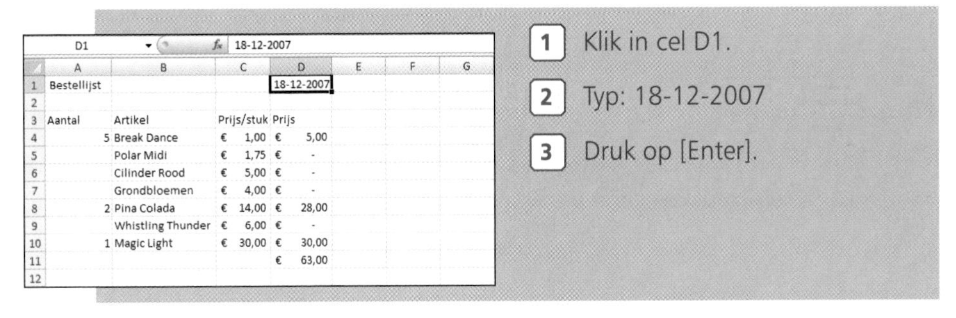

1. Klik in cel D1.
2. Typ: 18-12-2007
3. Druk op [Enter].

Het bestelformulier is nu klaar. U hebt gezien hoe u in een eenvoudig Excel-werkblad kunt omgaan met getallen, teksten, formules en zelfs met datums. In de volgende hoofdstukken wordt uitgegaan van deze kennis om andere werkbladen op te stellen en nieuwe berekeningen te maken.

Opslaan en sluiten

U kunt het bestand nu bewaren. Bedenk hiervoor zelf een naam.

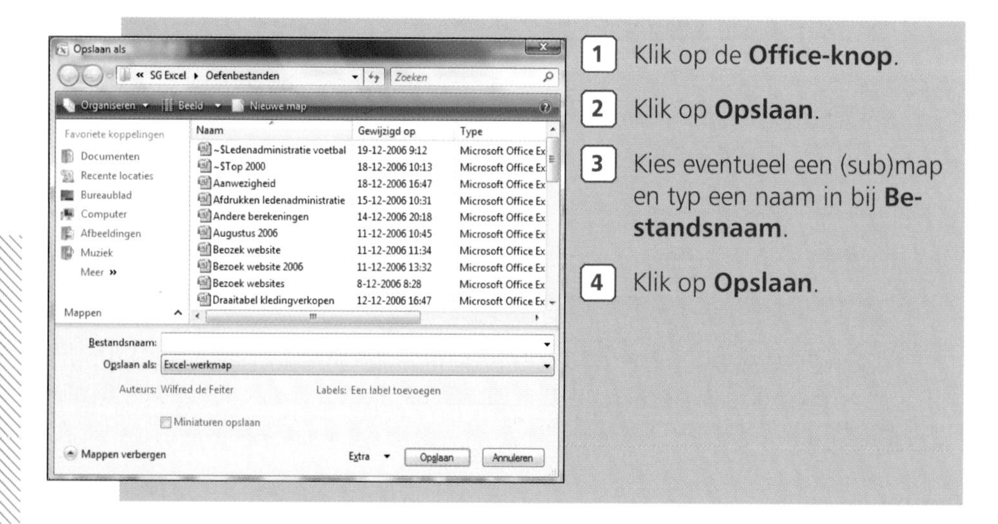

1. Klik op de **Office-knop**.
2. Klik op **Opslaan**.
3. Kies eventueel een (sub)map en typ een naam in bij **Bestandsnaam**.
4. Klik op **Opslaan**.

Een bestand sluiten doet u door rechtsboven te klikken op de onderste knop met het kruisje.

Als u na het opslaan nog extra veranderingen hebt aangebracht in uw bestand (verbeteringen of nieuwe gegevens) en wilt u daarna uw werk afsluiten, dan zal Excel u vragen om de wijzigingen te bewaren. Doorgaans moet u bevestigen met een klik op **Ja**.

U hebt in dit hoofdstuk kennis gemaakt met verschillende soorten gegevens die in Excel gebruikt kunnen worden en u hebt ook formules opgesteld. In de volgende hoofdstukken komt u nog meer voorbeelden tegen.

Uw tabellen opmaken 3

Uw gegevens overzichtelijk presenteren kan een tijdrovend werk zijn, maar het kan ook heel snel door gebruik te maken van de nieuwe tabelstijlen. Nadat de tabel is gedefinieerd, is het wijzigen van de opmaak een fluitje van een cent. Door de muis over de stijlen te bewegen, wordt de nieuwe opmaak van de tabel al getoond en kunt u bekijken of de nieuwe opmaak het gewenste effect heeft. Bent u tevreden, dan klikt u op de stijl. Deze wordt vervolgens toegepast. Daarnaast kunt u ook per cel opmaak toepassen. In dit hoofdstuk komt ook het werken met voorwaardelijke opmaak uitgebreid aan de orde.

Celstijlen

Een veel toegepaste vorm van opmaak is het aanbrengen van valutasymbolen zoals de euro. Zo is in één oogopslag te zien dat de getallen eigenlijk geldbedragen zijn. Bijkomend effect is dat alle bedragen worden weergegeven met twee cijfers achter de komma ook al hebt u er meer of minder getypt. Getallen zijn dan makkelijker met elkaar te vergelijken.

INFO Het toepassen van valutasymbolen is puur opmaak; er zit geen omrekening achter!

Het is altijd al mogelijk geweest om in Excel deze opmaak toe te passen door het selecteren van de cellen en dan te klikken op de knop **Financiële getalnotatie** (in eerdere versies de knop **Valuta**). Deze knop, voorzien van een stapeltje munten en een bankbiljet, is ook in versie 2007 van Excel aanwezig, maar is nu voorzien van een keuzepijl. Daarmee kunt u uit een aantal mogelijkheden kiezen. Staat het gewenste symbool er niet tussen, klik dan op **Meer financiële getalnotaties**.

1. Klik op de **Office-knop**.

2. Klik op **Openen**.
3. Blader naar de map met de oefenbestanden.
4. Dubbelklik op het bestand **Ledenadministratie voetbal**.

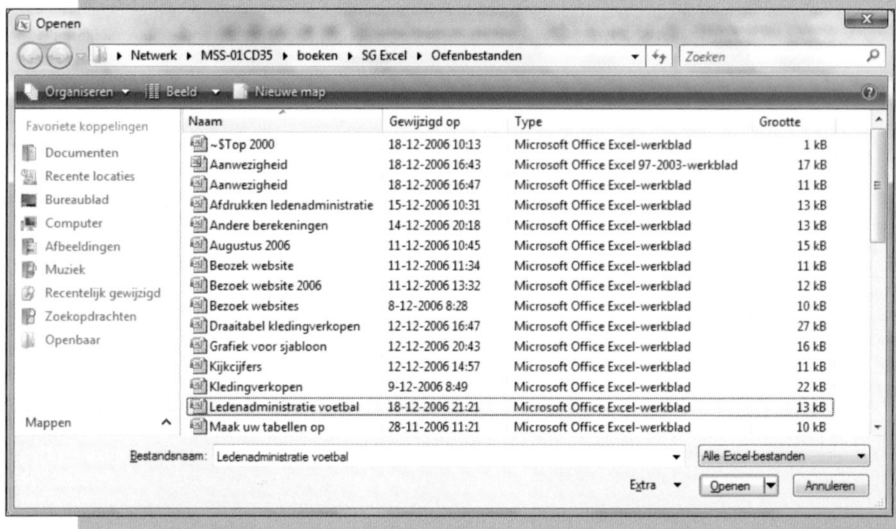

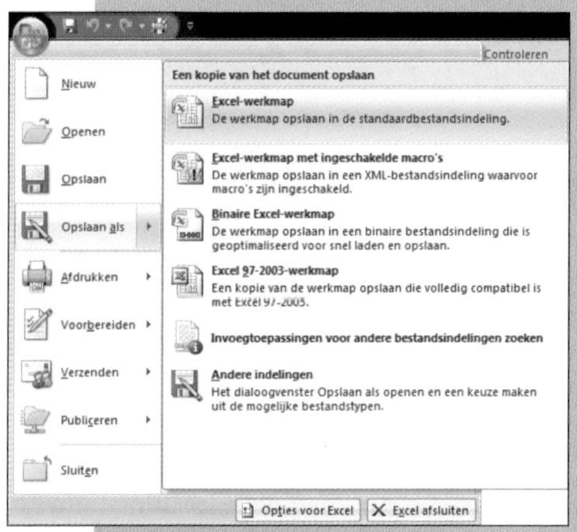

5 Klik weer op de **Office-knop**.

6 Klik op **Opslaan als**.

7 Kies **Excel-werkmap**.

8 Klik vooraan in het vak **Bestandsnaam**.

9 Voor de naam typt u: Uitgewerkt

10 Klik op **Opslaan**.

Als voorbeeld wordt op het tabblad **Leden** de inhoud van de cellen M2 tot en met N33 (respectievelijk de verschuldigde en de betaalde contributie) voorzien van de opmaak **Euro**.

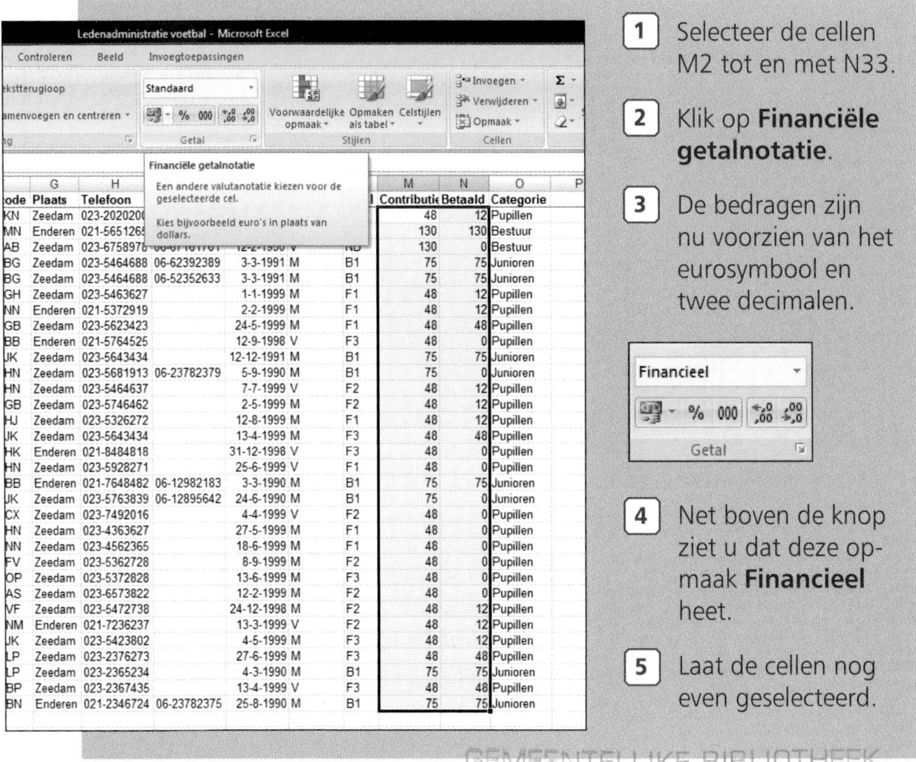

1. Selecteer de cellen M2 tot en met N33.
2. Klik op **Financiële getalnotatie**.
3. De bedragen zijn nu voorzien van het eurosymbool en twee decimalen.
4. Net boven de knop ziet u dat deze opmaak **Financieel** heet.
5. Laat de cellen nog even geselecteerd.

Opmaak en valuta veranderen

Typisch aan de opmaak **Financieel** is dat het valutateken links in de cel staan en de bedragen rechts. Dit oogt rustig. Anders is dit bij de notatie **Valuta**: hierbij sluit het valutasymbool aan op de rechts uitgelijnde bedragen.

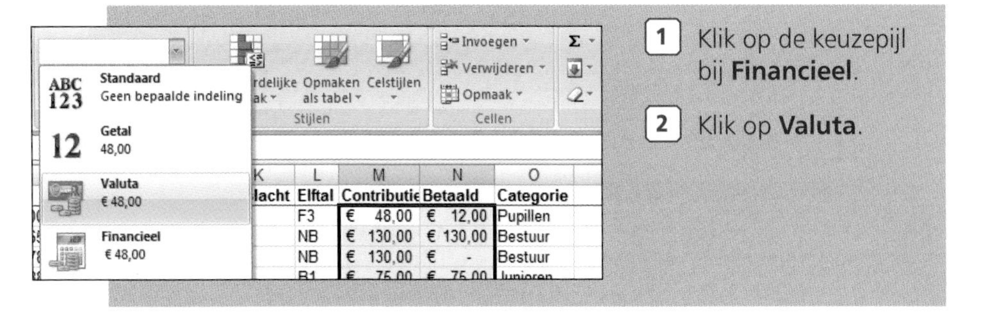

1. Klik op de keuzepijl bij **Financieel**.
2. Klik op **Valuta**.

M	N
Contributie	Betaald
€ 48,00	€ 12,00
€ 130,00	€ 130,00
€ 130,00	€ 0,00
€ 75,00	€ 75,00
€ 75,00	€ 75,00
€ 48,00	€ 12,00
€ 48,00	€ 12,00
€ 48,00	€ 48,00
€ 48,00	€ 0,00
€ 75,00	€ 75,00
€ 75,00	€ 0,00
€ 48,00	€ 12,00

3. Bekijk het resultaat.
4. Klik nu op de keuzepijl van de knop **Financiële getalnotatie**.
5. Bekijk de andere opties.

% 000 Voorwaardelijk opmaak
- € Nederlands (Nederland)
- £ Engels (Verenigd Koninkrijk)
- € Euro (€ 123)
- ¥ Chinees (PRC)
- fr. Frans (Zwitserland)
- Meer financiële getalnotaties...

6. Klik op **Meer financiële getalnotaties**.
7. Het venster **Celeigenschappen** opent.
8. Selecteer bij **Symbool** een andere eenheid.
9. Wijzig eventueel het aantal decimalen.
10. Klik op **OK**.

Aan de linkerkant van het lint staan de bekende knoppen voor het opmaken van cellen. Hierin kunt u kiezen voor een andere lettertype, de puntgrootte aanpassen, tekens vet, cursief of onderstreept laten weergeven en voorzien van een andere kleur, de achtergrond een kleur geven en randen aanbrengen. Klikt u op het **Startpictogram voor dialoogvensters**, achter **Lettertype**, dan verschijnt het venster **Celeigenschappen** met zes tabbladen. Dit zijn dezelfde tabbladen als in voorgaande versies van Excel, zij het dat het tabblad **Patronen** nu **Opvulling** wordt genoemd.

Randen

Het tabblad **Randen** heeft een andere indeling gekregen. Eerst wordt een stijl voor de lijn gekozen. Die wordt dan toegepast door in het voorbeeldvak te klikken of op de knoppen die ernaast staan. In versie 2007 staat de keuze voor een lijnstijl dan ook links. Wat logischer is gezien de volgorde waarin de bewerking moet plaatsvinden.

1. Selecteer een aantal lege cellen.
2. Klik op het **Startpictogram** voor een dialoogvenster.

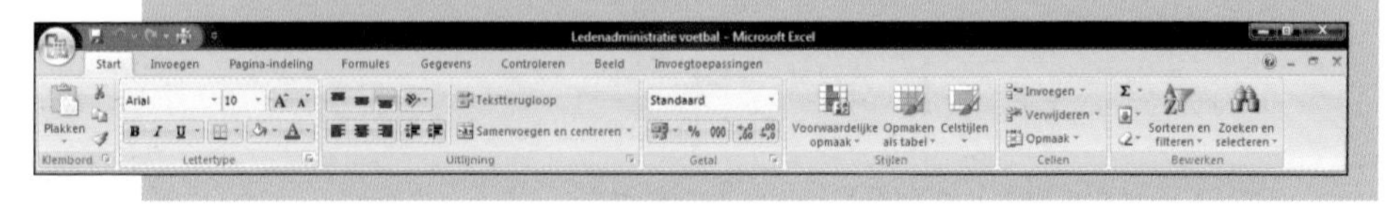

3 Het venster **Celeigenschappen** verschijnt.

4 Klik op het tabblad **Rand**.

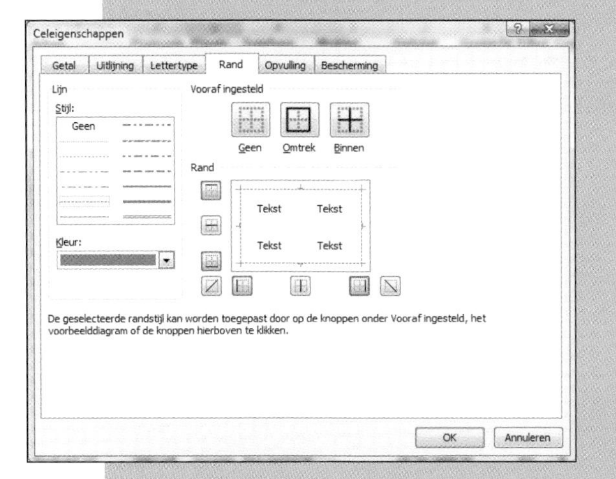

5 Kies hier een **Stijl** en een **Kleur**.

6 Klik rechts op de vier randen.

7 Klik op **OK**.

8 Bekijk het resultaat.

9 Sluit het bestand.

10 Klik in het waarschuwingsvenster op **Ja**.

INFO Op het tabblad **Patronen** zijn de kleuren niet langer verstopt in de keuzelijst van het patroon, maar te vinden in een eigen keuzelijst.

Tabel of lijst?

'Tabel' is een belangrijke term in dit hoofdstuk. Een tabel is een aaneengesloten gebied met gegevens: teksten, getallen en/of formules. Aaneengesloten betekent dat er geen hele lege rijen en hele lege kolommen in mogen voorkomen; een enkele lege cel mag wel. Een duidelijk voorbeeld hiervan is de adreslijst die voor een vereniging wordt gebruikt. Niet iedereen heeft in de naam een tussenvoegsel. Dat is dus een cel die bij sommige leden leeg kan zijn.

Het voorbeeldbestand dat hier wordt gebruikt bevat verschillende werkbladen. Op het eerste werkblad met de naam **leden** ziet u een aantal gegevens van de leden van een fictieve voetbalvereniging. Van deze lijst gaat u nu een tabel maken. In het bestand zijn alleen de gegevens ingetypt en de eerste rij heeft een afwijkende opmaak. Zo kan Excel (ook in voorgaande versies) herkennen dat de eerste rij geen gegevens bevat maar 'veldnamen'.

INFO In vroegere versies werden tabellen aangeduid met de naam 'lijsten'.

Oefen met het bestand **Maak uw tabellen op**.

1 Klik op de **Office-knop**.

2 Blader naar de map met oefenbestanden.

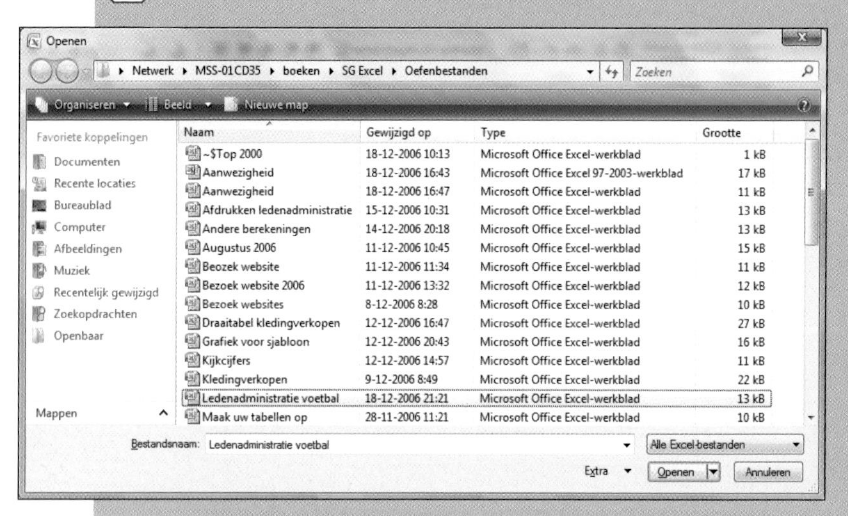

3 Klik op het bestand **Maak uw tabellen op**.

4 Klik op **Openen**.

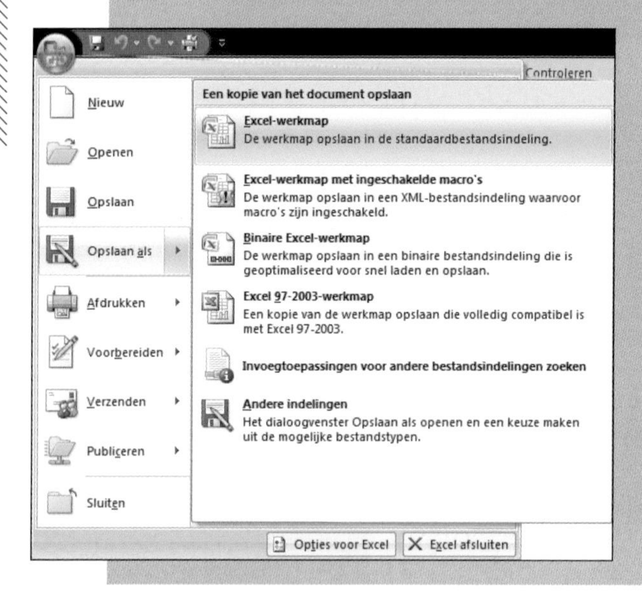

5 Klik meteen weer op de **Office-knop**.

6 Klik op **Opslaan als**.

7 Klik op **Excel-werkmap**.

8 Typ voor de bestandsnaam het woord **Uitgewerkt**.

9 Klik op **Opslaan**.

Nu is er een kopie van het originele bestand opgeslagen onder de naam **Uitgewerkt Maak uw tabellen op**. Hierdoor kunt u naar hartelust experimenteren. Deze werkwijze volgen we voortaan bij elke oefening. Sla altijd het bestand op met **Uitgewerkt** aan het begin van de naam.

> **INFO**
>
> Werkbladen heten in Excel standaard **Blad1, Blad2**, enzovoort. Door op een werkbladtab te dubbelklikken kunt u de naam wijzigen. De rechtermuisknop kunt u hiervoor ook gebruiken. Kies dan voor Naam wijzigen, typ de nieuwe naam en druk op [Enter].

1. Bekijk het werkblad **leden**.
2. Plaats de celaanwijzer ergens in de tabel (hier: cel A2).
3. Klik bij **Stijlen** op **Opmaken als tabel**.
4. U krijgt nu een overzicht van zestig stijlen.
5. Selecteer een stijl.

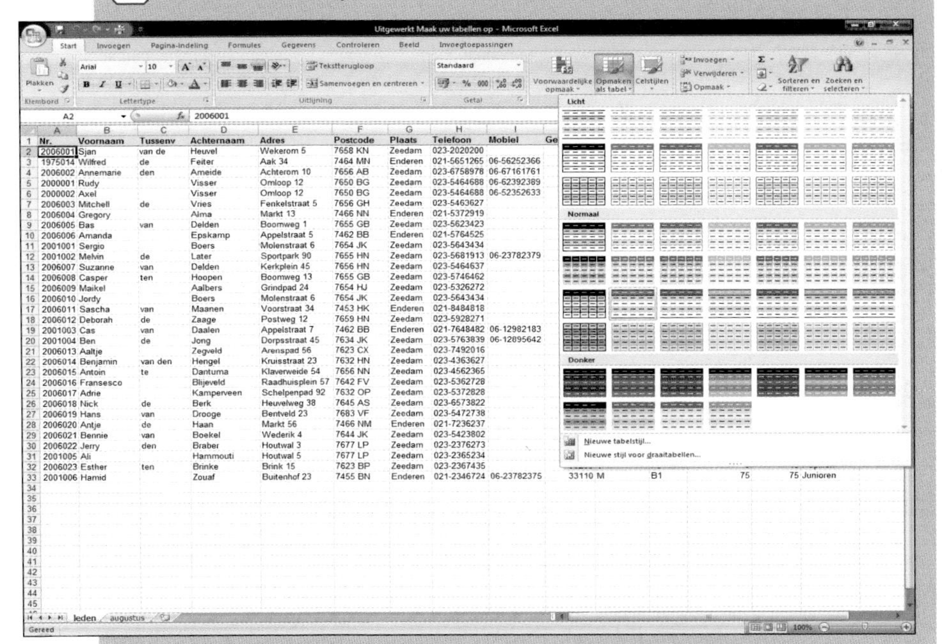

6. Het venster **Opmaken als tabel** verschijnt.
7. Controleer of de juiste selectie is gemaakt (A1 tot en met O33).

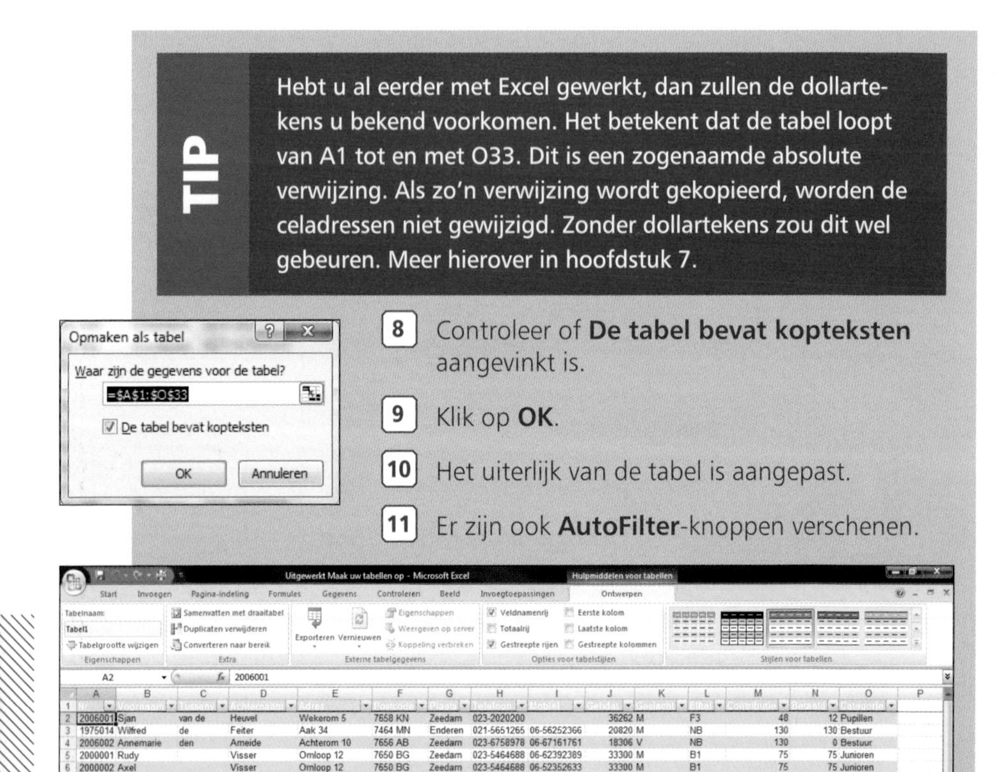

TIP Hebt u al eerder met Excel gewerkt, dan zullen de dollartekens u bekend voorkomen. Het betekent dat de tabel loopt van A1 tot en met O33. Dit is een zogenaamde absolute verwijzing. Als zo'n verwijzing wordt gekopieerd, worden de celadressen niet gewijzigd. Zonder dollartekens zou dit wel gebeuren. Meer hierover in hoofdstuk 7.

8 Controleer of **De tabel bevat kopteksten** aangevinkt is.

9 Klik op **OK**.

10 Het uiterlijk van de tabel is aangepast.

11 Er zijn ook **AutoFilter**-knoppen verschenen.

De **AutoFilter**-knoppen, de keuzepijltjes bij elke koptekst, hoeven dus niet meer zelf ingeschakeld te worden. In veel tabellen worden selecties gemaakt, vandaar deze instelling. Tegelijkertijd is de eerste rij ook vastgezet. Hiermee wordt voorkomen dat bij het bladeren door de tabel de eerste rij uit het zicht verdwijnt. Zo wordt ook het verschil tussen een tabel en een lijst duidelijk. Bij een gewone lijst staan deze knoppen niet aan en wordt ook de eerste rij niet vastgezet.

Stijlen voor tabellen

Het lint geeft nu knoppen weer die te maken hebben met het ontwerpen en opmaken van tabellen. Beweegt u de muis over één van de stijlen aan de rechterkant, in de groep **Stijlen voor tabellen**, dan ziet u meteen het effect in het werkblad. De stijl wordt meteen aangepast en wanneer een stijl u bevalt, dan klikt u met de muis om te bevestigen. Klikt u op de knop **Meer**, rechtsonder, dan krijgt u een venster met meer stijlen te zien en kunt daarin een keuze maken.

1. Beweeg de muis in de groep **Stijlen voor tabellen** over de verschillende stijlen.

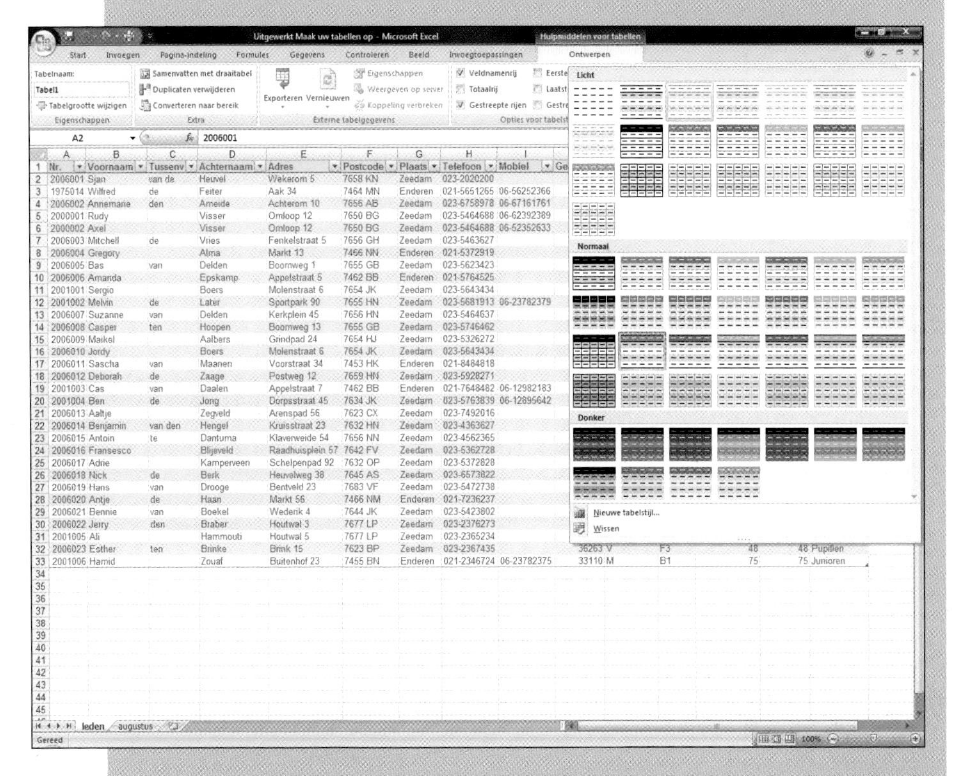

2. Bekijk de wijzigingen in het werkblad.
3. Klik op de knop **Meer**.
4. Klik op een stijl in het venster met tabelstijlen.

Een nieuw lid toevoegen aan de tabel

Maar wat gebeurt er wanneer er zich een nieuw lid aanmeldt? U gaat de gegevens van het nieuwe lid gewoon onderaan de tabel toevoegen. Na het intypen van het lidmaatschapsnummer in de eerstvolgende rij verschijnt **AutoCorrectie-opties**, de knop met een bliksemschichtje. Door hierop te klikken verschijnt de informatie dat de tabel automatisch is uitgebreid. Dat is meteen te zien want de opmaak is ook aangepast. De verwijzing naar het bereik van A1 tot en met O33 is aangepast en loopt nu tot en met O34.

1. Klik in de eerste cel onder de tabel.
2. Typ een nieuw lidnummer.

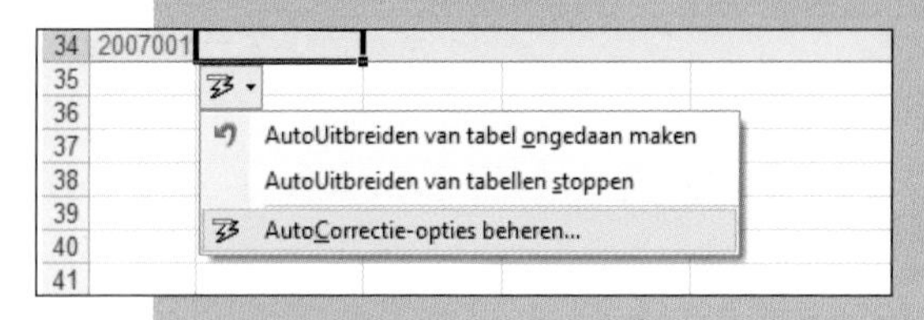

3. Klik op de knop **Auto-Correctie-opties**.
4. Bekijk de toelichting en kies **AutoCorrectie-opties beheren**.

AutoCorrectie-opties

De **AutoCorrectie-opties** zijn dus uitgebreid met de mogelijkheid om automatisch rijen aan een tabel toe te voegen. Dat wil zeggen dat het bereik van de tabel wordt uitgebreid zodra nieuwe gegevens worden toegevoegd. Iets onder een tabel typen kon altijd al, maar dan moest handmatig nog worden aangegeven dat de nieuwe gegevens ook bij de tabel horen. Hetzelfde geldt voor het invoegen van rijen in de tabel. De opmaak van de rijen wordt netjes overgenomen.

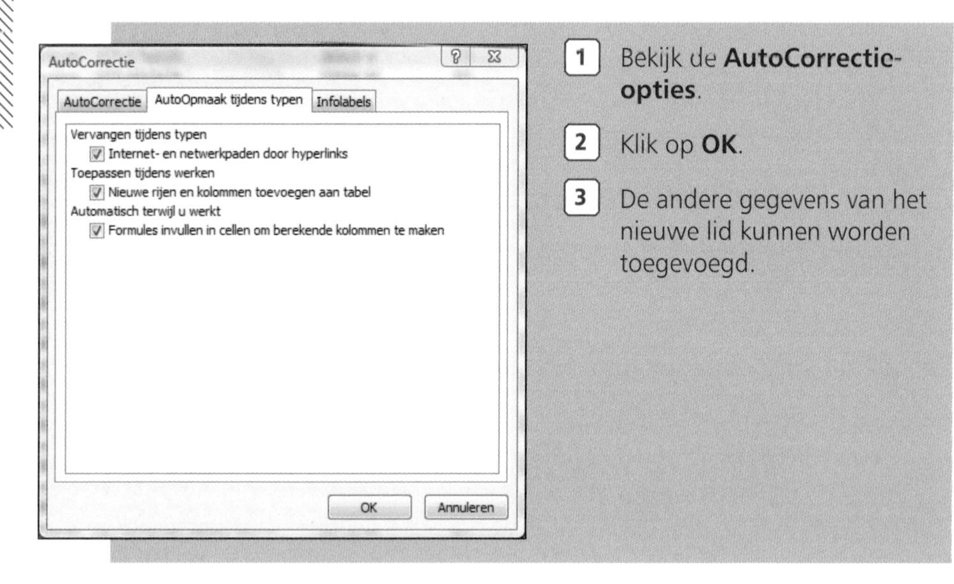

1. Bekijk de **AutoCorrectie-opties**.
2. Klik op **OK**.
3. De andere gegevens van het nieuwe lid kunnen worden toegevoegd.

Ontwerpen

Is een tabel eenmaal gedefinieerd en is minimaal één cel geselecteerd, dan ziet u in de titelbalk **Hulpmiddelen voor tabellen** staan, met daaronder **Ontwerpen**. Door op **Ontwerpen** te klikken verschijnen de knoppen om de tabel aan te passen, bijvoorbeeld met een **Totaalrij**. In die rij kunnen totalen worden berekend, voor cellen die getallen bevatten, of het aantal cellen dat gevuld is kan worden geteld met de functie **Aantal**, of er kan een andere functie uit een lijst worden geselecteerd. In die lijst bevindt zich ook de optie **Meer functies** waarmee u kunt kiezen uit de 340 functies die standaard in Excel beschikbaar zijn. Maar er kan bijvoorbeeld ook geteld worden hoeveel records, (hier: leden) de tabel bevat.

1. Klik indien nodig op **Hulpmiddelen voor tabellen**.
2. Klik op de knop **Ontwerpen**.
3. Vink **Totaalrij** aan.
4. Bekijk nu de laatste regel van de tabel.
5. Klik in die rij in een kolom waarop u een functie wilt toepassen, bijvoorbeeld in **Contributie**.
6. Klik op de keuzepijl.

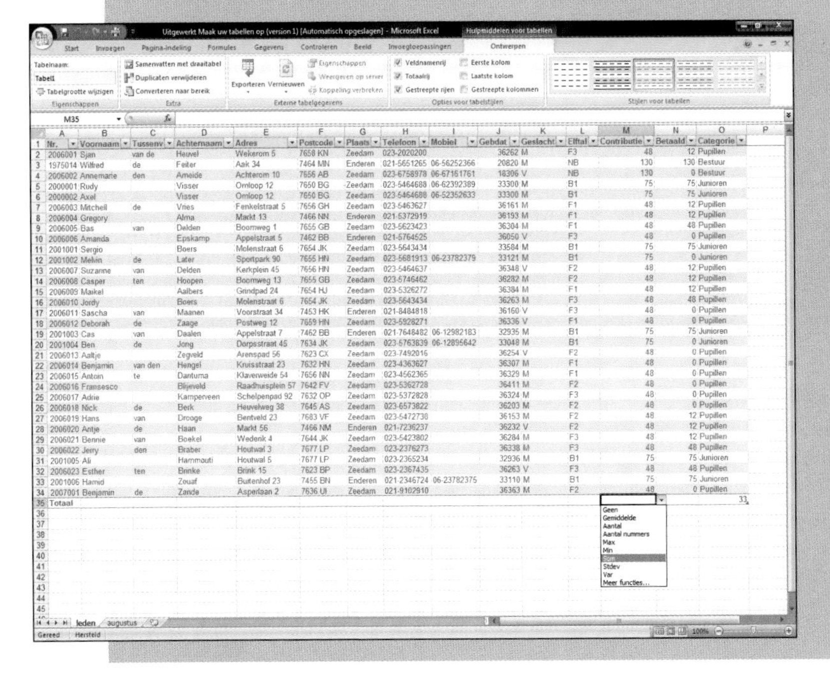

7 Selecteer de functie, bijvoorbeeld **Som**.

8 Het totaal verschijnt.

9 In de formulebalk leest u dat de functie **SUBTOTAAL** is gebruikt.

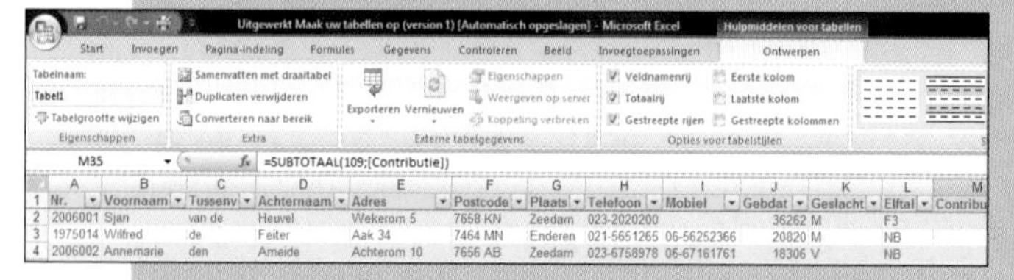

10 Op diezelfde manier kunt u het aantal leden tellen door de functie **Aantal** te selecteren in de kolom **Achternaam**.

Het aantal leden kan al worden afgelezen in de kolom Categorie. Omdat dit een kolom is met als inhoud tekst wordt automatisch het aantal cellen met inhoud geteld.

Een andere optie is **Eerste kolom** waarmee de inhoud van de eerste kolom een andere opmaak krijgt dan de rest van de kolommen. Zo vallen deze gegevens beter op.

INFO

Het kan gebeuren dat de datums in de kolom 'Geboortedatum' niet meer goed worden weergegeven en eruit zien als getallen, bijvoorbeeld 36340. De opmaak van de datum is dan omgezet naar getallen meer bepaald de zoveelste dag na 01-01-1900. Selecteer deze gegevens en druk op [Ctrl]+[1], de sneltoets voor het aanpassen van de celeigenschappen. Klik in het venster **Celeigenschappen** op het tabblad **Getal**, bij **Categorie** op **Datum** en selecteer één van de beschikbare opmaken voor een datum.

Een andere tabelstijl

Waarom wordt in het voorbeeld de eerste rij niet aangepast? Die eerste rij is voorzien van een gele achtergrond en de tekst is vet gemaakt. Deze opmaak behoort tot de celeigenschappen. Wordt deze opmaak verwijderd en wordt een tabelstijl toegepast, dan zal de opmaak van de eerste rij wel veranderen. In de volgende stappen wordt de tabelstijl gewist. Daarna worden de celeigenschappen van de eerste rij aangepast en tot slot gaat u een nieuwe stijl toepassen.

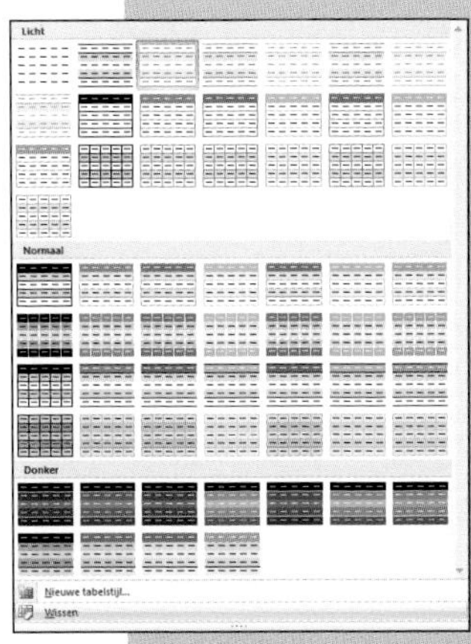

1. Klik in de groep **Stijlen voor tabellen** op de knop **Meer**.
2. Klik op **Wissen**.
3. Selecteer de cellen van de eerste rij die een tekst bevatten (A1 tot en met O1).
4. Klik op het tabblad **Start**.
5. Klik bij **Cellen** op **Opmaak**.
6. Kies **Cellen opmaken**.

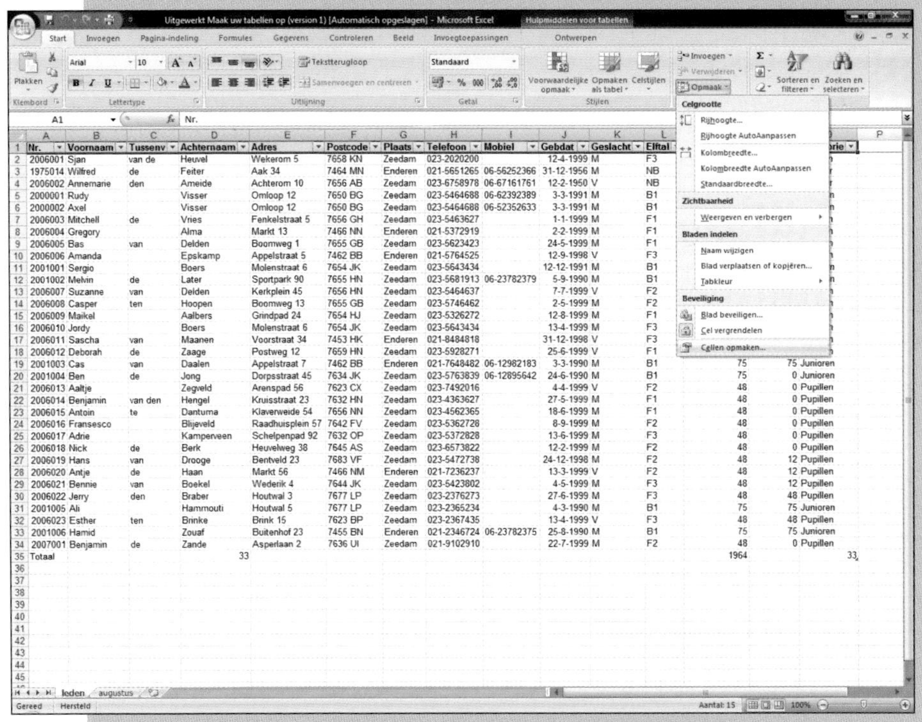

7. Nu verschijnt het venster **Celeigenschappen**.

INFO

Het venster **Celeigenschappen** is ook op te roepen met de sneltoets [Ctrl]+[1] of door te rechtsklikken en dan te kiezen voor **Cellen opmaken**.

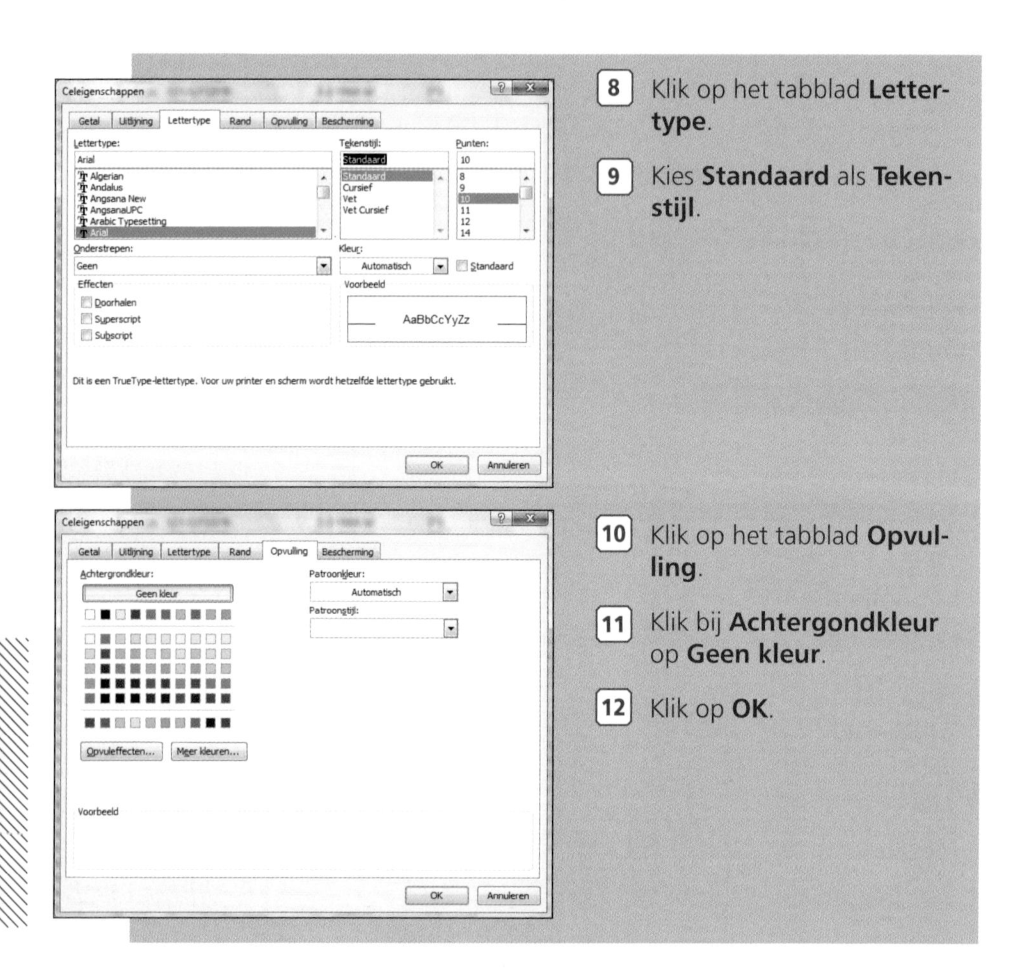

8. Klik op het tabblad **Lettertype**.
9. Kies **Standaard** als **Tekenstijl**.
10. Klik op het tabblad **Opvulling**.
11. Klik bij **Achtergondkleur** op **Geen kleur**.
12. Klik op **OK**.

Dit is niet de snelste manier, maar hierdoor is wel duidelijk welke opmaak op de cellen was toegepast. Een snellere manier om de opmaak van cellen te wissen is door in de groep **Bewerken** op de knop **Wissen** (met het gummetje) te klikken. Dan verschijnt een keuzelijst met de optie **Opmaak wissen**.

Kiest u nu weer voor één van de tabelstijlen, dan wordt de eerste rij ook netjes in de stijl van de tabel opgemaakt.

Een eigen tabelstijl maken

Een tabelstijl toepassen is één, maar stel dat er net geen stijl tussen staat die past bij uw huisstijl. Dan blijft er maar één mogelijkheid over: zelf een stijl creeren. In de groep **Stijlen voor tabellen** klikt u daarvoor op de knop **Meer**. Onderin de lijst met stijlen staat nu een knop voor het maken van een **Nieuwe stijl**. Door hierop te klikken verschijnt een dialoogvenster waarin u de nieuwe stijl een naam kunt geven en per onderdeel (denk aan de eerste rij, de eerste kolom, een totaalkolom, ...) de opmaak kunt instellen. Selecteer een onderdeel van een tabel en klik dan op **Opmaak**. Het venster **Celeigenschappen** opent en op de verschillende tabbladen kan de opmaak worden ingesteld. Een aantal opties, zoals het lettertype, is niet te wijzigen. In het vak **Voorbeeld** ziet u meteen welk effect de instelling heeft. Als alles goed is ingesteld kunt u nog aangeven dat deze nieuwe stijl de standaardstijl moet worden voor dit document.

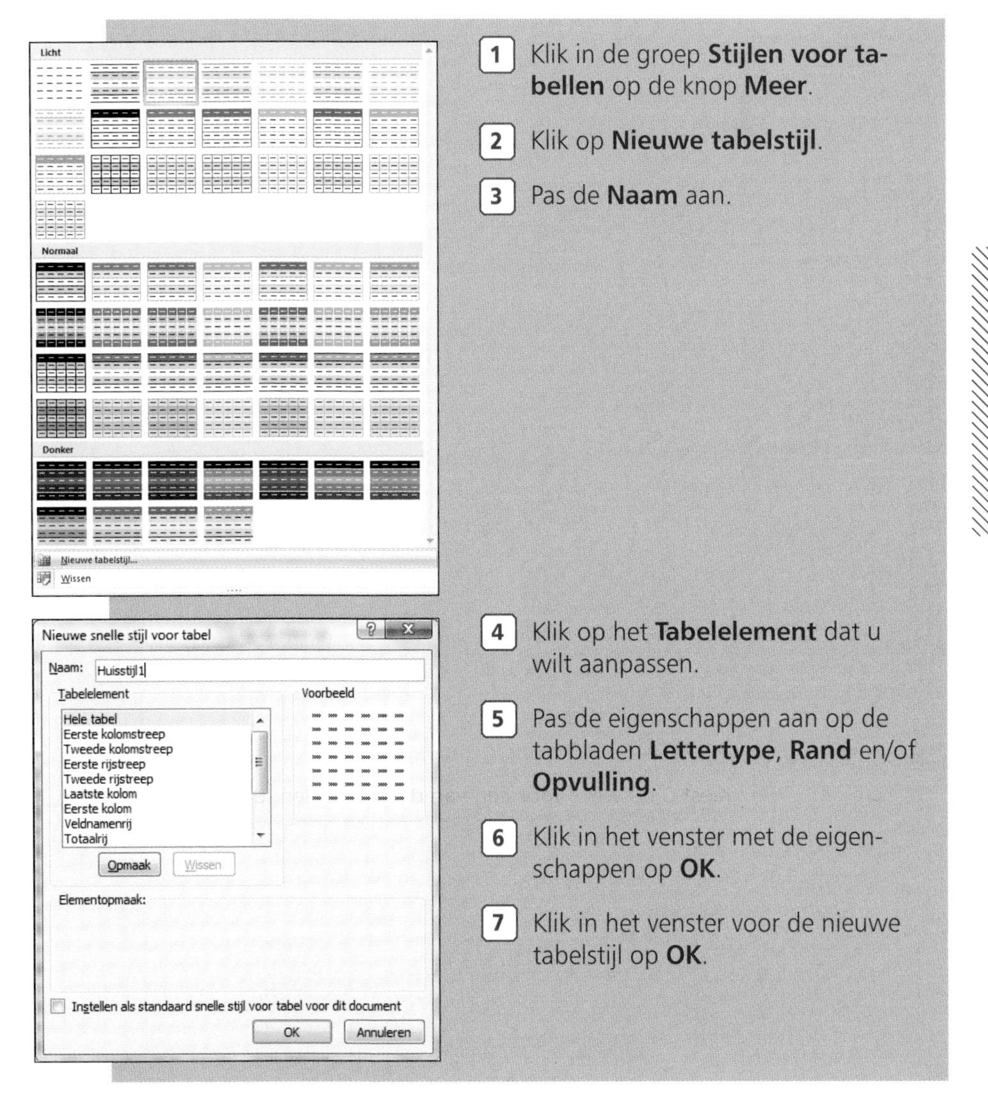

1. Klik in de groep **Stijlen voor tabellen** op de knop **Meer**.
2. Klik op **Nieuwe tabelstijl**.
3. Pas de **Naam** aan.
4. Klik op het **Tabelelement** dat u wilt aanpassen.
5. Pas de eigenschappen aan op de tabbladen **Lettertype**, **Rand** en/of **Opvulling**.
6. Klik in het venster met de eigenschappen op **OK**.
7. Klik in het venster voor de nieuwe tabelstijl op **OK**.

De nieuwe stijl verschijnt meteen in de lijst in de groep **Stijlen voor tabellen**.

INFO

Door in het venster **Nieuwe snelle stijl voor tabel** de onderste optie aan te vinken, wordt een tabel nog sneller volgens de huisstijl opgemaakt.

Voorwaardelijke opmaak

	A	B	C	D	E	F	G	H
1		GEM				WIND	DOMINANTE	
2	DAG	TEMP	MAX	MIN	REGEN	SNELHEID	RICHTING	
3	1	18.9	21.6	16.5	6	3.1	ZW	
4	2	16.2	18.8	14.3	8.8	2.2	W	
5	3	16.5	19.6	13.2	4.8	0.8	W	
6	4	19.4	22.1	17.6	6.4	4.5	N	
7	5	20.6	25.6	18.1	0.2	3.5	N	
8	6	20.2	24.7	17.6	0	2.7	N	
9	7	19.6	25.4	15.4	0	2.3	N	
10	8	17.9	20.8	14.6	0.8	3.2	N	
11	9	16.5	19.4	13.1	1.8	1.5	WNW	
12	10	15	18.2	12	5	1.5	WNW	
13	11	13.6	15.8	12.2	24.8	0.7	WNW	
14	12	16.4	21.2	13.2	1.6	0.8	N	
15	13	17.4	22.2	13.6	0	1.2	N	
16	14	17.4	22.1	14.3	12.2	2.6	N	
17	15	17.4	21.4	14.8	0.8	2.1	WNW	
18	16	18.9	24.1	15.3	0	0.9	ZZW	
19	17	19.7	24.3	16.7	0	1	ZZE	
20	18	19.6	22.7	17.3	3.2	1.8	Z	
21	19	20.3	24.7	17.1	0	2.1	ZZW	
22	20	17.2	18.8	16.1	12	2.3	ZW	
23	21	17.6	22.1	15.6	6	1.3	W	
24	22	16.7	19.9	14.1	2.8	1.4	NW	
25	23	16.9	20.9	13.3	0	0.4	WNW	
26	24	18.1	21	16	1.2	0.3	O	
27	25	17.4	21.9	14.7	4	0.5	NW	
28	26	16.2	20	11.8	0.8	0	WNW	
29	27	16.3	20.2	13.2	7.8	1.2	WNW	
30	28	14.2	17.2	12.8	11	1.6	WZW	
31	29	13.7	17.2	11.6	6.2	1.2	WNW	
32	30	14.3	19.2	11.4	13	1.1	NW	
33	31	14.8	18.2	11	0.6	1.7	ZW	
34								
35								
36								
37								
38								
39								

leden | augustus

Welke getallen zijn hoger dan het gemiddelde of juist lager, of bij welke posten is een overschrijding van het budget opgetreden? De cellen die voldoen aan deze criteria moeten een afwijkende opmaak krijgen zodat ze goed opvallen. Gelukkig hoeft u niet zelf alle getallen in het werkblad te gaan vergelijken. Excel kan namelijk automatisch opmaak toekennen aan cellen die voldoen aan de gestelde voorwaarde(n). Voor het instellen van de voorwaarden hebt u de keuze uit een aantal mogelijkheden. Zonder eerst een gemiddelde uit te rekenen kan worden aangegeven dat waarden boven de gemiddelde waarde van die kolom een andere opmaak moeten krijgen.

Dit principe wordt toegepast op een tabel met de temperaturen in augustus 2006. Klik op het tabblad **augustus**.

Zoeken en vervangen

Voor u de voorwaardelijke opmaak kunt laten toepassen, moet u eerst een klein probleempje wegwerken. In deze tabel heeft de maker internationaal gedacht en in plaats van de decimale komma de decimale punt gebruikt. Daardoor wordt de inhoud van de kolommen B tot en met F niet beschouwd als getallen, maar als tekst. De uitlijning is dan ook niet rechts, zoals voor getallen in Excel gebruikelijk is, maar links. Dat probleem moet even worden opgelost. Er komen verder in het werkblad geen punten voor en met **Zoeken en vervangen** kunt u dus probleemloos de punt laten vervangen door een komma.

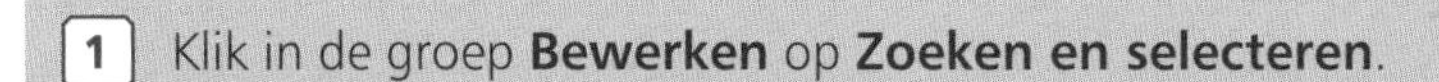

1 Klik in de groep **Bewerken** op **Zoeken en selecteren**.

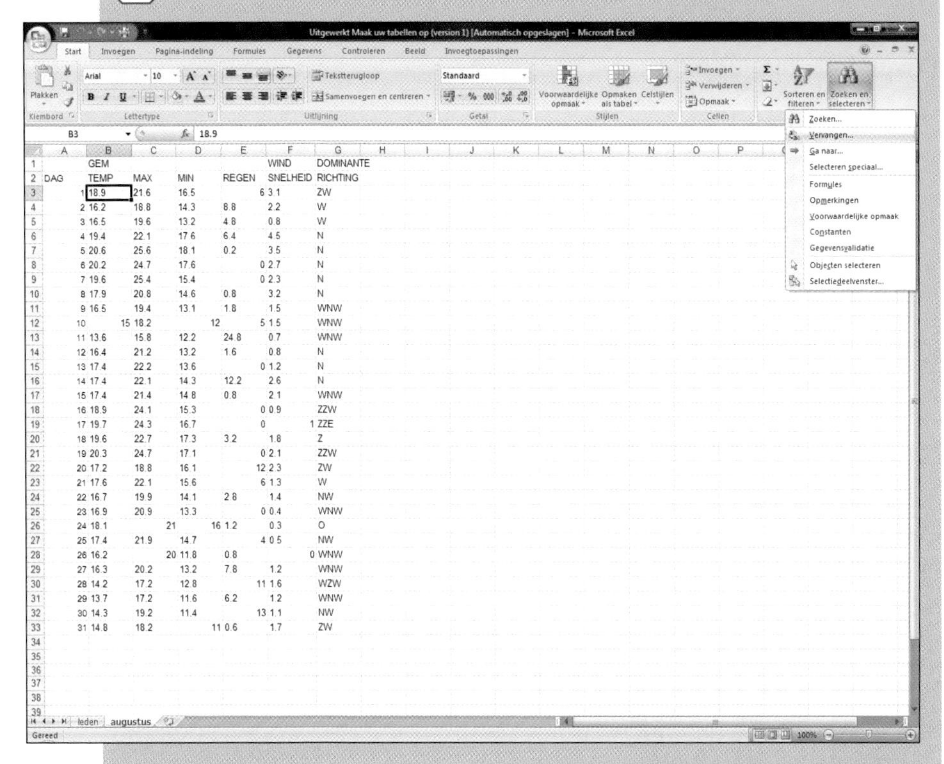

2 Kies **Vervangen** (of gebruik de sneltoets [Ctrl]+[H]).

3 Typ bij **Zoeken naar:** . (punt)

INFO

Ziet u geen knop **Zoeken en selecteren**, klik dan eerst op de tab **Start**.

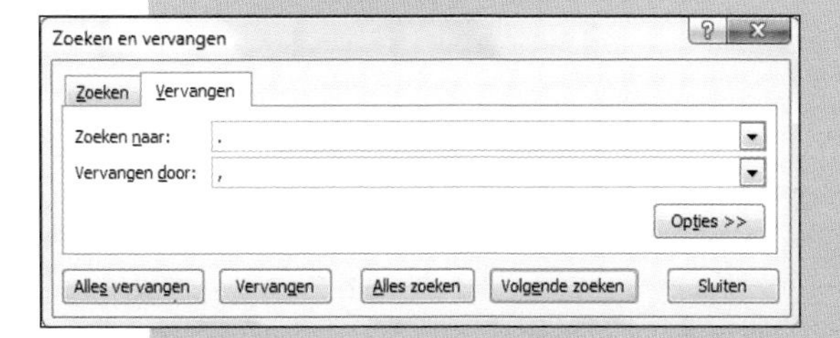

4 Typ bij **Vervangen door:** , (komma)

5 Klik op **Alles vervangen**.

6 Klik op **OK**.

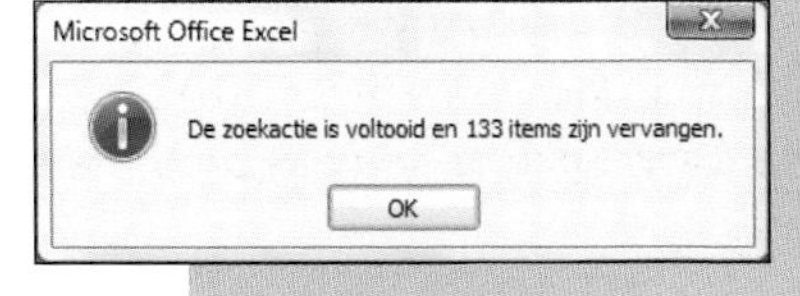

7 Klik in het venster **Zoeken en vervangen** op **Sluiten**.

Nu staan er overal komma's en de getallen staan ook netjes rechts uitgelijnd.

Boven het gemiddelde

Het is nu de bedoeling dat Excel toont welke getallen in de lijst eruit springen, zeker de waarden die boven het gemiddelde liggen. Voor het toepassen van de voorwaardelijke opmaak wordt eerst de lijst met temperaturen in kolom B geselecteerd. Dan wordt bij voorwaardelijke opmaak een keuze gemaakt die staat in de categorie: **Regels voor bovenste/onderste** en wordt genoemd: **Boven gemiddelde**. Dan is het enkel nog een kwestie van een kleurcombinatie kiezen!

1. Selecteer de cellen B3 tot en met B33.
2. Klik op **Voorwaardelijke opmaak**.

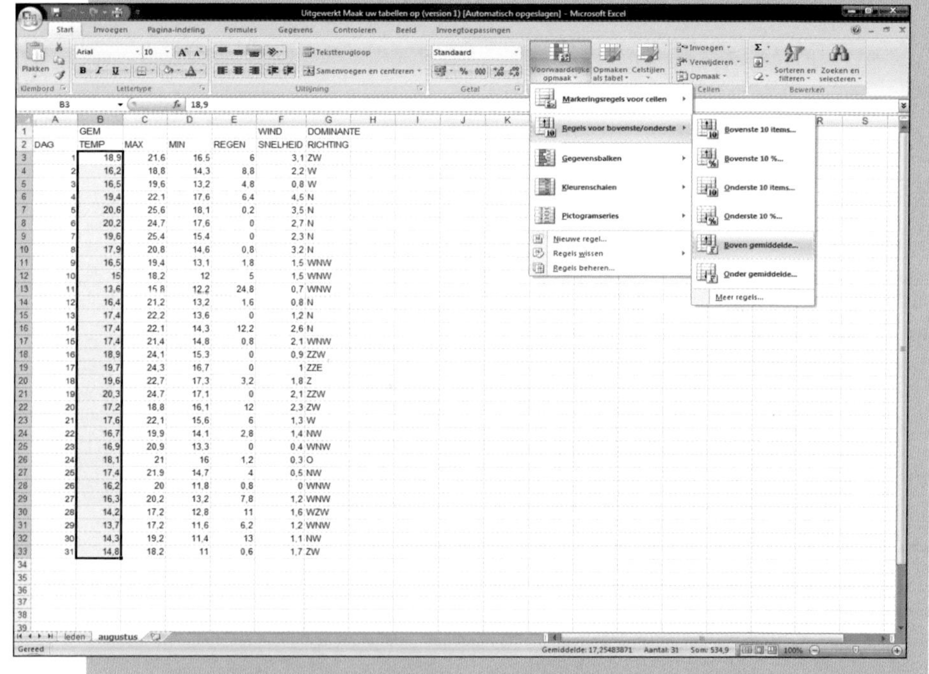

3. Klik op **Regels voor bovenste/onderste**.
4. Kies **Boven gemiddelde**.
5. Klik op de keuzepijl in het dialoogvenster.
6. Selecteer als opmaak: **Groene opvulling met donkergroene tekst**.

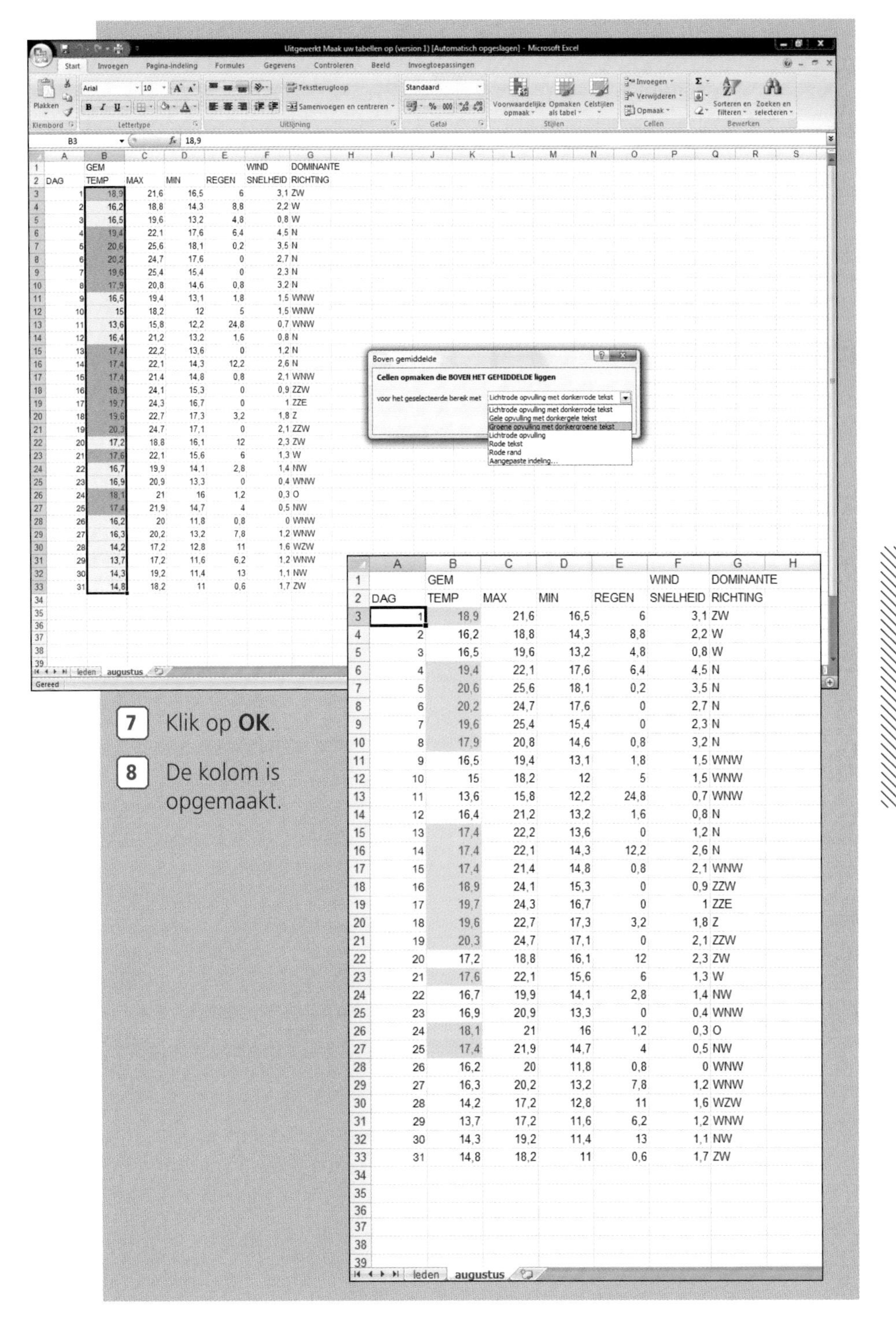

	A	B	C	D	E	F	G
1		GEM				WIND	DOMINANTE
2	DAG	TEMP	MAX	MIN	REGEN	SNELHEID	RICHTING
3	1	18,9	21,6	16,5	6	3,1	ZW
4	2	16,2	18,8	14,3	8,8	2,2	W
5	3	16,5	19,6	13,2	4,8	0,8	W
6	4	19,4	22,1	17,6	6,4	4,5	N
7	5	20,6	25,6	18,1	0,2	3,5	N
8	6	20,2	24,7	17,6	0	2,7	N
9	7	19,6	25,4	15,4	0	2,3	N
10	8	17,9	20,8	14,6	0,8	3,2	N
11	9	16,5	19,4	13,1	1,8	1,5	WNW
12	10	15	18,2	12	5	1,5	WNW
13	11	13,6	15,8	12,2	24,8	0,7	WNW
14	12	16,4	21,2	13,2	1,6	0,8	N
15	13	17,4	22,2	13,6	0	1,2	N
16	14	17,4	22,1	14,3	12,2	2,6	N
17	15	17,4	21,4	14,8	0,8	2,1	WNW
18	16	18,9	24,1	15,3	0	0,9	ZZW
19	17	19,7	24,3	16,7	0	1	ZZE
20	18	19,6	22,7	17,3	3,2	1,8	Z
21	19	20,3	24,7	17,1	0	2,1	ZZW
22	20	17,2	18,8	16,1	12	2,3	ZW
23	21	17,6	22,1	15,6	6	1,3	W
24	22	16,7	19,9	14,1	2,8	1,4	NW
25	23	16,9	20,9	13,3	0	0,4	WNW
26	24	18,1	21	16	1,2	0,3	O
27	25	17,4	21,9	14,7	4	0,5	NW
28	26	16,2	20	11,8	0,8	0	WNW
29	27	16,3	20,2	13,2	7,8	1,2	WNW
30	28	14,2	17,2	12,8	11	1,6	WZW
31	29	13,7	17,2	11,6	6,2	1,2	WNW
32	30	14,3	19,2	11,4	13	1,1	NW
33	31	14,8	18,2	11	0,6	1,7	ZW

7. Klik op **OK**.
8. De kolom is opgemaakt.

Nu is het duidelijk welke waarden boven het gemiddelde uitkomen. Maar alleen u kent de betekenis van de groene kleur. Een toelichting op het werkblad voor andere gebruikers is dus zeker op zijn plaats.

1 Klik in cel C35.

2 Typ: Boven gemiddelde

3 Klik in cel B35.

4 Klik op de knop **Celstijlen**.

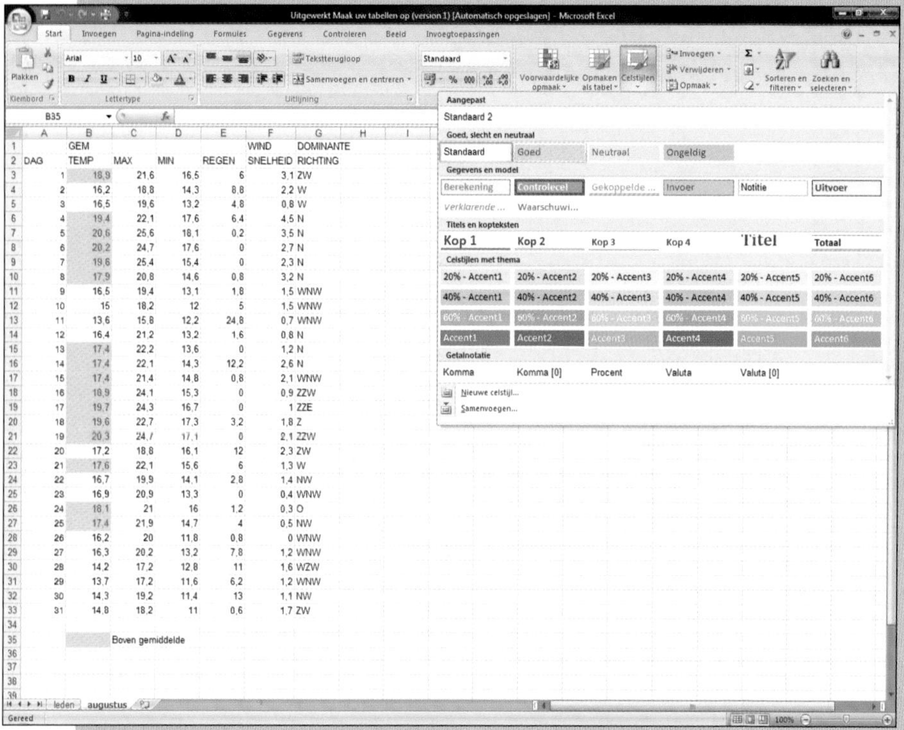

5 Klik in de reeks **Goed, slecht en neutraal** op **Goed**.

Hierdoor is het duidelijk wat er in de tabel wordt bedoeld met de kleur groen. Om het helemaal mooi te maken zou in deze cel ook nog de waarde van het gemiddelde kunnen worden opgenomen.

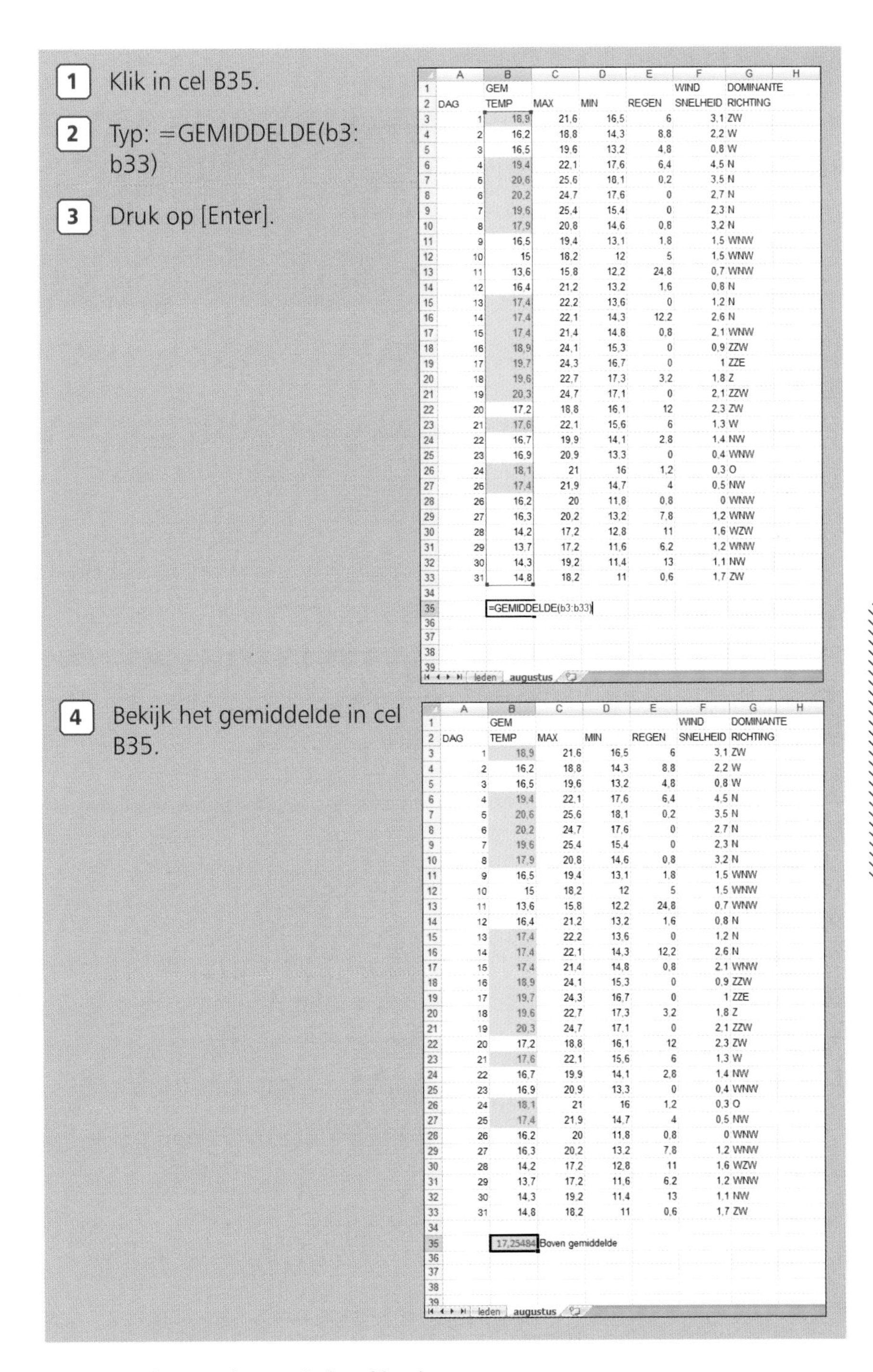

1. Klik in cel B35.
2. Typ: =GEMIDDELDE(b3:b33)
3. Druk op [Enter].

	A	B	C	D	E	F	G	H
1		GEM				WIND	DOMINANTE	
2	DAG	TEMP	MAX	MIN	REGEN	SNELHEID	RICHTING	
3	1	18,9	21,6	16,5	6	3,1	ZW	
4	2	16,2	18,8	14,3	8,8	2,2	W	
5	3	16,5	19,6	13,2	4,8	0,8	W	
6	4	19,4	22,1	17,6	6,4	4,5	N	
7	5	20,6	25,6	18,1	0,2	3,5	N	
8	6	20,2	24,7	17,6	0	2,7	N	
9	7	19,6	25,4	15,4	0	2,3	N	
10	8	17,9	20,8	14,6	0,8	3,2	N	
11	9	16,5	19,4	13,1	1,8	1,5	WNW	
12	10	15	18,2	12	5	1,5	WNW	
13	11	13,6	15,8	12,2	24,8	0,7	WNW	
14	12	16,4	21,2	13,2	1,6	0,8	N	
15	13	17,4	22,2	13,6	0	1,2	N	
16	14	17,4	22,1	14,3	12,2	2,6	N	
17	15	17,4	21,4	14,8	0,8	2,1	WNW	
18	16	18,9	24,1	15,3	0	0,9	ZZW	
19	17	19,7	24,3	16,7	0	1	ZZE	
20	18	19,6	22,7	17,3	3,2	1,8	Z	
21	19	20,3	24,7	17,1	0	2,1	ZZW	
22	20	17,2	18,8	16,1	12	2,3	ZW	
23	21	17,6	22,1	15,6	6	1,3	W	
24	22	16,7	19,9	14,1	2,8	1,4	NW	
25	23	16,9	20,9	13,3	0	0,4	WNW	
26	24	18,1	21	16	1,2	0,3	O	
27	25	17,4	21,9	14,7	4	0,5	NW	
28	26	16,2	20	11,8	0,8	0	WNW	
29	27	16,3	20,2	13,2	7,8	1,2	WNW	
30	28	14,2	17,2	12,8	11	1,6	WZW	
31	29	13,7	17,2	11,6	6,2	1,2	WNW	
32	30	14,3	19,2	11,4	13	1,1	NW	
33	31	14,8	18,2	11	0,6	1,7	ZW	
34								
35		=GEMIDDELDE(b3:b33)						

leden | augustus

4. Bekijk het gemiddelde in cel B35.

	A	B	C	D	E	F	G	H
1		GEM				WIND	DOMINANTE	
2	DAG	TEMP	MAX	MIN	REGEN	SNELHEID	RICHTING	
3	1	18,9	21,6	16,5	6	3,1	ZW	
4	2	16,2	18,8	14,3	8,8	2,2	W	
5	3	16,5	19,6	13,2	4,8	0,8	W	
6	4	19,4	22,1	17,6	6,4	4,5	N	
7	5	20,6	25,6	18,1	0,2	3,5	N	
8	6	20,2	24,7	17,6	0	2,7	N	
9	7	19,6	25,4	15,4	0	2,3	N	
10	8	17,9	20,8	14,6	0,8	3,2	N	
11	9	16,5	19,4	13,1	1,8	1,5	WNW	
12	10	15	18,2	12	5	1,5	WNW	
13	11	13,6	15,8	12,2	24,8	0,7	WNW	
14	12	16,4	21,2	13,2	1,6	0,8	N	
15	13	17,4	22,2	13,6	0	1,2	N	
16	14	17,4	22,1	14,3	12,2	2,6	N	
17	15	17,4	21,4	14,8	0,8	2,1	WNW	
18	16	18,9	24,1	15,3	0	0,9	ZZW	
19	17	19,7	24,3	16,7	0	1	ZZE	
20	18	19,6	22,7	17,3	3,2	1,8	Z	
21	19	20,3	24,7	17,1	0	2,1	ZZW	
22	20	17,2	18,8	16,1	12	2,3	ZW	
23	21	17,6	22,1	15,6	6	1,3	W	
24	22	16,7	19,9	14,1	2,8	1,4	NW	
25	23	16,9	20,9	13,3	0	0,4	WNW	
26	24	18,1	21	16	1,2	0,3	O	
27	25	17,4	21,9	14,7	4	0,5	NW	
28	26	16,2	20	11,8	0,8	0	WNW	
29	27	16,3	20,2	13,2	7,8	1,2	WNW	
30	28	14,2	17,2	12,8	11	1,6	WZW	
31	29	13,7	17,2	11,6	6,2	1,2	WNW	
32	30	14,3	19,2	11,4	13	1,1	NW	
33	31	14,8	18,2	11	0,6	1,7	ZW	
34								
35		17,25484	Boven gemiddelde					

leden | augustus

Meer over functies leest u in hoofdstuk 7.

Gegevensbalken

Nieuw in versie 2007 van Excel is de mogelijkheid om de cel in te kleuren met een balk die groter is naarmate de waarde in de cel ook groter is. Dit wordt aangeduid met de term **proportionele balken**. Dit principe wordt geïllustreerd op de tweede kolom met maximumtemperaturen.

> **INFO**
> U ziet enkel een voorbeeld van hoe de technieken kunnen worden toegepast. Het werkblad wordt uiteindelijk geen toonbeeld van een goed opgemaakt gegevensblad.

1. Selecteer de cellen C3 tot en met C35.
2. Klik op **Voorwaardelijke opmaak**.
3. Kies **Gegevensbalken**.
4. Klik rechts op één van de zes mogelijkheden.

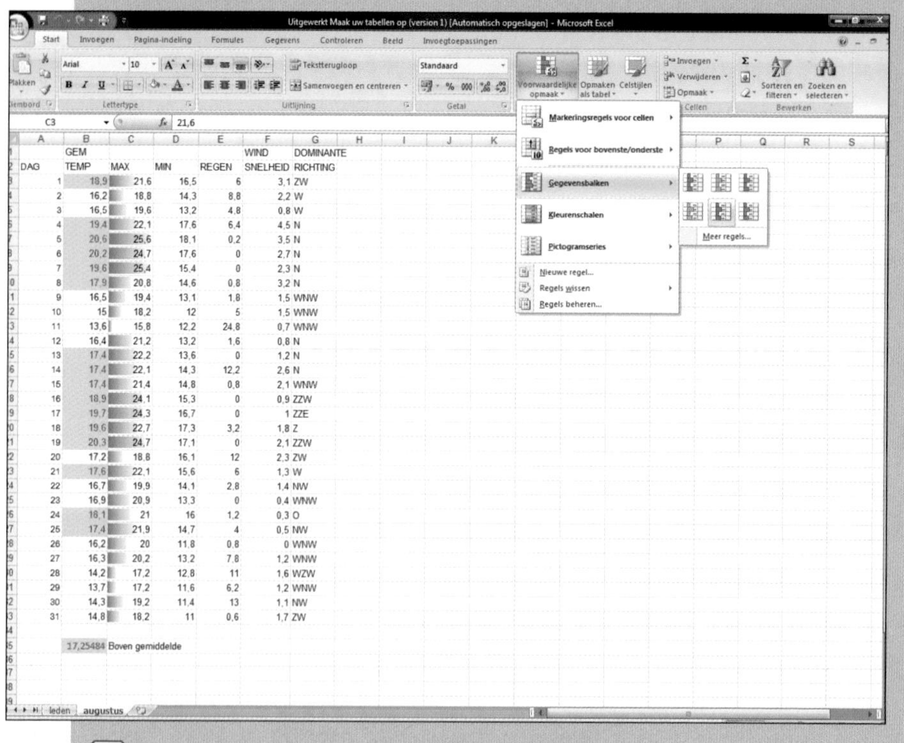

5. Bekijk de balken in de cellen C 3 tot en met C35.

Kleurenschalen

Een ander hulpmiddel om snel een overzicht te krijgen van de waarden in een tabel is die van de kleurenschalen. De inhoud van de cel krijgt een kleur die afhangt van de waarde van die cel. Excel bepaalt hierbij in eerste instantie de grenzen.

1. Selecteer de cellen D3 tot en met D35.
2. Klik op **Voorwaardelijk opmaak**.
3. Klik op **Kleurenschalen**.
4. Selecteer een van de opties uit de lijst.

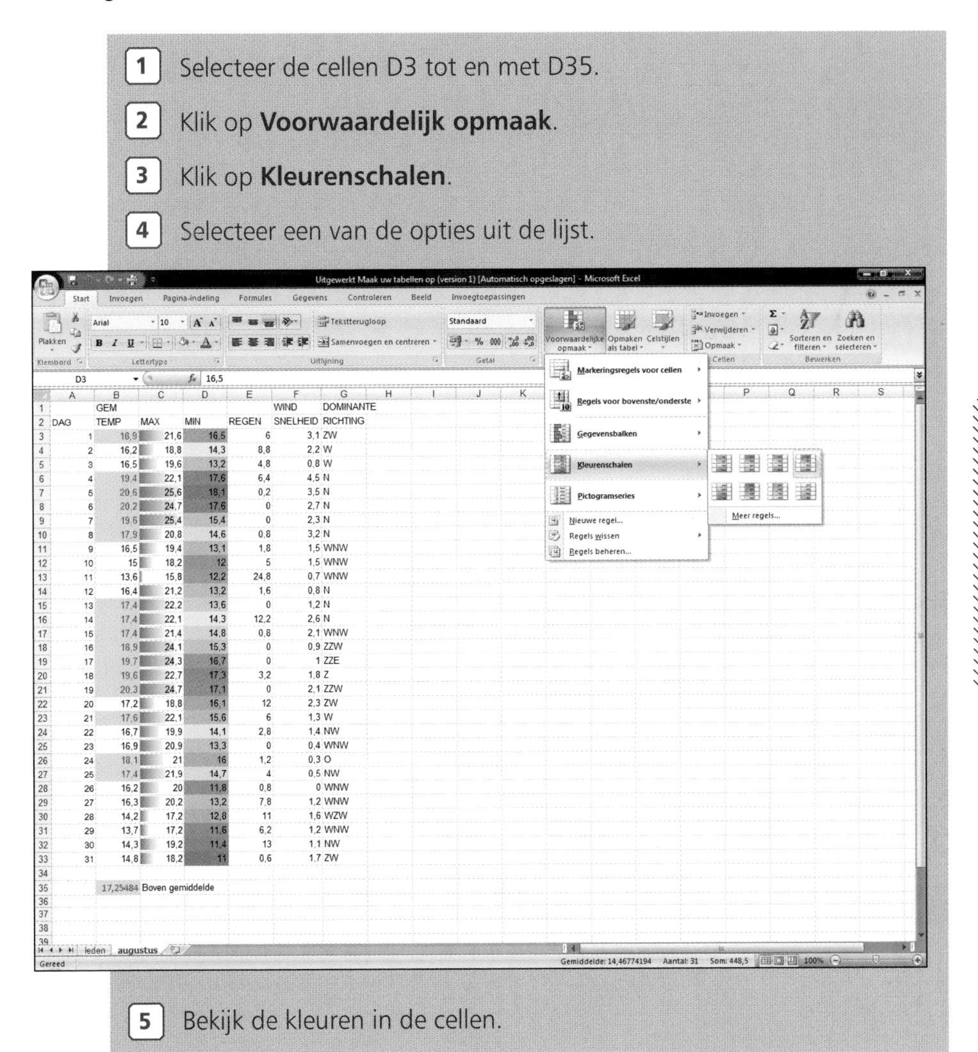

	A	B	C	D	E	F	G
1		GEM				WIND	DOMINANTE
2	DAG	TEMP	MAX	MIN	REGEN	SNELHEID	RICHTING
3	1	18,9	21,6	16,5	6	3,1	ZW
4	2	16,2	18,8	14,3	8,8	2,2	W
5	3	16,5	19,6	13,2	4,8	0,8	W
6	4	19,4	22,1	17,6	6,4	4,5	N
7	5	20,6	25,6	18,1	0,2	3,5	N
8	6	20,2	24,7	17,6	0	2,7	N
9	7	19,6	25,4	15,4	0	2,3	N
10	8	17,9	20,8	14,6	0,8	3,2	N
11	9	16,5	19,4	13,1	1,8	1,5	WNW
12	10	15	18,2	12	5	1,5	WNW
13	11	13,6	15,8	12,2	24,8	0,7	WNW
14	12	16,4	21,2	13,2	1,6	0,8	N
15	13	17,4	22,2	13,6	0	1,2	N
16	14	17,4	22,1	14,3	12,2	2,6	N
17	15	17,4	21,4	14,8	0,8	2,1	WNW
18	16	18,9	24,1	15,3	0	0,9	ZZW
19	17	19,7	24,3	16,7	0	1	ZZE
20	18	19,6	22,7	17,3	3,2	1,8	Z
21	19	20,3	24,7	17,1	0	2,1	ZZW
22	20	17,2	18,8	16,1	12	2,3	ZW
23	21	17,6	22,1	15,6	6	1,3	W
24	22	16,7	19,9	14,1	2,8	1,4	NW
25	23	16,9	20,9	13,3	0	0,4	WNW
26	24	18,1	21	16	1,2	0,3	O
27	25	17,4	21,9	14,7	4	0,5	NW
28	26	16,2	20	11,8	0,8	0	WNW
29	27	16,3	20,2	13,2	7,8	1,2	WNW
30	28	14,2	17,2	12,8	11	1,6	WZW
31	29	13,7	17,2	11,6	6,2	1,2	WNW
32	30	14,3	19,2	11,4	13	1,1	NW
33	31	14,8	18,2	11	0,6	1,7	ZW
34							
35		17,25484	Boven gemiddelde				

5. Bekijk de kleuren in de cellen.

Deze kleurenschaal past goed bij de temperaturen, want blauw wordt gebruikt voor de kleinste waarden (lagere temperatuur) en rood voor de grootste waarden. Op dit moment passen we gewoon de standaardinstellingen toe. Verderop leest u hoe deze instellingen gewijzigd kunnen worden.

Pictogramseries

De laatste optie van de voorwaardelijke opmaak is die van de pictogrammen. Er kan een keuze gemaakt worden uit zeventien verschillende series pictogrammen, soms zijn dat er maar drie en maximaal zes, die gebruikt worden om de waarden in de reeks op te maken.

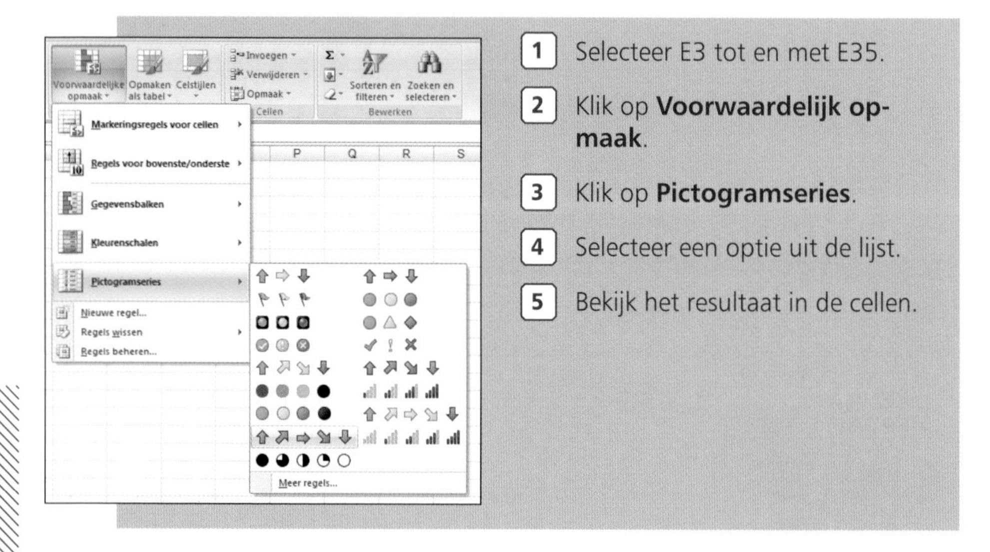

1 Selecteer E3 tot en met E35.

2 Klik op **Voorwaardelijk opmaak**.

3 Klik op **Pictogramseries**.

4 Selecteer een optie uit de lijst.

5 Bekijk het resultaat in de cellen.

Hoe werkt die verdeling?

Vooral bij de laatste reeks kunt u zich afvragen hoe de verdeling van de pictogrammen over de gegevens tot stand komt. Daar is een regel voor opgesteld die u naar uw eigen voorkeur kunt aanpassen. Kijk echter eerst eens naar wat er standaard in deze regel is ingevuld.

1 Laat E3 tot en met E35 geselecteerd.

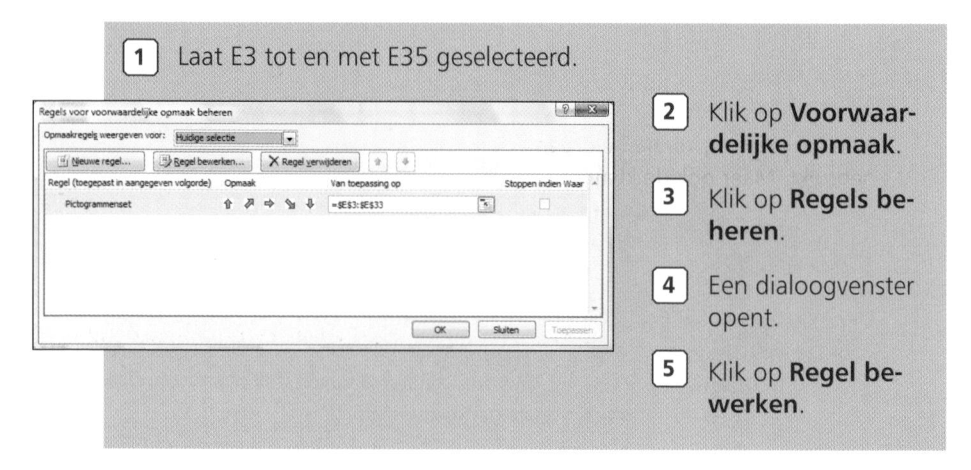

2 Klik op **Voorwaardelijke opmaak**.

3 Klik op **Regels beheren**.

4 Een dialoogvenster opent.

5 Klik op **Regel bewerken**.

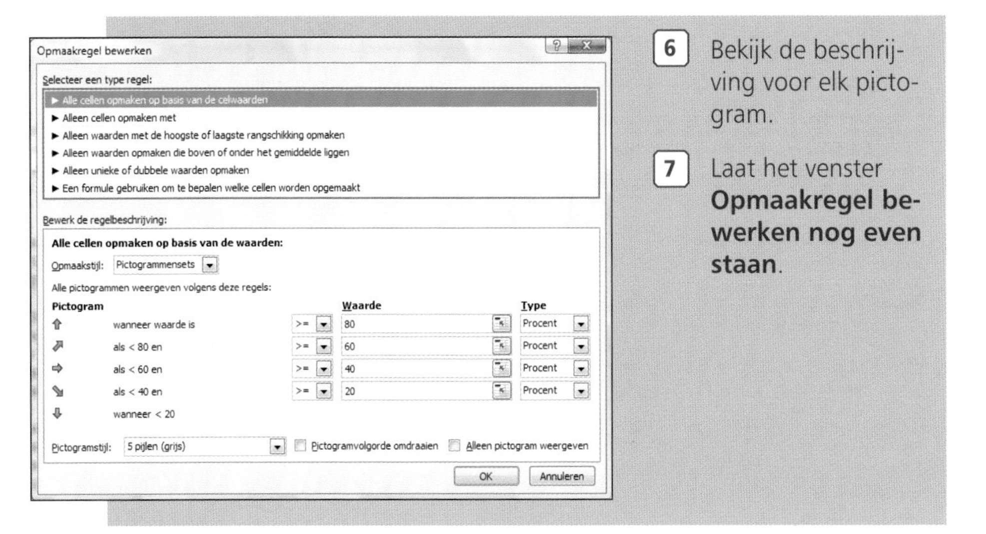

6 Bekijk de beschrijving voor elk pictogram.

7 Laat het venster **Opmaakregel bewerken nog even staan**.

U ziet dat er gewerkt wordt met procenten van de waarden die in de reeks voorkomen. Als de waarde in een cel groter is dan 80% van de reeks getallen in de selectie dan wordt pijl omhoog afgebeeld. Als de waarde kleiner is dan 80% en groter dan of gelijk aan 60% dan wordt de pijl schuin rechts omhoog gebruikt enzovoort. Bij **Type** kunt u een keuze maken uit **Getal**, **Procent**, **Formule** en **Percentiel**. Bij **Waarde** kunt u zelf de getallen aanpassen. Met twee vinkjes, respectievelijk bij **Pictogramvolgorde omdraaien** en **Alleen pictogram weergeven**, is de vormgeving nog verder aan te passen en worden alleen maar pictogrammen weergegeven en verdwijnen de getallen (ze staan nog steeds in de inhoud van de cel, die u kunt bekijken in de formulebalk). Dit zijn krachtige hulpmiddelen om snel inzicht te krijgen in de waarden die in een tabel voorkomen.

Opmaakregel aanpassen

> **INFO**
> Er kunnen meerdere regels op een bepaalde selectie worden toegepast. Selecteer in deze situatie eerst de juiste regel en klik dan op **Regel bewerken**.

De getallen kunt u uiteraard aanpassen en daardoor kunt u beïnvloeden welke symbolen worden gebruikt. Maar ook de kleuren die eerder werden toegepast kunnen worden aangepast. In het voorbeeld wordt de regel zo aangepast dat getallen die groter zijn dan 90% van het bereik voorzien worden van het pictogram met de pijl omhoog.

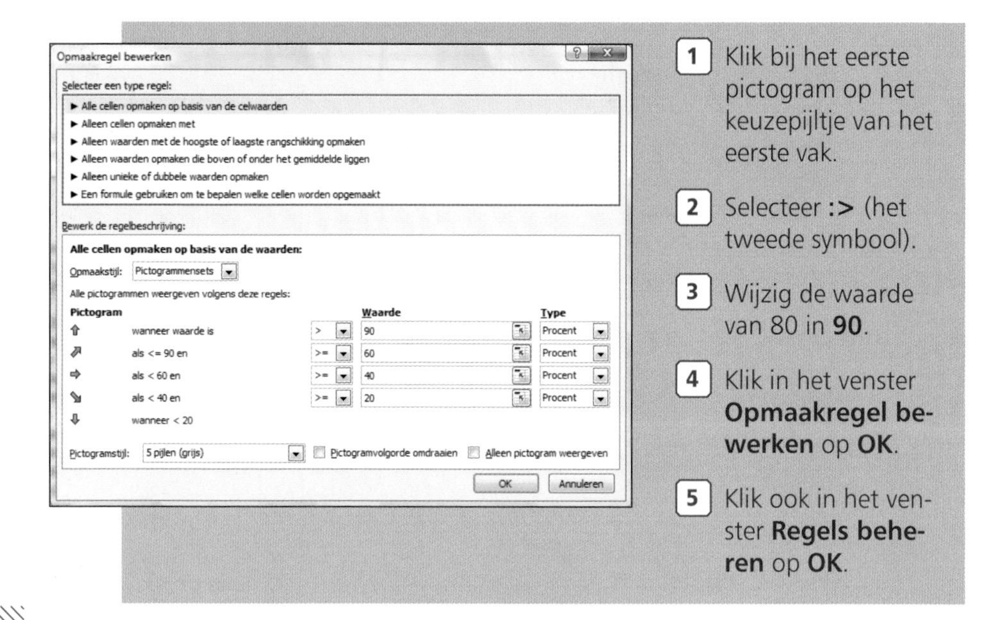

1. Klik bij het eerste pictogram op het keuzepijltje van het eerste vak.
2. Selecteer **:>** (het tweede symbool).
3. Wijzig de waarde van 80 in **90**.
4. Klik in het venster **Opmaakregel bewerken** op **OK**.
5. Klik ook in het venster **Regels beheren** op **OK**.

De tweede voorwaarde wordt automatisch aangepast aan de nieuwe grens van 90; daar stond eerst 80. Op dezelfde manier kunnen ook de andere voorwaarden worden aangepast.

Verschillende soorten regels

De opmaak met kleurenbalken en pictogrammen is nieuw in Excel 2007, maar er zijn meerdere mogelijkheden om cellen op te maken op basis van een voorwaarde. Deze opties zijn terug te vinden in de zes typen regels bovenin het dialoogvenster **Opmaakregel bewerken**. Het werken met kleurenbalken en pictogrammen valt onder het eerste type: **Alle cellen opmaken op basis van de celwaarden**. Bekijk ook eens de andere mogelijkheden.

In het voorbeeld wordt een regel van het tweede type gebruikt. Naast de tabel wordt een zogenaamde grenswaarde opgenomen. Dan ziet de gebruiker meteen met welke waarde de gegevens in de tabel worden vergeleken. Dit geeft ook de mogelijkheid om zelf de grenswaarde aan te passen en daardoor ook de opmaak van de cellen te laten aanpassen aan de nieuwe grenswaarde zonder enige kennis van voorwaardelijke opmaak. Stel dat u in de kolom **Windsnelheid** alleen de snelheden groter dan 2,5 m/s wilt laten opvallen…

1 Klik in cel I2.

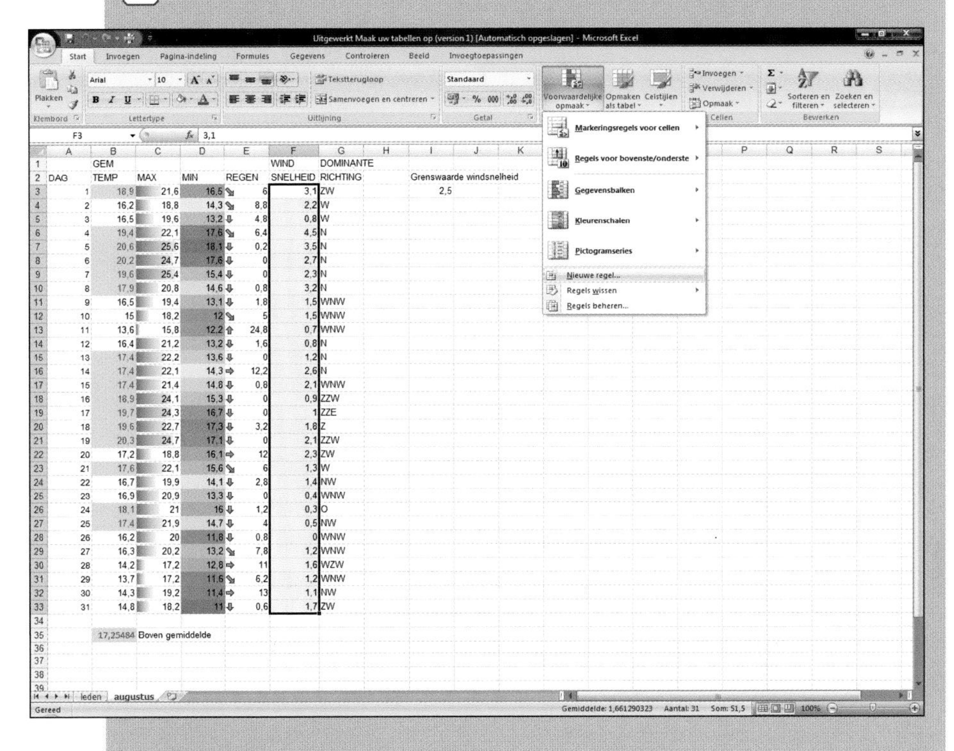

	A	B	C	D	E	F	G	H	I
1		GEM				WIND	DOMINANTE		
2	DAG	TEMP	MAX	MIN	REGEN	SNELHEID	RICHTING		Grenswaarde windsnelheid
3	1	18,9	21,6	16,5	6	3,1	ZW		2,5
4	2	16,2	18,8	14,3	8,8	2,2	W		
5	3	16,5	19,6	13,2	4,8	0,8	W		
6	4	19,4	22,1	17,6	6,4	4,5	N		
7	5	20,6	25,6	18,1	0,2	3,5	N		
8	6	20,2	24,7	17,6	0	2,7	N		
9	7	19,6	25,4	15,4	0	2,3	N		
10	8	17,9	20,8	14,6	0,8	3,2	N		
11	9	16,5	19,4	13,1	1,8	1,5	WNW		
12	10	15	18,2	12	5	1,5	WNW		
13	11	13,6	15,8	12,2	24,8	0,7	WNW		
14	12	16,4	21,2	13,2	1,6	0,8	N		
15	13	17,4	22,2	13,6	0	1,2	N		
16	14	17,4	22,1	14,3	12,2	2,6	N		
17	15	17,4	21,4	14,8	0,8	2,1	WNW		
18	16	18,9	24,1	15,3	0	0,9	ZZW		
19	17	19,7	24,3	16,7	0	1	ZZE		
20	18	19,6	22,7	17,3	3,2	1,8	Z		
21	19	20,3	24,7	17,1	0	2,1	ZZW		
22	20	17,2	18,8	16,1	12	2,3	ZW		
23	21	17,6	22,1	15,6	6	1,3	W		
24	22	16,7	19,9	14,1	2,8	1,4	NW		
25	23	16,9	20,9	13,3	0	0,4	WNW		
26	24	18,1	21	16	1,2	0,3	O		
27	25	17,4	21,9	14,7	4	0,5	NW		
28	26	16,2	20	11,8	0,8	0	WNW		
29	27	16,3	20,2	13,2	7,8	1,2	WNW		
30	28	14,2	17,2	12,8	11	1,6	WZW		
31	29	13,7	17,2	11,6	6,2	1,2	WNW		
32	30	14,3	19,2	11,4	13	1,1	NW		
33	31	14,8	18,2	11	0,6	1,7	ZW		
34									
35		17,25484	Boven gemiddelde						

2 Typ: Grenswaarde windsnelheid

3 Druk op [Enter].

4 Typ: 2,5

5 Druk op [Enter].

6 Selecteer F3 tot en met F33.

Nieuwe opmaakregel

Selecteer een type regel:

- ► Alle cellen opmaken op basis van de celwaarden
- ► Alleen cellen opmaken met
- ► Alleen waarden met de hoogste of laagste rangschikking opmaken
- ► Alleen waarden opmaken die boven of onder het gemiddelde liggen
- ► Alleen unieke of dubbele waarden opmaken
- ► Een formule gebruiken om te bepalen welke cellen worden opgemaakt

Bewerk de regelbeschrijving:

Alleen cellen opmaken met:

Celwaarde | tussen | en

tussen
niet tussen
gelijk aan
niet gelijk aan
groter dan
kleiner dan
groter dan of gelijk aan
kleiner dan of gelijk aan

Voorbeeld: Geen | Opmaak...

OK | Annuleren

7 Klik op **Voorwaardelijk opmaak**.

8 Kies **Nieuwe regel**.

9 Het venster **Nieuwe opmaakregel** verschijnt.

10 Klik bovenin op **Alleen cellen opmaken met**.

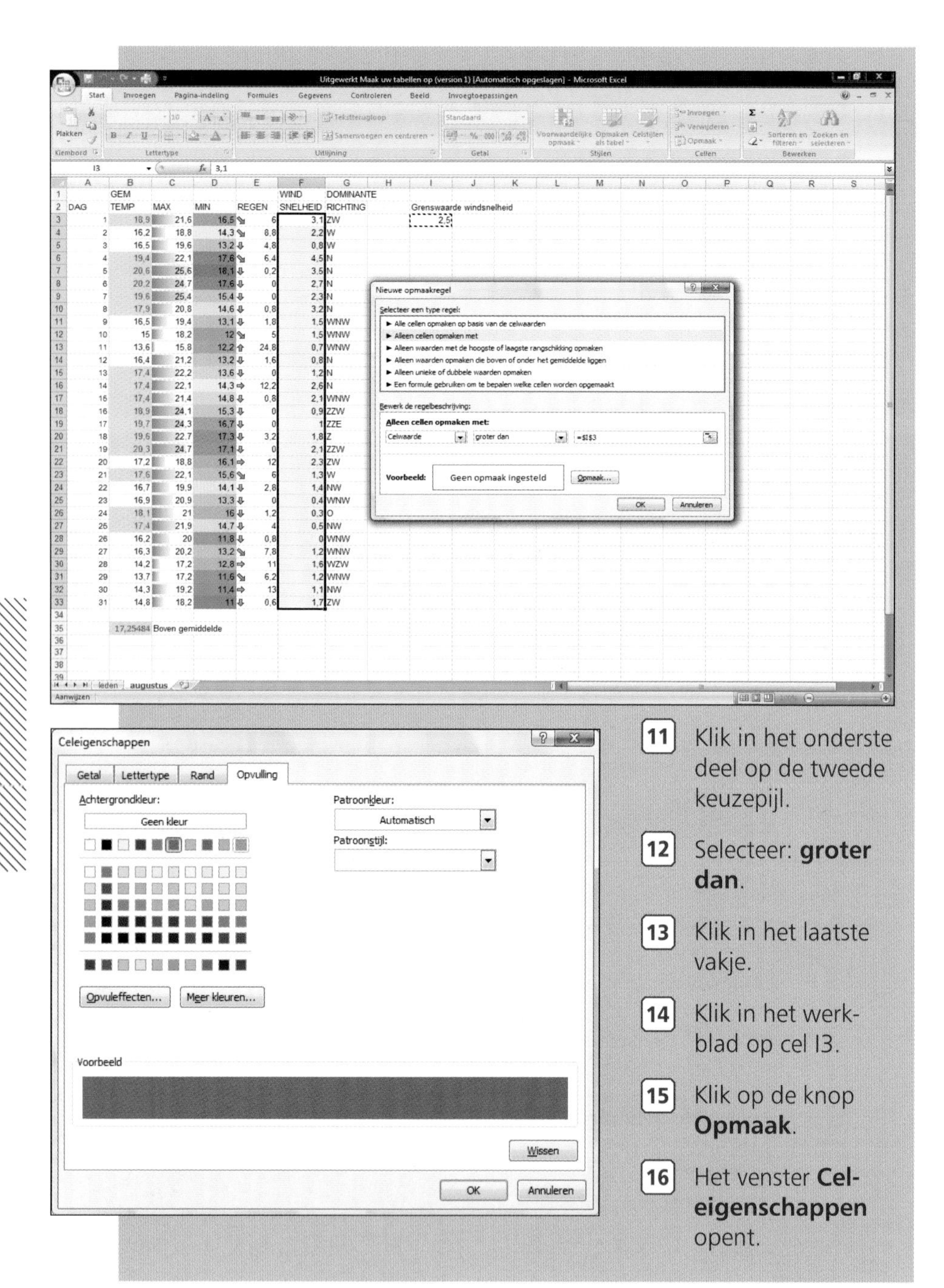

11 Klik in het onderste deel op de tweede keuzepijl.

12 Selecteer: **groter dan**.

13 Klik in het laatste vakje.

14 Klik in het werkblad op cel I3.

15 Klik op de knop **Opmaak**.

16 Het venster **Celeigenschappen** opent.

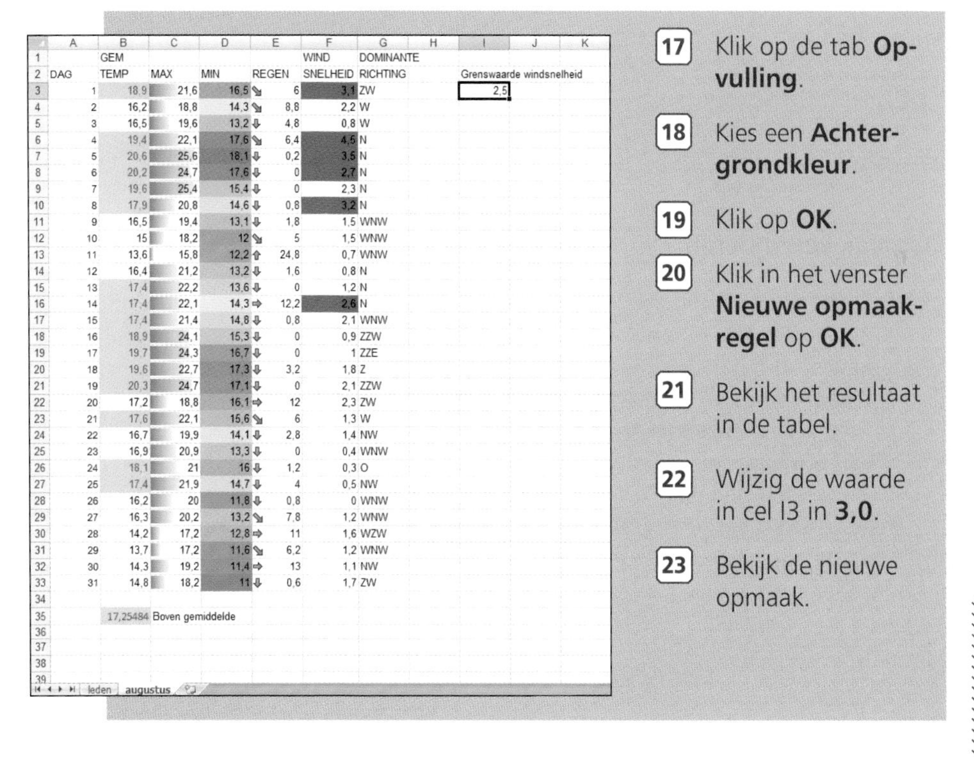

	A	B	C	D	E	F	G	H	I	J	K
1		GEM				WIND	DOMINANTE				
2	DAG	TEMP	MAX	MIN	REGEN	SNELHEID	RICHTING		Grenswaarde windsnelheid		
3	1	18,9	21,6	16,5	6	3,1	ZW		2,5		
4	2	16,2	18,8	14,3	8,8	2,2	W				
5	3	16,5	19,6	13,2	4,8	0,8	W				
6	4	19,4	22,1	17,6	6,4	4,5	N				
7	5	20,6	25,6	18,1	0,2	3,5	N				
8	6	20,2	24,7	17,6	0	2,7	N				
9	7	19,6	25,4	15,4	0	2,3	N				
10	8	17,9	20,8	14,6	0,8	3,2	N				
11	9	16,5	19,4	13,1	1,8	1,5	WNW				
12	10	15	18,2	12	5	1,5	WNW				
13	11	13,6	15,8	12,2	24,8	0,7	WNW				
14	12	16,4	21,2	13,2	1,6	0,8	N				
15	13	17,4	22,2	13,6	0	1,2	N				
16	14	17,4	22,1	14,3	12,2	2,6	N				
17	15	17,4	21,4	14,8	0,8	2,1	WNW				
18	16	18,9	24,1	15,3	0	0,9	ZZW				
19	17	19,7	24,3	16,7	0	1	ZZE				
20	18	19,6	22,7	17,3	3,2	1,8	Z				
21	19	20,3	24,7	17,1	0	2,1	ZZW				
22	20	17,2	18,8	16,1	12	2,3	ZW				
23	21	17,6	22,1	15,6	6	1,3	W				
24	22	16,7	19,9	14,1	2,8	1,4	NW				
25	23	16,9	20,9	13,3	0	0,4	WNW				
26	24	18,1	21	16	1,2	0,3	O				
27	25	17,4	21,9	14,7	4	0,5	NW				
28	26	16,2	20	11,8	0,8	0	WNW				
29	27	16,3	20,2	13,2	7,8	1,2	WNW				
30	28	14,2	17,2	12,8	11	1,6	WZW				
31	29	13,7	17,2	11,6	6,2	1,2	WNW				
32	30	14,3	19,2	11,4	13	1,1	NW				
33	31	14,8	18,2	11	0,6	1,7	ZW				
34											
35		17,25484	Boven gemiddelde								
36											
37											
38											
39											

leden | augustus

17 Klik op de tab **Opvulling**.

18 Kies een **Achtergrondkleur**.

19 Klik op **OK**.

20 Klik in het venster **Nieuwe opmaakregel** op **OK**.

21 Bekijk het resultaat in de tabel.

22 Wijzig de waarde in cel I3 in **3,0**.

23 Bekijk de nieuwe opmaak.

Dubbele waarden laten opvallen

Soms is het interessant om dubbele waarden in een tabel te laten opvallen. Eén manier is natuurlijk om de tabel te laten sorteren op de betreffende kolom, want zo komen dubbele waarden direct onder elkaar te staan. Maar er is nu ook een mogelijkheid om dubbele waarden aan te geven met kleuren. Op de cellen in kolom B wordt de voorwaardelijke opmaak **Dubbele waarden** toegepast. We kiezen voor de kleurencombinatie **Lichtrode opvulling met donkerrode tekst**.

1 Selecteer B3 tot en met B33.

2 Klik op **Voorwaardelijke opmaak**.

3 Kies **Markeringsregels voor cellen**.

4 Klik op **Dubbele waarden**.

5 Selecteer in het venster **Dubbele waarden** de gewenste kleurcombinatie.

6 Klik op **OK**.

7 Bekijk het resultaat in de tabel.

Opmaak verwijderen

Opmaak en inhoud zijn in Excel verschillende zaken: een cel heeft een inhoud én een bepaalde opmaak. Door op [Delete] te drukken wordt alleen de inhoud gewist. Om ook de opmaak te verwijderen moet u werken via het lint. De groep **Bewerken** bevat de knop **Wissen**. Klik daarop en een viertal mogelijkheden verschijnt, waaronder **Opmaak wissen**. Hiermee kunt u in één keer de opmaak van een bepaalde cel of selectie wissen. In het voorbeeld slaat u deze knop over, want het is de bedoeling alleen de opmaak voor dubbele waarden te verwijderen. U gaat het venster **Regels voor voorwaardelijk opmaak beheren** oproepen en dan de opdracht **Regel verwijderen** gebruiken.

1 Selecteer indien nodig weer B3 tot en met B33.

2 Klik op **Voorwaardelijke opmaak**.

3 Klik op **Regels beheren**.

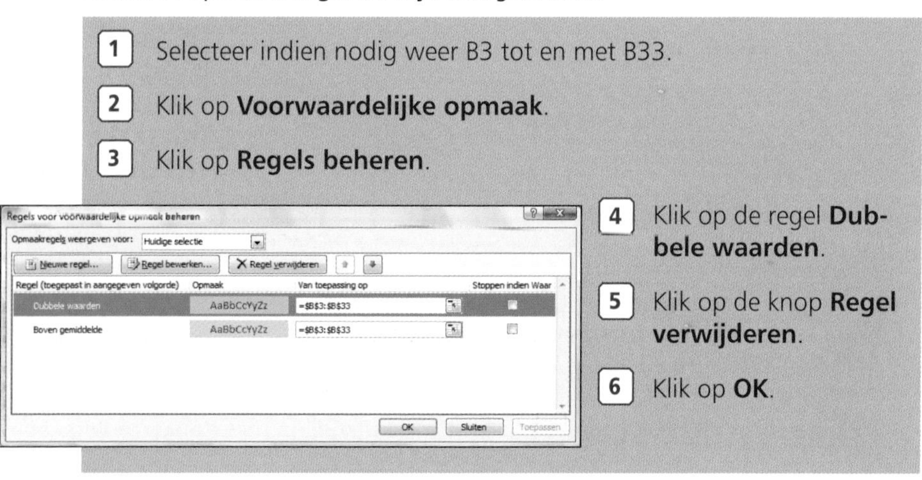

4 Klik op de regel **Dubbele waarden**.

5 Klik op de knop **Regel verwijderen**.

6 Klik op **OK**.

De situatie is hersteld, zodat alleen de waarden die boven het gemiddelde liggen gekleurd worden.

In dit hoofdstuk hebt u gezien hoe u cellen efficiënter kunt opmaken. Dat kan direct door bijvoorbeeld de kleur van de gegevens in de cel aan te passen of door gebruik te maken van de mogelijkheden bij **Voorwaardelijke opmaak**. U werkte met standaardregels, en u hebt zelf een regel samengesteld. Als laatste hebt u ook geleerd hoe u toegepaste regels weer wist.

Samenvattingen maken 4

In dit hoofdstuk wordt aandacht besteed aan de hulpmiddelen die Excel 2007 biedt om gegevens samen te vatten. Draaitabellen vormen het krachtigste instrument bij grote hoeveelheden gegevens. Daarbij kunnen verschillende berekeningen worden uitgevoerd. Daarnaast kunnen gegevens automatisch of handmatig worden gegroepeerd.

Een draaitabel creëren

Een draaitabel wordt gebruikt wanneer gegevens moeten worden samengevat, bijvoorbeeld de verkopen van verschillende artikelen. De onderneming heeft vijf verschillende filialen die dezelfde producten verkopen. Iedere dag worden de verkopen bijgehouden en er ontstaat een tabel met daarin de artikelomschrijvingen, de filialen, de datum en het aantal verkochte artikelen. Het is de bedoeling om in een draaitabel te laten zien hoeveel er in totaal van een bepaald artikel is verkocht. Op die manier kan de inkoper beslissen of een bepaald artikel opnieuw moet worden ingekocht.

Werk met het oefenbestand **Kledingverkopen** en sla het op onder de naam **Uitgewerkt Kledingverkopen**.

1. Klik in de tabel op het werkblad **Verkocht**.
2. Klik op de tab **Invoegen**.
3. Klik op **Draaitabel**.
4. Het venster **Draaitabel maken** verschijnt.

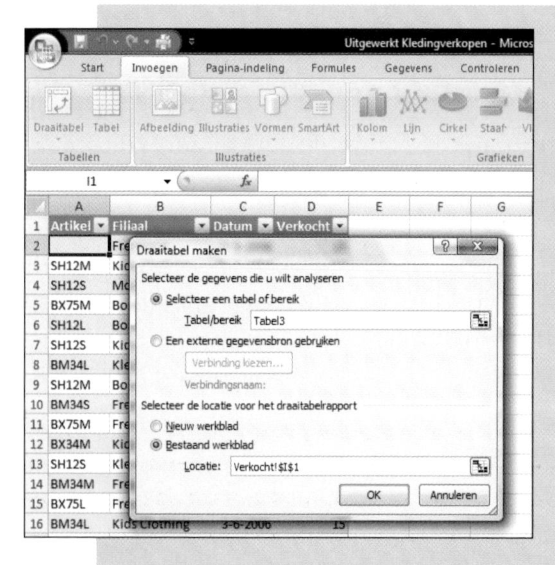

5. Bij de eerste optie is de hele tabel geselecteerd (aangeduid met de naam **Tabel3**, er zijn meerdere tabellen in dit bestand gedefinieerd).
6. Markeer onderaan **Bestaand werkblad**.
7. Klik in het vak achter **Locatie**.
8. Klik in cel I1.
9. Klik op **OK**.
10. Rechts verschijnt het taakvenster **Lijst met draaitabelvelden**.

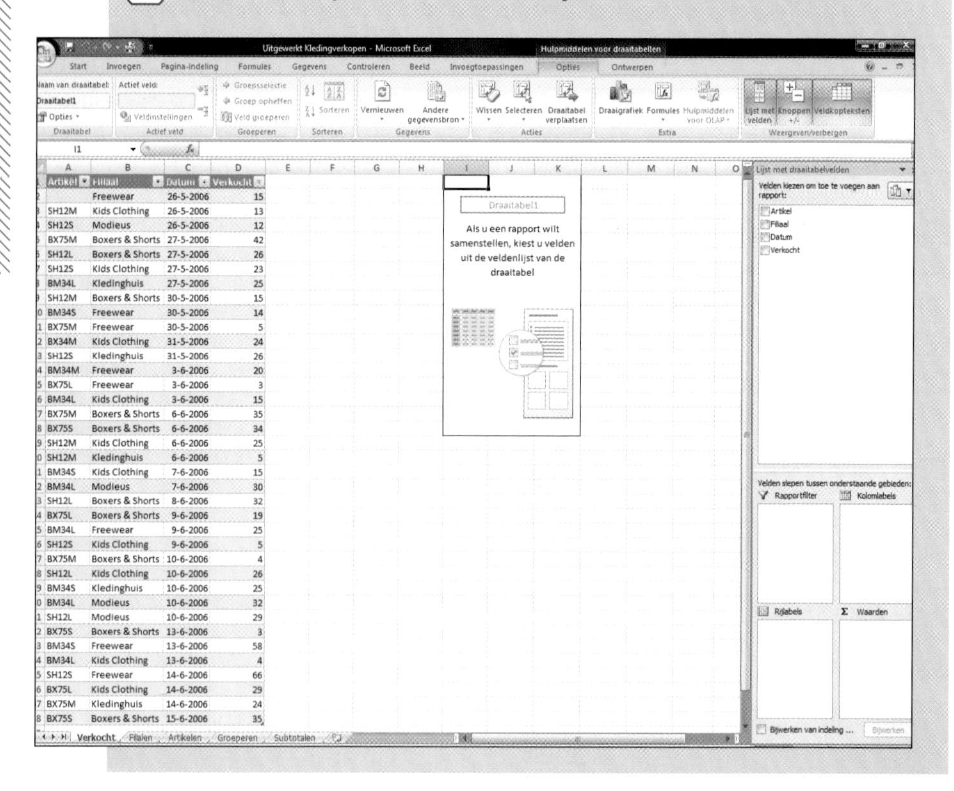

Rijlabels	Som van Verkocht
BM34L	131
BM34M	20
BM34S	112
BX34M	24
BX75L	51
BX75M	110
BX75S	72
SH12L	113
SH12M	58
SH12S	132
(leeg)	15
Eindtotaal	**838**

11 In cel I1 staat een kader met aanwijzingen.

12 Klik in het taakvenster op het vakje voor **Artikel**.

13 De unieke artikelnummers verschijnen nu in de draaitabel.

14 Klik op het vakje voor **Verkocht**.

15 De draaitabel is klaar.

In het overzicht valt duidelijk af te lezen wat er per artikel in totaal is verkocht. Het artikel **BM34L**, een bermuda, is het best verkocht. De Medium-uitvoering van dezelfde Bermuda is maar twintig keer verkocht. De draaitabel is gesorteerd op artikelnummer. U kunt even goed laten sorteren op verkochte aantallen.

1 Klik op een getal in de tweede kolom van de draaitabel.

2 Klik in het lint op de knop **Sorteren van hoog naar laag**.

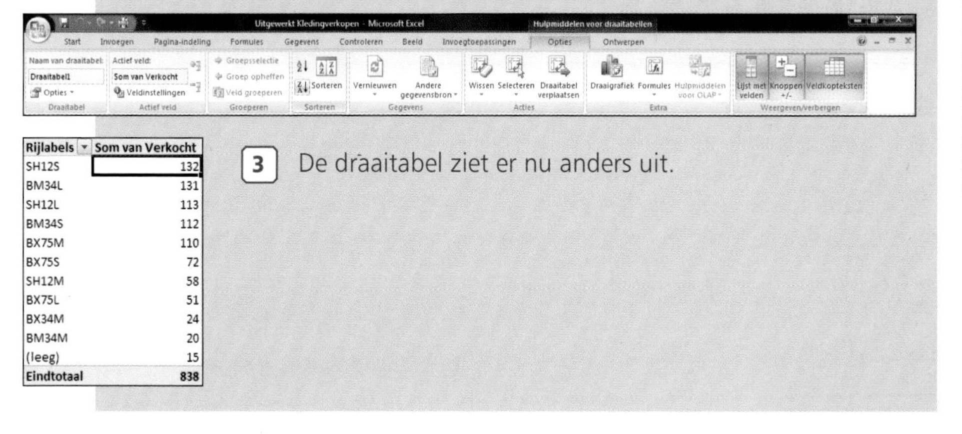

Rijlabels	Som van Verkocht
SH12S	132
BM34L	131
SH12L	113
BM34S	112
BX75M	110
BX75S	72
SH12M	58
BX75L	51
BX34M	24
BM34M	20
(leeg)	15
Eindtotaal	**838**

3 De draaitabel ziet er nu anders uit.

Wijzig een kopje

Het kopje boven de kolom met de aantallen luidt **Som van Verkocht**. Dat is een prima omschrijving want zo weet iedereen meteen wat de getallen in die kolom voorstellen. U kunt dit tekstje eenvoudig wijzigen.

1. Klik op cel J1.
2. Selecteer de tekst **Som van Verkocht** in de formulebalk.
3. Typ: Aantal

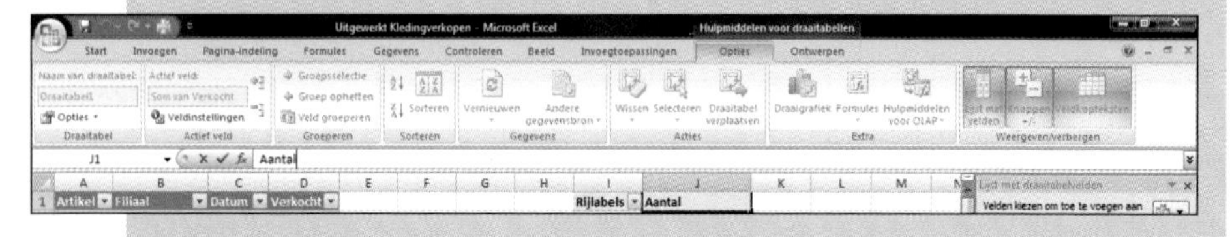

4. Druk op [Enter] of klik op het vinkje in de formulebalk.
5. Het kopje wordt aangepast.

Het is niet de bedoeling dat u een cel met getallen op deze manier probeert te wijzigen. Dat moet in de tabel met aantallen per artikel gebeuren! Anders krijgt u een foutmelding.

Pas de draaitabel aan

Vaak worden verkopen in een bepaalde periode vergeleken met dezelfde periode in het voorgaande jaar. Vergelijken per dag is echter niet zo zinvol. Interessanter is het om gegevens samen te vatten: per maand of per kwartaal. In de oefening wordt eerst het veld van de verkochte aantallen verwijderd en wordt het veld met de datums toegevoegd. Dit veld wordt zo aangepast dat per maand wordt gegroepeerd. Vervolgens wordt het veld **Verkocht** weer in de draaitabel opgenomen.

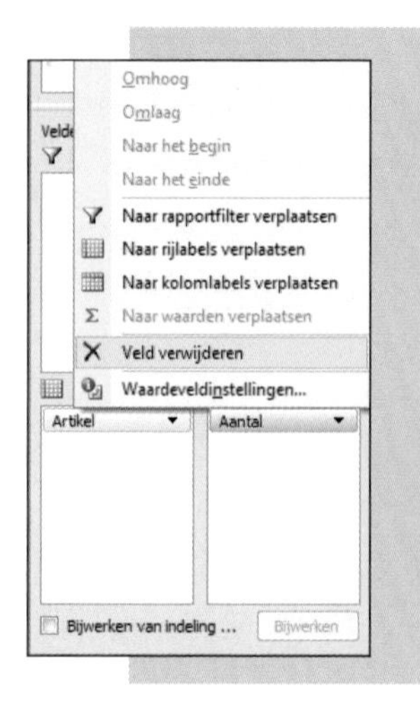

1. Klik in het taakvenster bij **Waarden** op **Aantal**.
2. Klik in de lijst op **Veld verwijderen**.
3. Klik in de lijst met velden in het vakje voor **Datum**.
4. Per artikel verschijnt nu een aantal datums waarop dat artikel is verkocht.

5 Klik bij **Rijlabels** op de knop **Datum**.

6 Klik op **Naar kolomlabels verplaatsen**.

7 Het wordt nu een brede tabel met alle datums achter elkaar.

8 Klik op de eerste datum in de draaitabel.

I
Rijlabels
⊟ BM34L
27-5-2006
3-6-2006
7-6-2006
9-6-2006
10-6-2006
13-6-2006
⊟ BM34M
3-6-2006
⊟ BM34S
30-5-2006
7-6-2006
10-6-2006
13-6-2006
⊟ BX34M
31-5-2006
⊟ BX75L
3-6-2006
9-6-2006
14-6-2006

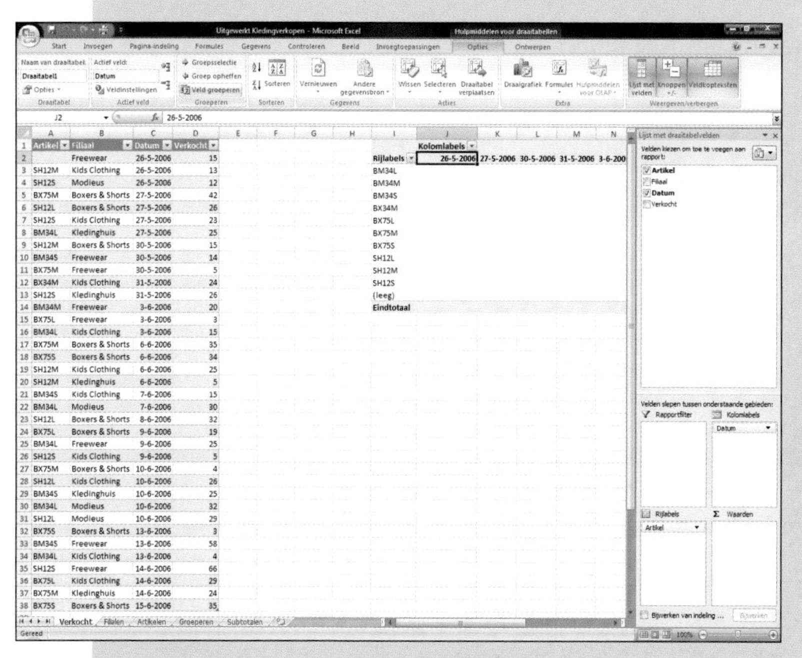

9 Klik in het lint op **Veld groeperen**.

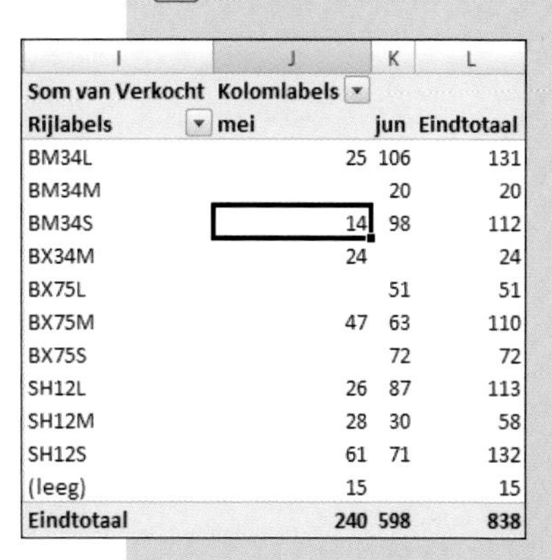

I	J	K	L
Som van Verkocht	Kolomlabels		
Rijlabels	mei	jun	Eindtotaal
BM34L	25	106	131
BM34M		20	20
BM34S	14	98	112
BX34M	24		24
BX75L		51	51
BX75M	47	63	110
BX75S		72	72
SH12L	26	87	113
SH12M	28	30	58
SH12S	61	71	132
(leeg)	15		15
Eindtotaal	240	598	838

10 Klik in de lijst die verschijnt op **Maanden**.

11 Klik op **OK**.

12 Er blijven twee maanden over en er verschijnt een **Eindtotaal**.

13 Klik in de lijst met velden in het vakje voor **Verkocht**.

14 Bekijk het resultaat in de draaitabel.

In deze draaitabel valt op dat de bermuda BM34M in mei helemaal niet is verkocht. Deze draaitabel is bewust naast de gegevens geplaatst zodat het vergelijken met de oorspronkelijke gegevens makkelijker wordt.

TIP

Hebt u met eerdere versies gewerkt en daarin draaitabellen gemaakt, dan bent u gewend de velden naar de juiste plek te slepen. Deze techniek kunt u blijven gebruiken.

Bekijk de resultaten per filiaal

In de gemaakte draaitabel zijn alle verkopen van de verschillende filialen op één hoop geveegd en gebruikt voor het maken van een totaaltelling. Door één wijziging aan te brengen, het toevoegen van het veld **Filiaal**, is het mogelijk de resultaten per filiaal te bekijken. Gebruik hiertoe een **Rapportfilter**, in voorgaande versies aangeduid met 'paginaveld'.

1. Klik in de lijst met velden in het vakje voor **Filiaal**.
2. De filialen krijgen een plek onder de rijlabels, de kolom aan de linkerkant.

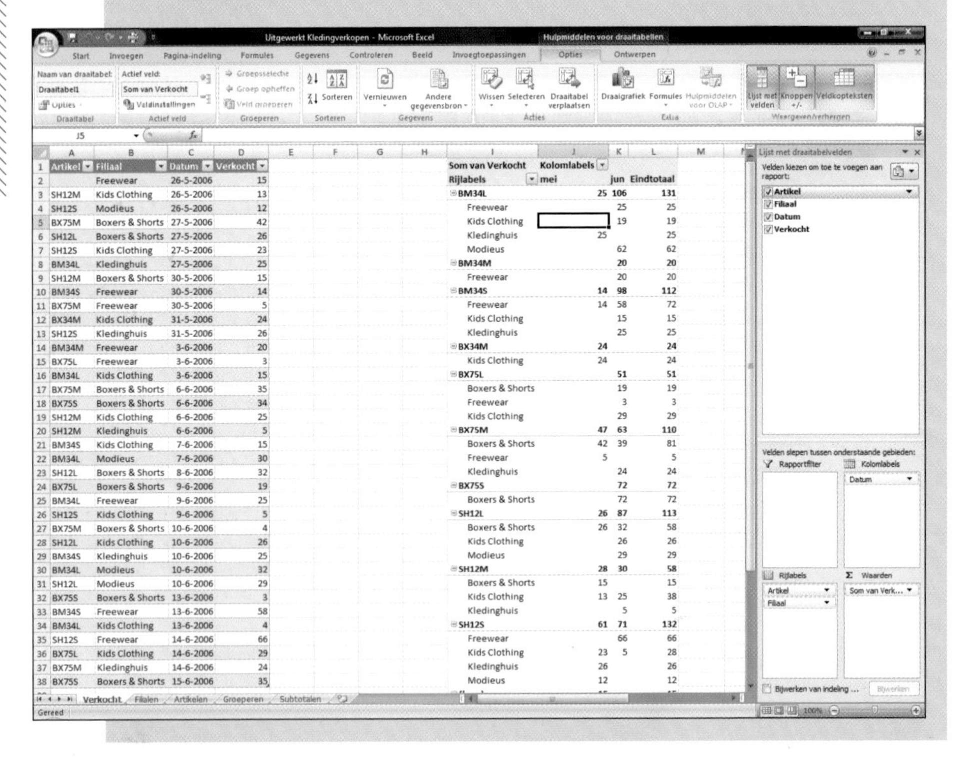

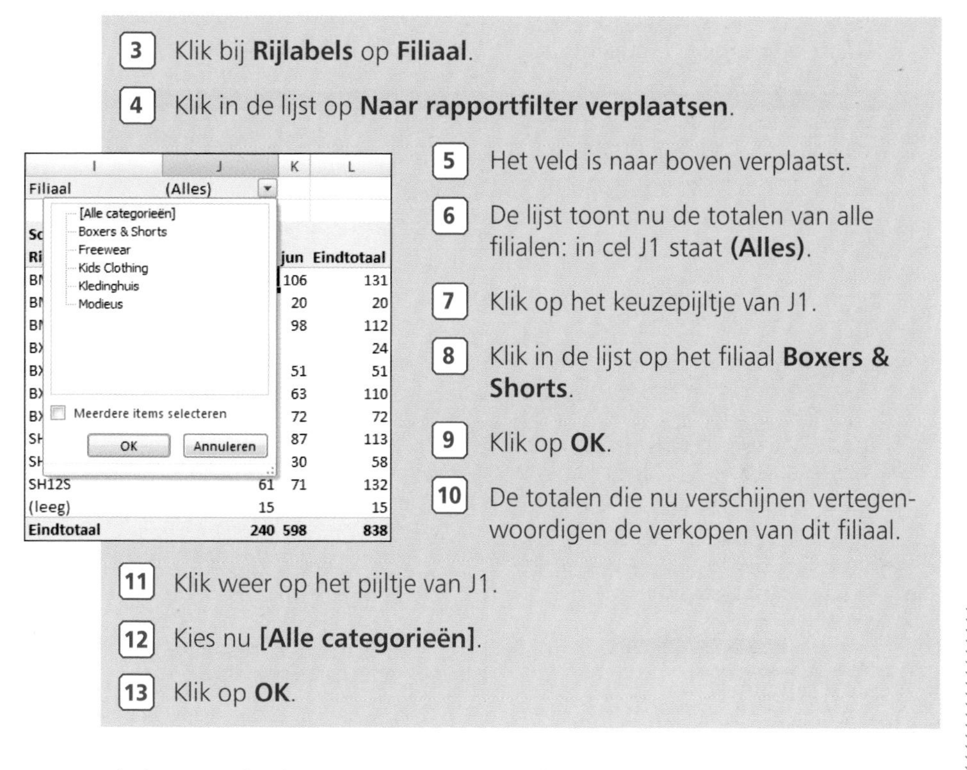

3. Klik bij **Rijlabels** op **Filiaal**.
4. Klik in de lijst op **Naar rapportfilter verplaatsen**.
5. Het veld is naar boven verplaatst.
6. De lijst toont nu de totalen van alle filialen: in cel J1 staat **(Alles)**.
7. Klik op het keuzepijltje van J1.
8. Klik in de lijst op het filiaal **Boxers & Shorts**.
9. Klik op **OK**.
10. De totalen die nu verschijnen vertegenwoordigen de verkopen van dit filiaal.
11. Klik weer op het pijltje van J1.
12. Kies nu **[Alle categorieën]**.
13. Klik op **OK**.

U hebt nu gezien hoe u met een paar muisklikken keurige overzichten kunt maken. Laat het bestand **Uitgewerkt Kledingverkopen** nog even open staan. Het wordt verderop in dit hoofdstuk opnieuw gebruikt.

Top 2000

Aan het einde van het jaar zenden radiostations vaak een Top 1000 of Top 2000 uit van de populairste platen. Een mooi voorbeeld voor een nieuwe draaitabel! Oefen met het bestand **Top 2000**. De lijst geeft een opsomming van de platen in de volgorde van 2000 naar 1 en van de plaats die het betreffende nummer in voorgaande jaren in de lijst innam. Maar stel nu dat u graag wilt weten welke artiest de meeste nummers heeft in de lijst van 2005. U kunt natuurlijk de tabel laten sorteren, maar daarna moet er ook nog geteld worden hoe vaak die artiest in 2005 in de lijst staat. Dit kan sneller met een draaitabel en wordt bovendien nog eens mooier gepresenteerd ook.

1 Klik ergens in de lijst.

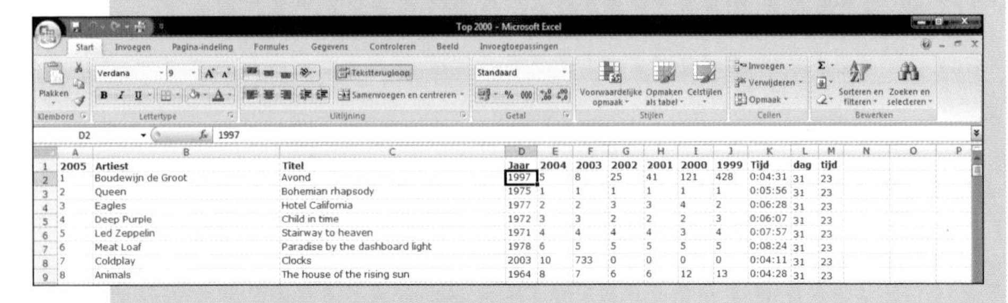

2 Klik op de tab **Invoegen**.

3 Klik op **Draaitabel**.

4 Het venster **Draaitabel maken** opent.

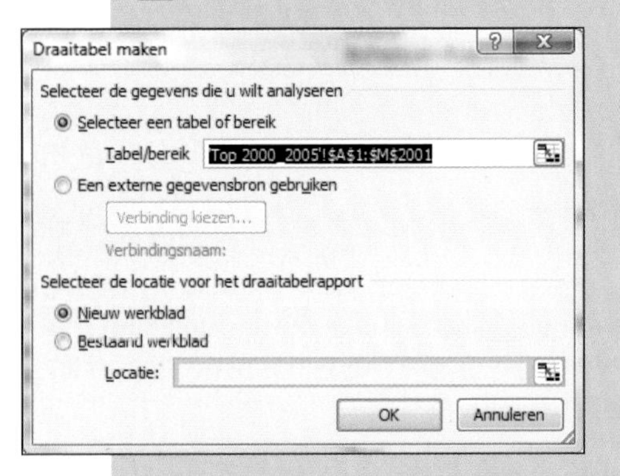

5 De hele tabel wordt als bereik gebruikt.

6 De locatie voor de draaitabel is **Nieuw werkblad**.

7 Klik op **OK**.

8 Er is een nieuw werkblad ingevoegd en rechts verschijnt het taakvenster **Lijst met draaitabelvelden**.

9 Klik in het vakje voor **Artiest**.

INFO

Klikt u op de keuzepijl bij **Draaitabel**, dan kunt u kiezen uit twee opties: **Draaitabel** of **Draaitabelgrafiek**.

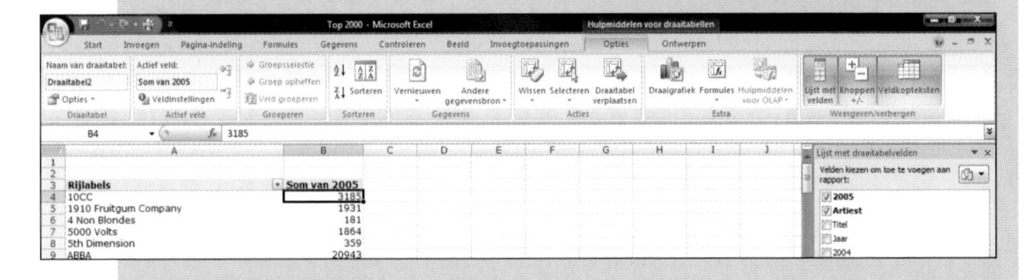

10 In de draaitabel verschijnt nu een lijst met namen van artiesten.

11 Vink het vakje voor **2005** aan.

12 Naast de artiesten verschijnen erg grote getallen die onwaarschijnlijk overkomen.

13 Rechtsonder bij **Waarden** valt af te lezen dat de som is bepaald.

14 Klik rechtsonder op **Som van 2005**.

15 Klik op **Waardeveldinstellingen**.

16 Het venster **Waardeveldinstellingen** opent.

17 Klik op **Aantal** bij **Waardeveldinstellingen samenvatten op**.

18 Klik op **OK**.

19 Nu zijn de getallen in de lijst realistischer.

20 Klik nu in de kolom **Aantal van 2005** op één van de getallen.

21 Klik in het lint in de groep **Bewerken** op **Sorteren en filteren**.

22 Klik op **Sorteren van hoog naar laag**.

23 Het overzicht is klaar.

Welke platen van Boudewijn de Groot?

Hoewel een draaitabel een samenvattinginstrument is, kunnen direct uit deze tabel de onderliggende gegevens worden gepresenteerd. Wilt u bijvoorbeeld weten welke vijftien nummers Boudewijn de Groot in deze lijst heeft staan, dan dubbelklikt u op het aantal achter zijn naam. Op een nieuw werkblad ziet u dan de gegevens die zijn gekopieerd uit de originele lijst.

1 Zoek **Boudewijn de Groot**.

	A	B	C
1			
2			
3	**Rijlabels**	**Aantal van 2005**	
4	Beatles	55	
5	Rolling Stones	34	
6	ABBA	26	
7	Bee Gees	21	
8	Elvis Presley	19	
9	Queen	19	
10	Boudewijn de Groot	15	
11	Fleetwood Mac	14	

2 Dubbelklik op het getal **15** bij **Boudewijn de Groot**.

3 Er is een nieuw werkblad toegevoegd.

4 Bekijk de vermeldingen van deze artiest in de lijst van 2005.

5 De getallen in de jaartalkolommen zijn nu weer de plaatsen van het betreffende nummer in de lijst.

2005	Artiest	Titel	Jaar	2004	2003	2002	2001	2000	1999	Tijd	dag	tijd2
1	Boudewijn	Avond	1997	5	8	25	41	121	428	0:04:31	31	23
1713	Boudewijn	Picknick	1967	0	0	0	0	0	0	0:03:31	26	17
1274	Boudewijn	Ik ben ik	1974	1466	1591	1663	0	1969	0	0:02:37	27	23
1191	Boudewijn	Tante Julia	1974	1271	1766	0	0	1503	0	0:02:47	28	5
1096	Boudewijn	Kinderballa	1977	1071	1203	835	0	860	0	0:04:12	28	11
575	Boudewijn	Als de rook	1972	637	552	677	439	693	0	0:03:32	30	1
558	Boudewijn	Tip van de	1980	636	555	891	612	843	0	0:04:55	30	2
495	Boudewijn	Een wonde	1996	692	599	779	864	708	1151	0:04:13	30	7
386	Boudewijn	Meester Pr	1968	318	336	262	413	328	585	0:04:16	30	16
346	Boudewijn	Een meisje	1965	333	310	316	478	333	371	0:02:59	30	19
176	Boudewijn	Land van M	1967	176	292	232	370	313	277	0:02:58	31	7
163	Boudewijn	Jimmy	1973	168	141	116	138	167	166	0:03:52	31	8
85	Boudewijn	Welteruste	1966	68	70	91	71	126	114	0:02:31	31	15
51	Boudewijn	Verdronker	1966	65	47	72	95	95	102	0:02:25	31	18
31	Boudewijn	Testament	1967	31	31	31	51	41	40	0:03:14	31	20

Groeperen

Een andere manier om grote hoeveelheden gegevens overzichtelijker weer te geven is een tabel indelen in groepen. Deze groepen kunt u telkens samenvouwen zodat details onzichtbaar worden en u meer overzicht krijgt.

Hetzelfde resultaat kan bereikt worden via het verbergen en zichtbaar maken van rijen en/of kolommen, maar groeperen verdient de voorkeur.

INFO

Een tabel wordt omgezet naar een bereik door bij **Hulpmiddelen voor tabellen** te klikken op **Ontwerpen** en vervolgens bij **Extra** op **Converteren naar bereik**.

1 Klik op het werkblad **Groeperen**.

2 Bekijk de nieuwe kolommen (**Omschrijving**, **Prijs** en **Totaal**).

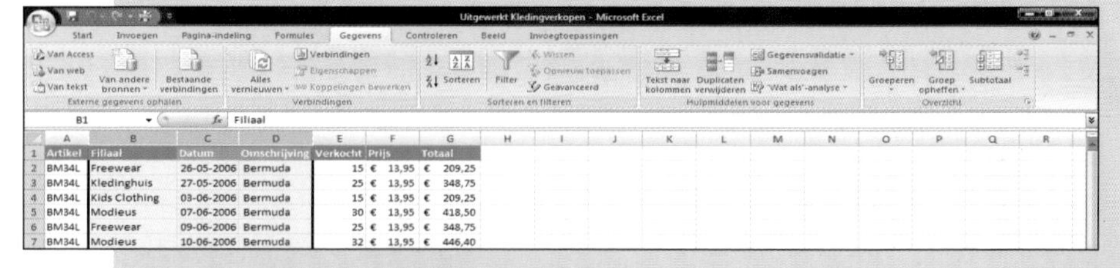

3 Sleep nu over de kolommen B, C en D.

4 Klik op de tab **Gegevens**.

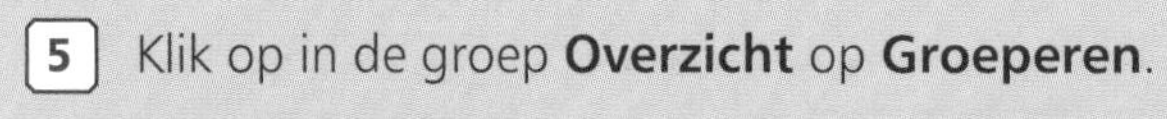

5 Klik op in de groep **Overzicht** op **Groeperen**.

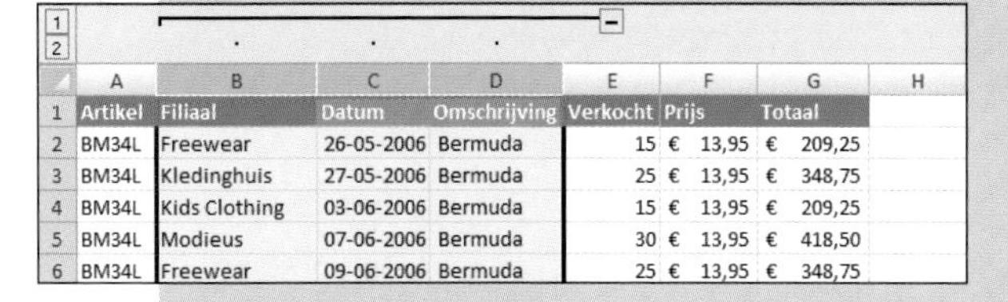

	A	B	C	D	E	F	G	H
1	Artikel	Filiaal	Datum	Omschrijving	Verkocht	Prijs	Totaal	
2	BM34L	Freewear	26-05-2006	Bermuda	15	€ 13,95	€ 209,25	
3	BM34L	Kledinghuis	27-05-2006	Bermuda	25	€ 13,95	€ 348,75	
4	BM34L	Kids Clothing	03-06-2006	Bermuda	15	€ 13,95	€ 209,25	
5	BM34L	Modieus	07-06-2006	Bermuda	30	€ 13,95	€ 418,50	
6	BM34L	Freewear	09-06-2006	Bermuda	25	€ 13,95	€ 348,75	

6 Er verschijnt ruimte boven de kolomkoppen.

7 Klik op het minknopje boven kolom E.

8 De gegevens worden samengevouwen.

9 Klik op het plus-knopje.

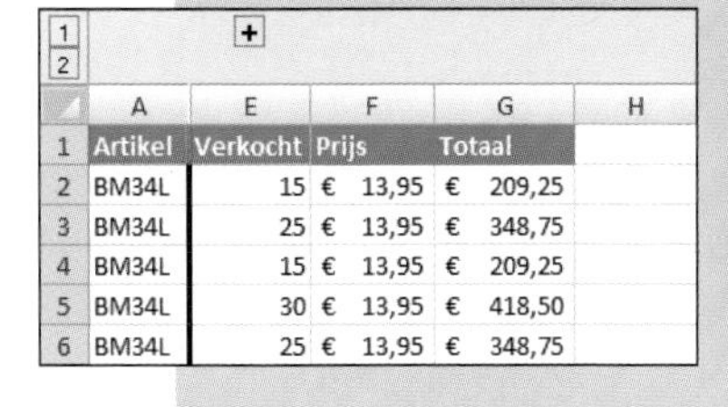

	A	E	F	G	H
1	Artikel	Verkocht	Prijs	Totaal	
2	BM34L	15	€ 13,95	€ 209,25	
3	BM34L	25	€ 13,95	€ 348,75	
4	BM34L	15	€ 13,95	€ 209,25	
5	BM34L	30	€ 13,95	€ 418,50	
6	BM34L	25	€ 13,95	€ 348,75	

10 Bekijk weer de totale gegevens.

INFO

De sneltoets voor groeperen is [Alt]+[Shift]+[→] en voor het opheffen van een groep [Alt]+[Shift]+[←].

Stel nu dat een nieuwe medewerker nog niet goed weet welke artikelen bij welk artikelnummer horen. Dan is het handig wanneer de omschrijving wel wordt getoond, direct naast de artikelnummers. Breng nog een groepering aan, maar dan van de kolommen B en C. De eerder aangebrachte groepering hoeft niet eerst te worden verwijderd.

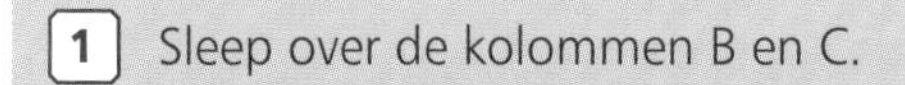

1 Sleep over de kolommen B en C.

2 Klik op **Groeperen**.

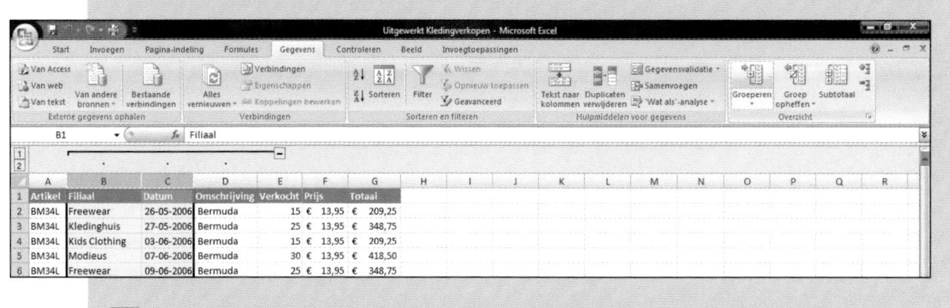

	A	B	C	D	E	F	G
1	Artikel	Filiaal	Datum	Omschrijving	Verkocht	Prijs	Totaal
2	BM34L	Freewear	26-05-2006	Bermuda	15	€ 13,95	€ 209,25
3	BM34L	Kledinghuis	27-05-2006	Bermuda	25	€ 13,95	€ 348,75
4	BM34L	Kids Clothing	03-06-2006	Bermuda	15	€ 13,95	€ 209,25
5	BM34L	Modieus	07-06-2006	Bermuda	30	€ 13,95	€ 418,50
6	BM34L	Freewear	09-06-2006	Bermuda	25	€ 13,95	€ 348,75

3 Er verschijnt nu een tweede lijn boven de kolommen.

4 Klik links op het knopje **2**.

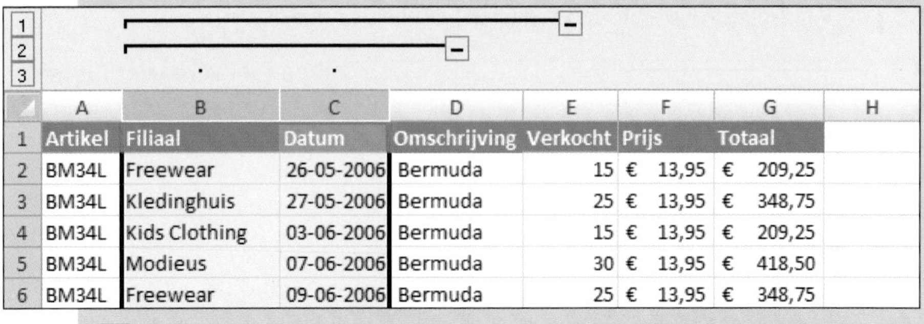

	A	B	C	D	E	F	G	H
1	Artikel	Filiaal	Datum	Omschrijving	Verkocht	Prijs	Totaal	
2	BM34L	Freewear	26-05-2006	Bermuda	15	€ 13,95	€ 209,25	
3	BM34L	Kledinghuis	27-05-2006	Bermuda	25	€ 13,95	€ 348,75	
4	BM34L	Kids Clothing	03-06-2006	Bermuda	15	€ 13,95	€ 209,25	
5	BM34L	Modieus	07-06-2006	Bermuda	30	€ 13,95	€ 418,50	
6	BM34L	Freewear	09-06-2006	Bermuda	25	€ 13,95	€ 348,75	

5 Het zojuist aangemaakte groepeerniveau wordt samengevouwen.

6 De omschrijvingen verschijnen nu naast de artikelnummers.

7 Klik links op het knopje **1**.

8 Nu zijn beide niveaus samengevouwen.

9 Klik op het knopje **3** en u krijgt alles weer te zien.

Ook rijen kunnen op deze manier worden samengevoegd.

In dit hoofdstuk hebt u gezien welke mogelijkheden er zijn om gegevens in lijsten samen te vatten. De draaitabel wordt gebruikt voor het samenvatten van grote hoeveelheden gegevens en is heel flexibel in de opmaak. U leerde ook gegevens te groeperen.

Sorteren en filteren

5

Tabellen zijn interessante werkmiddelen omdat de gegevens erin makkelijk gesorteerd en gefilterd kunnen worden. Alle Excel-versies bevatten standaard al twee sorteerknoppen. Maar in Excel 2007 kunt u voortaan sorteren op meer dan drie kolommen tegelijk. Het filteren van gegevens laat toe om selecties te maken binnen de tabel. Hiervoor wordt gebruik gemaakt van het AutoFilter.

Alfabetisch sorteren

Een alfabetisch gesorteerde lijst maakt u met één klik op de juiste knop. Geeft u een sorteeropdracht, dan wordt automatisch een selectie gemaakt van alle gegevens rond de huidige cel, totdat er een compleet lege rij en/of kolom wordt aangetroffen. Ook wanneer de eerste regel een afwijkende opmaak en inhoud heeft, worden deze gegevens niet mee genomen in de selectie.

Als voorbeeld wordt gewerkt met het bestand: **Ledenadministratie voetbal**. Open dit bestand en sla het meteen op onder de naam **Uitgewerkt Ledenadministratie voetbal**. De leden bestaan niet echt en ook de vereniging is fictief.

Sorteren op achternaam

Hier wordt gewerkt met een lijst; er is geen tabel van de gegevens gemaakt. Tussenvoegsels zoals 'de' en 'van de' zijn in een aparte kolom opgenomen.

1 Klik op een cel in kolom **D**.

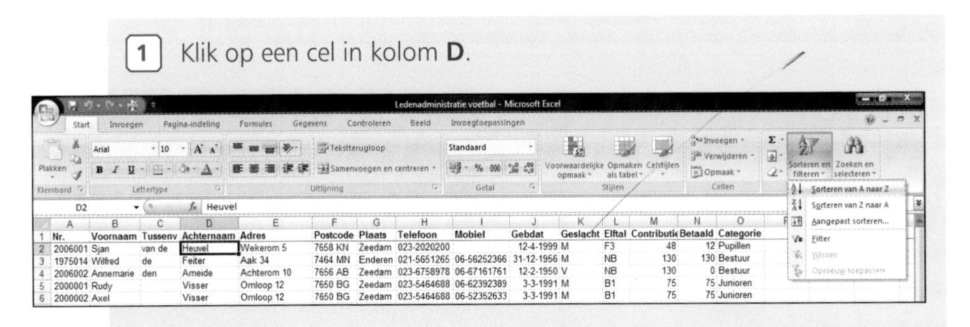

2. Klik in de groep **Bewerken** op de knop **Sorteren en filteren**.
3. Kies **Sorteren van A naar Z**.
4. De lijst is nu alfabetisch gesorteerd op achternaam.
5. De kopteksten zijn echter niet gesorteerd.

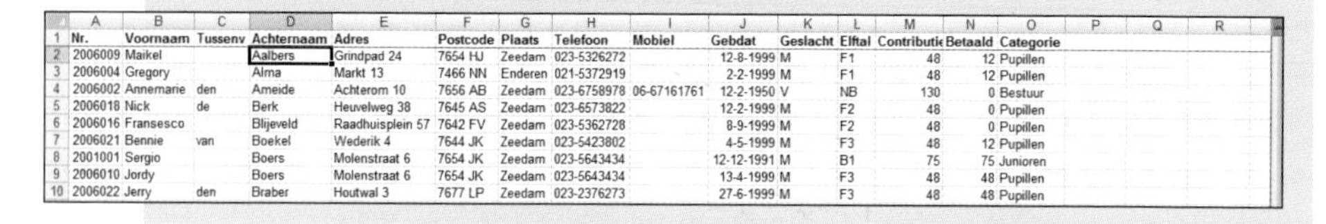

	A	B	C	D	E	F	G	H	I	J	K	L	M	N	O
1	Nr.	Voornaam	Tussenv	Achternaam	Adres	Postcode	Plaats	Telefoon	Mobiel	Gebdat	Geslacht	Elftal	Contributie	Betaald	Categorie
2	2006009	Maikel		Aalbers	Grindpad 24	7654 HJ	Zeedam	023-5326272		12-8-1999	M	F1	48	12	Pupillen
3	2006004	Gregory		Alma	Markt 13	7466 NN	Enderen	021-5372919		2-2-1999	M	F1	48	12	Pupillen
4	2006002	Annemarie	den	Ameide	Achterom 10	7656 AB	Zeedam	023-6758978	06-67161761	12-2-1950	V	NB	130	0	Bestuur
5	2006018	Nick	de	Berk	Heuvelweg 38	7645 AS	Zeedam	023-6573822		12-2-1999	M	F2	48	0	Pupillen
6	2006016	Fransesco		Blijeveld	Raadhuisplein 57	7642 FV	Zeedam	023-5362728		8-9-1999	M	F2	48	0	Pupillen
7	2006021	Bennie	van	Boekel	Wederik 4	7644 JK	Zeedam	023-5423802		4-5-1999	M	F3	48	12	Pupillen
8	2001001	Sergio		Boers	Molenstraat 6	7654 JK	Zeedam	023-5643434		12-12-1991	M	B1	75	75	Junioren
9	2006010	Jordy		Boers	Molenstraat 6	7654 JK	Zeedam	023-5643434		13-4-1999	M	F3	48	48	Pupillen
10	2006022	Jerry	den	Braber	Houtwal 3	7677 LP	Zeedam	023-2376273		27-6-1999	M	F3	48	48	Pupillen

Hoewel u zelf maar één cel hebt aangeklikt, selecteert Excel op de achtergrond de hele lijst. Door **Aangepast sorteren** te kiezen, kunt u dat zien.

1. Klik op een cel in de lijst.
2. Klik weer op de knop **Sorteren en filteren**.
3. Kies nu **Aangepast sorteren**.

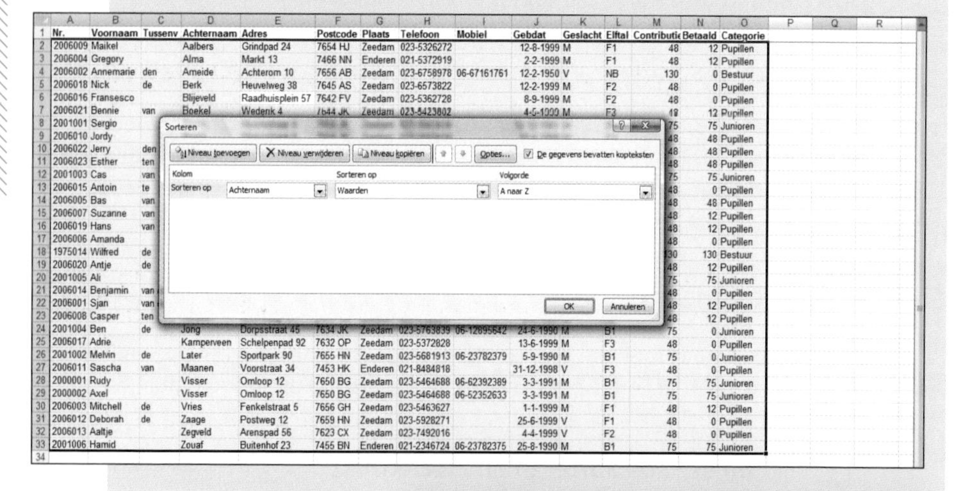

4. Een dialoogvenster verschijnt.
5. Bekijk de selectie op de achtergrond.

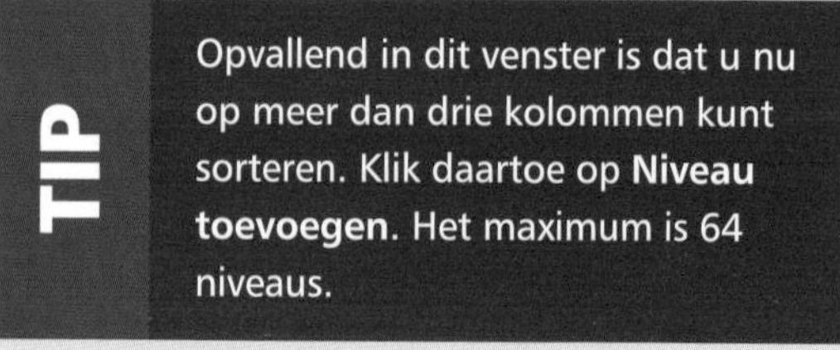

TIP

Opvallend in dit venster is dat u nu op meer dan drie kolommen kunt sorteren. Klik daartoe op **Niveau toevoegen**. Het maximum is 64 niveaus.

Het volgende voorbeeld toont wat er gebeurt wanneer u niet één cel aanklikt, maar een hele kolom hebt geselecteerd...

1 Klik op de kolomkop **G**.

2 De hele kolom is nu geselecteerd.

3 Klik op de knop **Sorteren en filteren**.

4 Kies **Sorteren van A naar Z**.

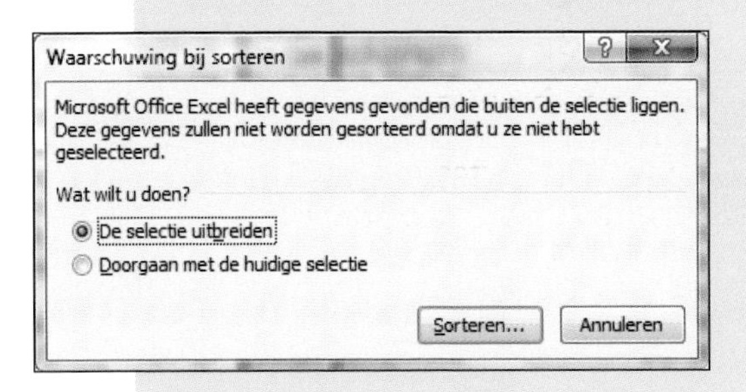

5 Een waarschuwing verschijnt: de andere gegevens worden niet mee geselecteerd!

6 Volg het advies **De selectie uitbreiden**.

7 Klik op **Sorteren**.

8 Nu is gans uw lijst mee gesorteerd.

De gegevens zijn nu gesorteerd op **Plaats**. Doordat ook de andere kolommen mee geselecteerd werden blijven de ledengegevens intact. Excel sorteert altijd op de kolom waarvan een cel is aangeklikt.

Sorteren op meerdere kolommen

U gaat nu een overzicht maken waarin achtereenvolgens is gesorteerd op **Categorie**, **Elftal**, **Achternaam** en **Voornaam**. Dit gaat via het dialoogvenster **Sorteren**.

1 Klik op een willekeurige cel.

2 Klik op de knop **Sorteren en filteren**.

3 Kies **Aangepast sorteren**.

4 Klik in het venster op de eerste keuzepijl **Sorteren op**.

5 Kies **Categorie**.

6 Klik op de knop **Niveau toevoegen**.

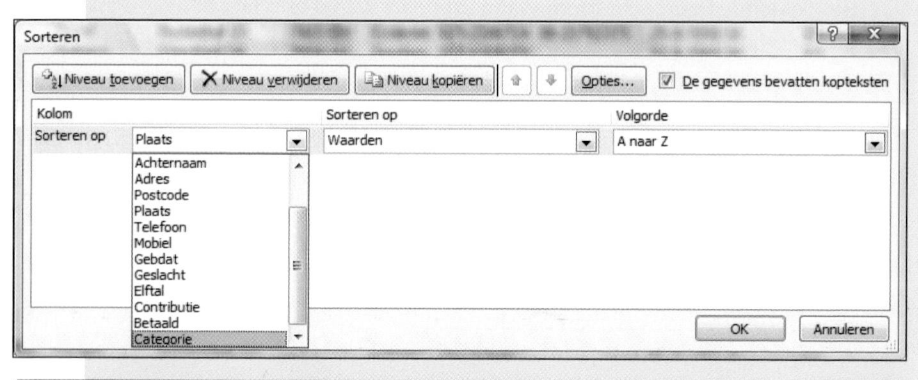

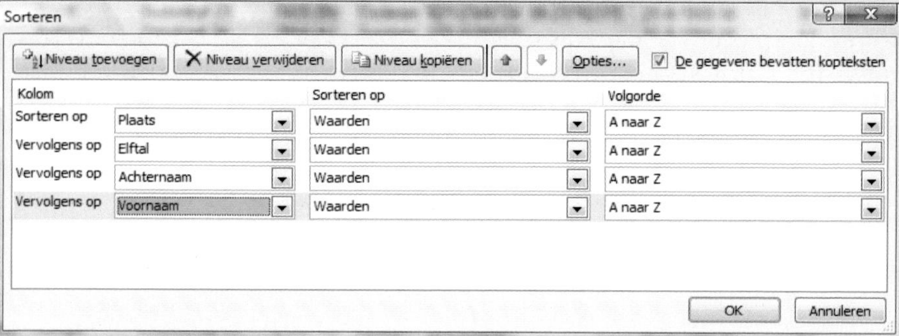

7. Selecteer in de tweede rij bij **Vervolgens op** het veld **Elftal**.

8. Klik weer op **Niveau toevoegen**.

9. Sorteer in de derde rij op het veld **Achternaam**.

10. Klik op **Niveau toevoegen**.

11. Sorteer als vierde op het veld **Voornaam**.

12. Behoud overal de **Volgorde** van **A naar Z**.

13. Klik op **OK**.

14. Bekijk de gesorteerde lijst.

	A	B	C	D	E	F	G	H	I	J
1	Nr.	Voornaam	Tussenv	Achternaam	Adres	Postcode	Plaats	Telefoon	Mobiel	Gebdat
2	2001003	Cas	van	Daalen	Appelstraat 7	7462 BB	Enderen	021-7648482	06-12982183	3-3-1990
3	2001006	Hamid		Zouaf	Buitenhof 23	7455 BN	Enderen	021-2346724	06-23782375	25-8-1990
4	2006004	Gregory		Alma	Markt 13	7466 NN	Enderen	021-5372919		2-2-1999
5	2006020	Antje	de	Haan	Markt 56	7466 NM	Enderen	021-7236237		13-3-1999
6	2006006	Amanda		Epskamp	Appelstraat 5	7462 BB	Enderen	021-5764525		12-9-1998
7	2006011	Sascha	van	Maanen	Voorstraat 34	7453 HK	Enderen	021-8484818		31-12-1998
8	1975014	Wilfred	de	Feiter	Aak 34	7464 MN	Enderen	021-5651265	06-56252366	31-12-1956
9	2001001	Sergio		Boers	Molenstraat 6	7654 JK	Zeedam	023-5643434		12-12-1991
10	2001005	Ali		Hammouti	Houtwal 5	7677 LP	Zeedam	023-2365234		4-3-1990
11	2001004	Ben	de	Jong	Dorpsstraat 45	7634 JK	Zeedam	023-5763839	06-12895642	24-6-1990
12	2001002	Melvin	de	Later	Sportpark 90	7655 HN	Zeedam	023-5681913	06-23782379	5-9-1990
13	2000002	Axel		Visser	Omloop 12	7650 BG	Zeedam	023-5464688	06-52352633	3-3-1991
14	2000001	Rudy		Visser	Omloop 12	7650 BG	Zeedam	023-5464688	06-62392389	3-3-1991
15	2006009	Maikel		Aalbers	Grindpad 24	7654 HJ	Zeedam	023-5326272		12-8-1999
16	2006015	Antoin	te	Dantuma	Klaverweide 54	7656 NN	Zeedam	023-4562365		18-6-1999

Bij rij 13 en 14 (de broertjes Axel en Rudy Visser) is goed te zien dat alles netjes volgens de opgegeven velden is gesorteerd. Klikt u na het instellen van deze velden weer op **Aangepast sorteren**, dan kunt u precies aflezen waarop is gesorteerd. De instelling blijft behouden tot u een andere sorteeropdracht geeft.

Met de knop **Niveau verwijderen** kunt u de sorteervolgorde wijzigen. Wilt u eerst op elftal en dan op categorie sorteren, dan klikt u op de blauwe pijlen. Daarmee wordt een sorteerniveau omhoog of omlaag geschoven.

Sluit nu het bestand. U kunt het ook open laten om later te gebruiken in dit hoofdstuk.

Om te wisselen tussen meerdere geopende bestanden klikt u in het lint op **Beeld** en dan in de groep **Venster** op **Ander venster**, of in de taakbalk van Windows op de knop met het juiste bestand. Klik op het venster met het bestand dat u wilt gebruiken. Hier staan ook de opties om alle vensters te schikken.

Sorteren op kleur

Dit is één van de nieuwe mogelijkheden van Excel 2007. In hoofdstuk 3 hebt u een werkblad opgemaakt met kleuren. Het gaat om de temperaturen in de maand augustus van 2006. De dagen waarop de temperatuur boven het gemiddelde lag zijn groen. Zonder een nieuwe formule te maken kunt u die kleureigenschap gebruiken om de gegevens te sorteren. In het voorbeeld wordt niet alleen op kleur gesorteerd. Met een tweede sorteerniveau stelt u ook nog in dat er oplopend moet worden gesorteerd als de kleur identiek is. Werk met het bestand **Augustus 2006** en sla het weer op met de naam **Uitgewerkt Augustus 2006**.

1. Bekijk de gegevens op het tabblad **Gem T**.
2. Klik op een cel in de lijst.
3. Klik op **Sorteren en filteren**.

> **INFO**
> **Celkleur** is de achtergrondkleur van de cel en **tekenkleur** is de kleur van de inhoud (tekst of getallen).

4. Kies **Aangepast sorteren**.
5. Klik op de eerste keuzepijl en selecteer **TEMP**.
6. Selecteer bij de tweede keuzepijl **Celkleur**.

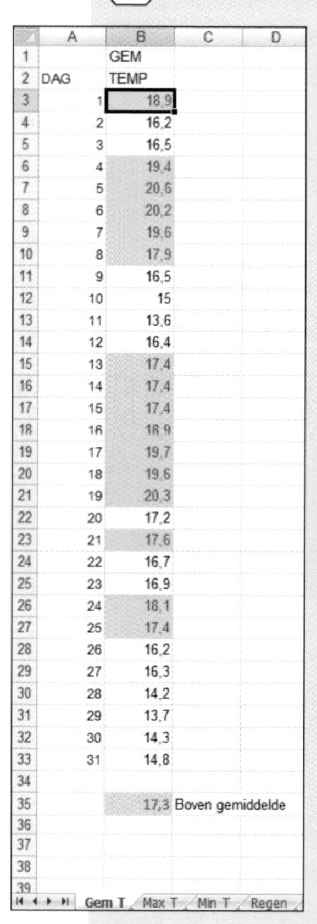

	A	B	C	D
1		GEM		
2	DAG	TEMP		
3	1	18,9		
4	2	16,2		
5	3	16,5		
6	4	19,4		
7	5	20,6		
8	6	20,2		
9	7	19,6		
10	8	17,9		
11	9	16,5		
12	10	15		
13	11	13,6		
14	12	16,4		
15	13	17,4		
16	14	17,4		
17	15	17,4		
18	16	18,9		
19	17	19,7		
20	18	19,6		
21	19	20,3		
22	20	17,2		
23	21	17,6		
24	22	16,7		
25	23	16,9		
26	24	18,1		
27	25	17,4		
28	26	16,2		
29	27	16,3		
30	28	14,2		
31	29	13,7		
32	30	14,3		
33	31	14,8		
34				
35		17,3	Boven gemiddelde	
36				
37				
38				
39				

Gem T / Max T / Min T / Regen

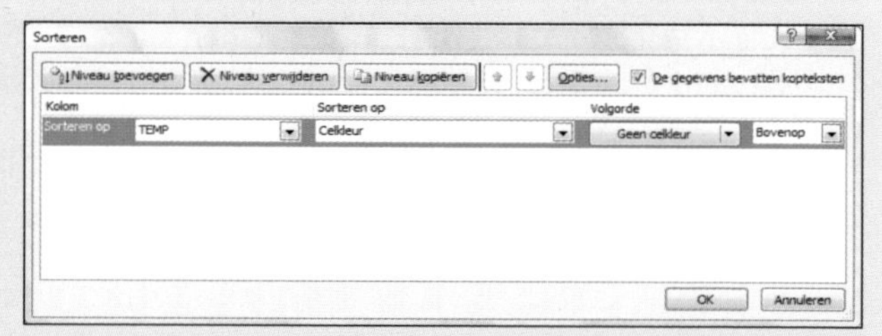

7. Klik op de derde keuzepijl en klik op groen.
8. Kies bij de vierde keuzepijl **Onderaan**.
9. Klik op de knop **Niveau toevoegen**.

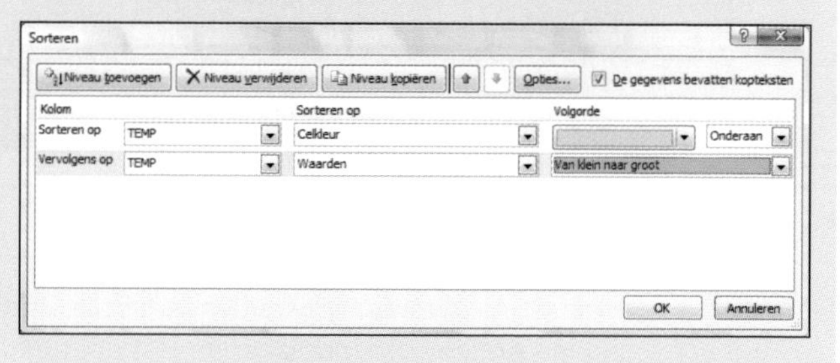

10. Klik in de tweede rij op de eerste keuzepijl en selecteer **TEMP**.
11. Laat de andere opties zoals ze zijn.
12. Klik op **OK**.
13. Bekijk de lijst.
14. Sluit het bestand.

De dagen zijn nu gerangschikt naar oplopende gemiddelde temperatuur, waarbij de dag met de laagste temperatuur bovenaan staat. Was het nu nodig om op kleur te sorteren? Nee, met alleen de laatste opdracht, sorteer op de kolom met de gemiddelde temperaturen van klein naar groot, was precies hetzelfde resultaat bereikt.

Sorteren op maand

In de volgende oefening kijkt u naar de bezoekerstatistieken van een bepaalde website. Open het bestand **Bezoek website 2006**. De gegevens zijn hier door elkaar komen te staan en u moet ze zodanig sorteren dat ze netjes op volgorde van de maanden van het jaar verschijnen. Gewoon sorteren op de eerste kolom levert niet het juiste resultaat op, want dan komt april bovenaan te staan (alfabetische volgorde). Geef dus bij de sorteervolgorde aan dat er op maand moet worden gesorteerd. De dagen van de week en de maanden van het jaar staan in aangepaste lijsten. U ziet wat er gebeurt wanneer in een lijst wordt gewerkt met hele lege rijen. Tussen de kopjes en de gegevens is een lege rij gebruikt.

1 Klik op een maand in kolom **A**.

	A	B	C	D	E	F	G	H	I	J	K
1	Samenvatting per maand										
2											
3	Maand	Dagelijks gemiddelde				Maandelijks gemiddelde					
4		Hits	Bestanden	Pagina's	Bezoeken	Websites	KBytes	Bezoeken	Pagina's	Bestanden	Hits
5											
6	december	367	152	79	17	86	40700	171	792	1521	3672
7	november	473	167	86	14	192	74111	422	2601	5014	14200
8	oktober	498	173	94	14	209	116957	440	2931	5388	15442
9	maart	637	179	109	14	177	239827	449	3283	5383	19112

2 Klik op **Sorteren en filteren**.

3 Kies **Aangepast sorteren**.

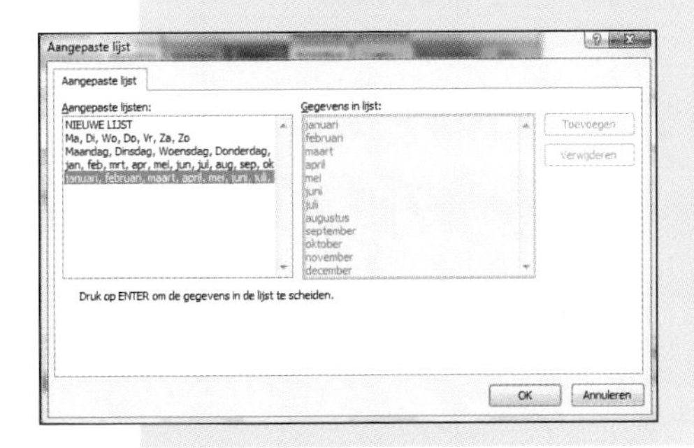

4 Selecteer bij de eerste keuzepijl **kolom A**.

5 Selecteer bij de laatste keuzepijl de optie **Aangepaste lijst**.

6 Klik in het venster **Aangepaste lijst** op de vermelding met de namen van de maanden voluit.

7. Klik op **OK**.
8. Klik in het venster **Sorteren** op **OK**.
9. Bekijk het resultaat in de lijst.

> **INFO** Het kan zijn dat op uw pc meer aangepaste lijsten zijn aangemaakt.

	A	B	C	D	E	F	G	H	I	J	K	L
1	Samenvatting per maand											
2												
3	**Maand**	**Dagelijks gemiddelde**				**Maandelijks gemiddelde**						
4		**Hits**	**Bestanden**	**Pagina's**	**Bezoeken**	**Websites**	**KBytes**	**Bezoeken**	**Pagina's**	**Bestanden**	**Hits**	
5												
6	januari	189	73	37	10	221	37141	325	1158	2287	5878	
7	februari	155	61	37	11	175	97068	365	1168	1904	4818	
8	maart	637	179	109	14	177	239827	449	3283	5383	19112	
9	april	82	34	21	8	165	15786	250	664	1080	2560	
10	mei	193	69	41	14	204	31394	442	1289	2160	5993	
11	juni	182	65	40	13	228	44409	391	1225	1960	5486	
12	juli	142	58	41	9	132	35269	256	1170	1641	3976	
13	augustus	243	107	51	11	231	171479	354	1552	3220	7306	
14	september	248	95	52	10	178	36974	315	1634	2966	7699	
15	oktober	498	173	94	14	209	116957	440	2931	5388	15442	
16	november	473	167	86	14	192	74111	422	2601	5014	14200	
17	december	367	152	79	17	86	40700	171	792	1521	3672	
18												
19	**Totalen**						**941115**	**4180**	**19467**	**34524**	**96142**	
20												

Filteren

Zeker bij grote hoeveelheden gegevens wordt al gauw gezocht naar een manier om selecties te maken. Eerder hebt u kennis gemaakt met de knoppen van het AutoFilter. Deze behoren tot de standaarduitrusting van een tabel. Maar wat als u nu te maken hebt met een gewone lijst die nog niet is omgezet naar een tabel?! Via de knop **Sorteren en filteren** kunt u de optie **Filter** oproepen en de **AutoFilter**-knoppen inschakelen. Oefen met het bestand **Uitgewerkt Ledenadministratie voetbal**.

Welke pupillen zitten in elftal F1?

Om deze vraag te kunnen beantwoorden moet er op twee kolommen worden gefilterd en dat is nu net waarvoor de **AutoFilter**-knoppen kunnen worden gebruikt. Eerst worden de pupillen geselecteerd en daarna de voetballertjes van het

> **INFO** Zo'n ledenbestand wordt ook wel een database genoemd en dan praat men over 'records' in plaats van rijen en van 'velden' in plaats van kolommen.

elftal F1. In de statusbalk is na elke selectie af te lezen hoeveel records er overblijven. Na het toepassen van een filter worden de rijcijfers weergegeven in een blauwe kleur om aan te geven dat er een selectie is gemaakt. De kolom waarop een filter actief is, is te herkennen aan de knop met een trechter.

1 Klik op **Sorteren en filteren**.

2 Kies **Filter**.

3 In de eerste rij bevat elke kolom nu een **AutoFilter**-knop.

4 Klik op dit filterknopje in kolom **O**.

5 Er verschijnt een soort venster.

6 Klik in het keuzevakje **(Alles selecteren)**. Het vinkje verdwijnt en zo geeft u aan dat u een andere selectie gaat maken.

7 Vink nu **Pupillen** aan.

8 Klik op **OK**.

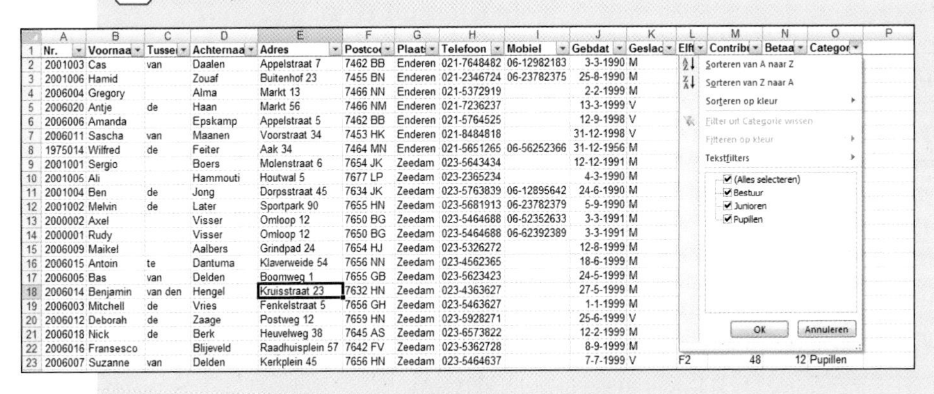

	A	B	C	D	E	F	G	H	I	J	K	L	M	N	O	P
1	Nr.	Voornaa	Tussei	Achternaa	Adres	Postco	Plaat	Telefoon	Mobiel	Gebdat	Geslac	Elft	Contribu	Betaa	Categor	
2	2001003	Cas	van	Daalen	Appelstraat 7	7462 BB	Enderen	021-7648482	06-12982183	3-3-1990	M					
3	2001006	Hamid		Zouaf	Buitenhof 23	7455 BN	Enderen	021-2346724	06-23782375	25-8-1990	M					
4	2006004	Gregory		Alma	Markt 13	7466 NN	Enderen	021-5372919		2-2-1999	M					
5	2006020	Antje	de	Haan	Markt 56	7466 NM	Enderen	021-7236237		13-3-1999	V					
6	2006006	Amanda		Epskamp	Appelstraat 5	7462 BB	Enderen	021-5764525		12-9-1998	V					
7	2006011	Sascha	van	Maanen	Voorstraat 34	7453 HK	Enderen	021-8484818		31-12-1998	V					
8	1975014	Wilfred	de	Feiter	Aak 34	7464 MN	Enderen	021-5651265	06-56252366	31-12-1956	M					
9	2001001	Sergio		Boers	Molenstraat 6	7654 JK	Zeedam	023-5643434		12-12-1991	M					
10	2001005	Ali		Hammouti	Houtwal 5	7677 LP	Zeedam	023-2365234		4-3-1990	M					
11	2001004	Ben	de	Jong	Dorpsstraat 45	7634 JK	Zeedam	023-5763839	06-12895642	24-6-1990	M					
12	2001002	Melvin	de	Later	Sportpark 90	7655 HN	Zeedam	023-5681913	06-23782379	5-9-1990	M					
13	2000002	Axel		Visser	Omloop 12	7650 BG	Zeedam	023-5464688	06-52352633	3-3-1991	M					
14	2000001	Rudy		Visser	Omloop 12	7650 BG	Zeedam	023-5464688	06-62392389	3-3-1991	M					
15	2006009	Maikel		Aalbers	Grindpad 24	7654 HJ	Zeedam	023-5326272		12-8-1999	M					
16	2006015	Antoin	te	Dantuma	Klaverweide 54	7656 NN	Zeedam	023-4562365		18-6-1999	M					
17	2006005	Bas	van	Delden	Boomweg 1	7655 GB	Zeedam	023-5623423		24-5-1999	M					
18	2006014	Benjamin	van den	Hengel	Kruisstraat 23	7632 HN	Zeedam	023-4363627		27-5-1999	M					
19	2006003	Mitchell	de	Vries	Fenkelstraat 5	7656 GH	Zeedam	023-5463627		1-1-1999	M					
20	2006012	Deborah	de	Zaage	Postweg 12	7659 HN	Zeedam	023-5928271		25-6-1999	V					
21	2006018	Nick	de	Berk	Heuvelweg 38	7645 AS	Zeedam	023-6573822		12-2-1999	M					
22	2006016	Fransesco		Blijeveld	Raadhuisplein 57	7642 FV	Zeedam	023-5362728		8-9-1999	M					
23	2006007	Suzanne	van	Delden	Kerkplein 45	7656 HN	Zeedam	023-5464637		7-7-1999	V	F2	48	12	Pupillen	

9 De statusbalk meldt dat er **22 van de 32 records zijn gevonden**.

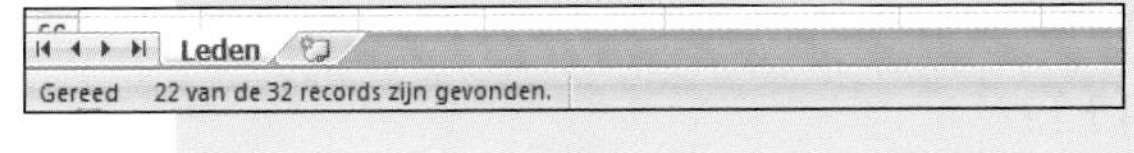

10 Klik op de **AutoFilter**-knop in kolom **L**.

Sorteren van A naar Z
Sorteren van Z naar A
Sorteren op kleur
Filter uit Elftal wissen
Filteren op kleur
Tekstfilters
(Alles selecteren)
F1
F2
F3

11 Vink weer **(Alles selecteren)** uit.

12 Klik het vakje **F1** aan.

13 Klik op **OK**.

14 Nu zijn er nog 7 van de 32 records over.

De selectie voldoet aan de voorwaarden die in beide kolommen zijn opgegeven. Het is een zogenaamd EN-filter: het zijn pupillen én ze vormen het elftal F1.

INFO

Deze selectie kan zo worden afgedrukt of gekopieerd naar een andere plek. Selecteer in dat geval de zeven rijen, al dan niet inclusief de rij met de kopteksten, en klik op **Kopiëren**. Ga naar de gewenste plek en klik op **Plakken**.

Selectiefilter uitschakelen

Na deze selectie komt er ook een moment waarop u terug alle rijen wilt zien. U kunt dan makkelijk het filter uitschakelen: in één keer of per kolom.

Per kolom wissen

1 Klik op de **AutoFilter**-knop van kolom **L**.

2 Kies in de lijst **Filter uit Elftal wissen**.

3 Nu zijn er weer 22 records zichtbaar.

In één keer alle filters wissen

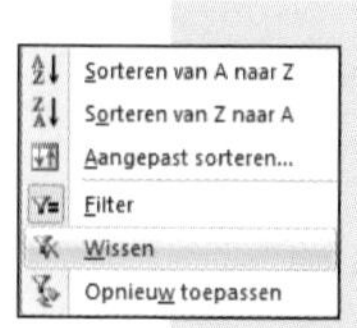

1 Klik op **Sorteren en filteren**.

2 Klik in de lijst op **Wissen**.

3 Alle filters zijn in één keer gewist.

4 De **AutoFilter**-knoppen zijn nog steeds zichtbaar.

AutoFilter uitschakelen

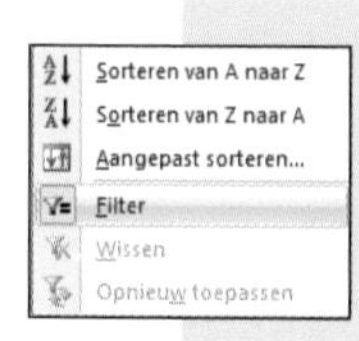

1 Klik op **Sorteren en filteren**.

2 Kies in de lijst **Filter**.

3 Alle filters zijn nu in één keer gewist.

4. Ook de **AutoFilter**-knoppen zijn weg.
5. Alle records zijn weer in beeld.

Wie zijn er jarig in maart?

In Excel 2007 hebben de **AutoFilter**-knoppen veel meer functies gekregen. Zo hangt de inhoud van de lijst af van het type gegevens in een bepaalde kolom. Dit valt vooral op bij kolommen met datums, bijvoorbeeld kolom J waarin van elk lid de geboortedatum is opgenomen.

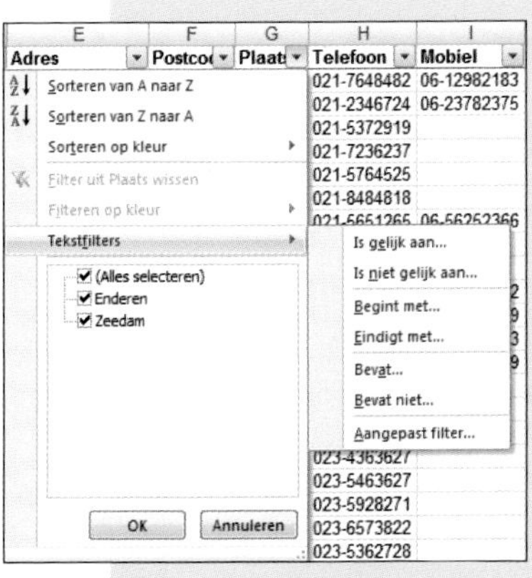

1. Klik op **Sorteren en filteren**.
2. Klik op **Filter**.
3. De **AutoFilter**-knoppen verschijnen weer.
4. Klik in kolom **G** op de knop **AutoFilter**.
5. Kies **Tekstfilters** en bekijk de mogelijkheden.
6. Klik nu in kolom **M** op **AutoFilter**.
7. Kies **Getalfilters** en bekijk de mogelijkheden.
8. Klik ook in kolom **J** op **AutoFilter**.
9. Kies **Datumfilters** en bekijk de mogelijkheden.

   Om de verjaardagslijst samen te stellen gaat u verder met deze lijst.
10. Klik op **Alle datums in de periode**.
11. Klik in de vervolgkeuzelijst op **maart**.
12. Vijf leden blijven over. Bekijk hun geboortedata.

Deze mogelijkheden vormen een prima aanvulling op **AutoFilter**. Zo wordt het een stuk makkelijker om schijnbaar lastige selecties te maken.

Geboren in 1998 of 1999?

Ook deze vraag is eenvoudig te beantwoorden. Door gebruik te maken van de optie **Tussen** bij de **Datumfilters**, wordt het venster van een aangepast filter opgeroepen. Hierin kunt u een begindatum 01-01-1998 typen; voor de einddatum wordt gebruik gemaakt van de knop **Datumkiezer**.

1. Klik in kolom **J** op **AutoFilter**.
2. Klik op **Datumfilters** en kies **Tussen**.
3. Het venster **Aangepast AutoFilter** opent.
4. Controleer de instelling van het eerste vakje: **is na of gelijk met**.
5. Typ in het vak ernaast: 01-01-1998
6. Controleer of het keuzerondje **En** gemarkeerd is.

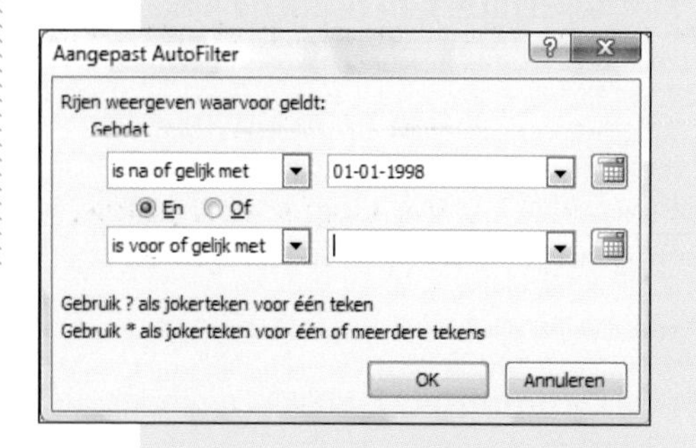

7. Controleer de instelling voor de einddatum: **is voor of gelijk met**.
8. Klik op de knop **Datumkiezer** bij het laatste vak.
9. Klik op het blauwe pijltje naar links tot **december 1999** verschijnt.

10. Klik op **31**.
11. Klik op **OK**.
12. Van de 32 leden zijn er 22 geboren tussen deze twee data.
13. Sluit het bestand.

In dit hoofdstuk hebt u leren sorteren en filteren, twee bewerkingen die heel veel gebruikt worden in tabellen en lijsten. De mogelijkheden van het AutoFilter zijn uitgebreider dan in vorige versies van Excel.

Grafieken

6

Tabelgegevens zijn vaak makkelijker te interpreteren als u ze weergeeft in een grafiek. Er is een groot aantal grafiektypen beschikbaar. Hebt u een grafiek gemaakt, dan kunt u het uiterlijk van elk onderdeel nog aan uw eigen voorkeuren aanpassen. Daarna kunt u deze grafiek ook opslaan als een sjabloon, voor later gebruik.

De snelste grafiek

De snelste manier om een grafiek te maken in Excel? Met één druk op een toets hebt u al een standaardgrafiek. Er wordt dan een nieuw werkblad gecreëerd met de naam **Grafiek1** en er wordt een staafgrafiek gemaakt. Voorwaarde is wel dat er een cel in de tabel of lijst geselecteerd is. Excel maakt de selectie af maar stopt bij een hele lege rij of kolom.

Hier wordt opnieuw gewerkt met de weergegevens van augustus 2006. Er is een tweede versie van dit bestand gemaakt met de naam **Temperatuurgrafiek**. Open dit en sla het bestand meteen op als **Uitgewerkt Temperatuurgrafiek**.

1. Klik op een cel in de lijst.
2. Druk op [F11].
3. De grafiek wordt gemaakt op het werkblad **Grafiek1**.

Maakt u nog een grafiek, dan wordt de naam van dat werkblad automatisch **Grafiek2**. Door te dubbelklikken op de tab, kunt u een andere naam typen.

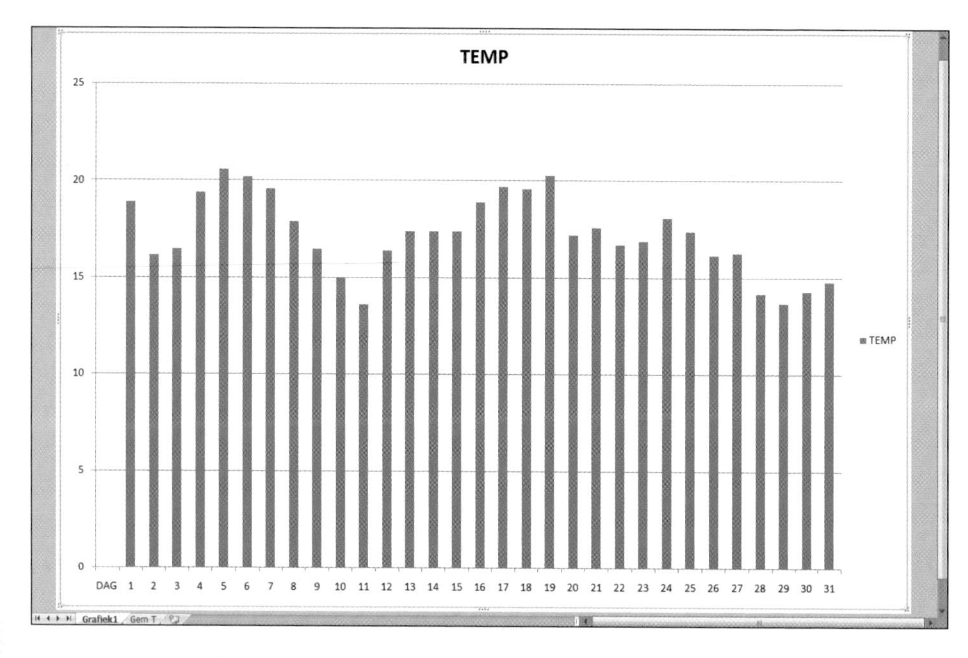

Dat ziet er knap uit, op een detail na! Vooraan in de grafiek is er een lege kolom voorzien met de tekst **DAG**. Dit probleem lost u op door in het lint op de knop **Gegevens selecteren** te klikken. Het venster **Gegevensbron selecteren** verschijnt en u sleept dan over de cellen B2 tot en met B33. Daarna ziet de grafiek er helemaal goed uit.

Andere grafiekstijl toepassen

In het lint ziet u een aantal **Grafiekstijlen**. Met één muisklik is het uiterlijk van de grafiek aangepast.

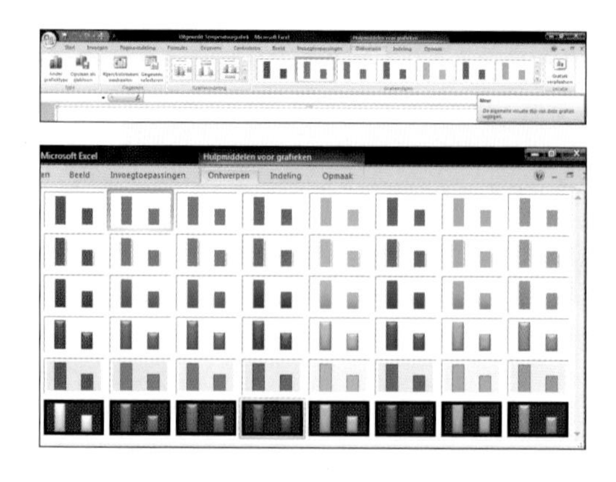

1. Klik bij **Grafiekstijlen** op de knop **Meer**.
2. Klik op de gewenste stijl.

Titel aanpassen

Doordat u volgens de snelle methode gewerkt hebt, staat de tekst **GEM** tweemaal bij de grafiek: als titel boven de grafiek én als toelichting op de reeks staven (legenda). Dit kan aangepast worden. Elk onderdeel van een grafiek kan namelijk gewijzigd worden en zelfs op verschillende manieren. Door te klikken met de rechtermuisknop verschijnt, naast het snelmenu, ook de miniwerkbalk waarin u direct kunt kiezen voor het opmaken van de tekst. Door twee keer rustig op de titel te klikken wordt eerst de titel geselecteerd en daarna de tekstcursor in de tekst geplaatst zodat u de tekst kunt bewerken.

1. Rechtsklik op de titel.
2. De miniwerkbalk verschijnt.
3. Klik in het snelmenu op **Tekst bewerken**.
4. Selecteer de tekst **GEM**.
5. Typ: Augustus 2006
6. Klik ergens naast de titel.

In het voorbeeld is de tekst zelf gewijzigd, maar u kunt ook de opmaak ervan aanpassen via de miniwerkbalk. U kunt ook het nieuwe venster **Grafiektitel opmaken** gebruiken. Hier zijn er knoppen en keuzelijsten voor **Opvulling**, **Randkleur**, **Randstijlen**, **Schaduw**, **3D-opmaak** en **Uitlijning**. Kijkt u in het lint onder **Hulpmiddelen voor grafieken** dan ziet u een drietal tabbladen: **Ontwerpen**, **Indeling** en **Opmaak**.

1. Klik op de titel.
2. Klik in het lint op het tabblad **Opmaak**.

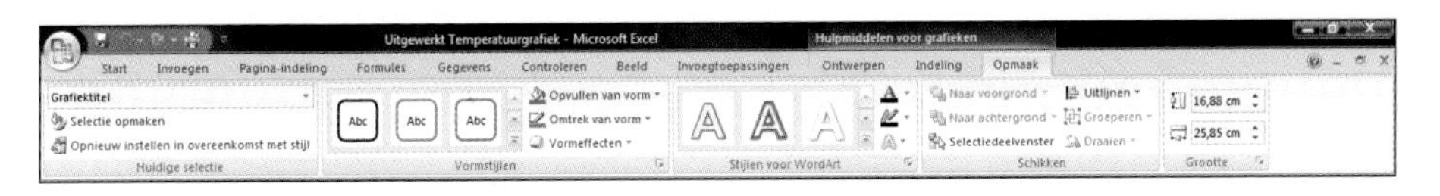

3. Bekijk de knoppen en de groepen die nu verschijnen.
4. Klik helemaal links in het lint op **Selectie opmaken**.

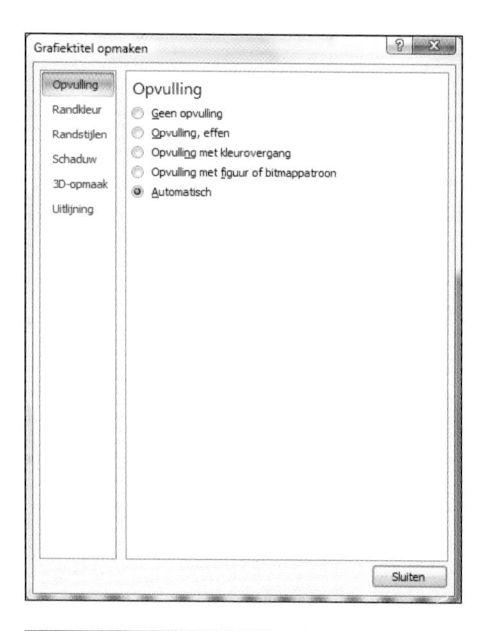

5. Het venster **Grafiektitel opmaken** verschijnt.

> **INFO**
>
> Hetzelfde venster verschijnt wanneer u een ander onderdeel hebt geselecteerd, maar krijgt dan de naam van dat onderdeel in de naam.

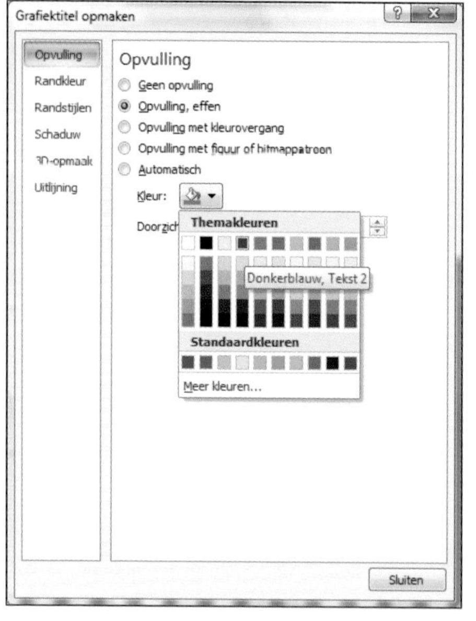

6. Links is een aantal categorieën vermeld.
7. Klik op **Opvulling**.
8. Markeer het keuzerondje **Opvulling, effen**.
9. Nu kunt u op de knop bij **Kleur** klikken.
10. Selecteer één van de **Themakleuren**.
11. Versleep eventueel de schuif bij **Doorzichtigheid**.
12. Klik op **Sluiten**.

Iets minder snel

Een andere manier om een grafiek te creëren is via de opdracht **Invoegen**. U geeft meteen aan welk type grafiek u wilt maken en de grafiek verschijnt op hetzelfde tabblad als de gegevens. Het is dan een afbeelding, waarvan de inhoud is gekoppeld aan de gegevens in de lijst. Deze afbeelding kunt u bewerken door erop te klikken.

INFO
De Wizard Grafieken uit vorige Excel-versies is verdwenen.

1. Klik op de tab van het werkblad **Gem T**.
2. Klik op een waarde in de kolom **B**.
3. Klik in het lint op **Invoegen**.

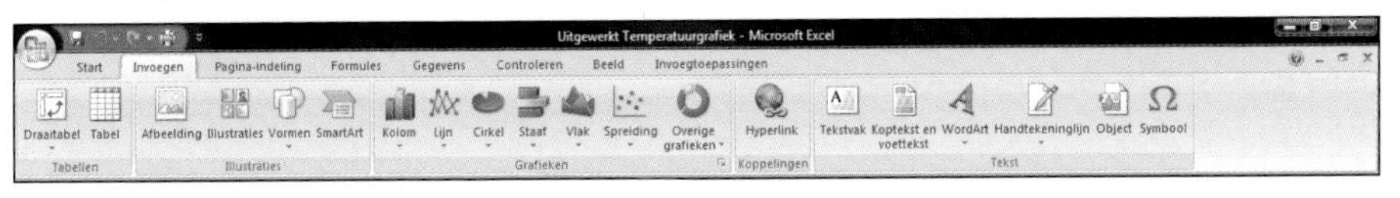

2D-kolom
3D-kolom
Cilinder
Kegel
Piramide
Alle grafiektypen...

4. Bekijk de knoppen, met name in de groep **Grafieken**.
5. Klik op de knop **Kolom**.
6. Klik in de lijst op **Cilinder**.
7. De grafiek wordt meteen gemaakt.

8 De gegevens zijn geselecteerd, herkenbaar aan een paarse (A2:A33), groene (B1) en blauwe kleur (B2:B33).

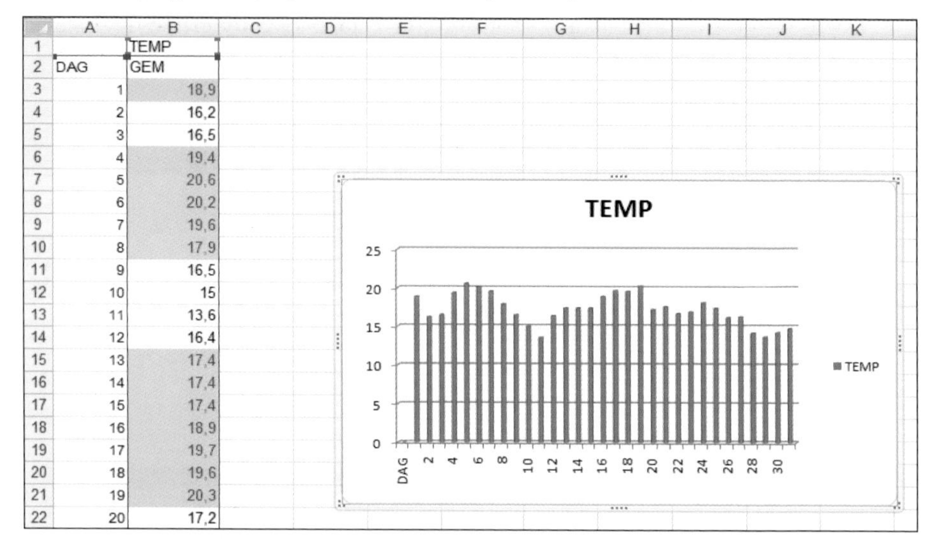

	A	B
1		TEMP
2	DAG	GEM
3	1	18,9
4	2	16,2
5	3	16,5
6	4	19,4
7	5	20,6
8	6	20,2
9	7	19,6
10	8	17,9
11	9	16,5
12	10	15
13	11	13,6
14	12	16,4
15	13	17,4
16	14	17,4
17	15	17,4
18	16	18,9
19	17	19,7
20	18	19,6
21	19	20,3
22	20	17,2

9 De teksten **DAG** en **TEMP** moeten niet gebruikt worden.

10 Plaats de muis op één van de blauwe blokjes bij **TEMP**.

	A	B	C
1		TEMP	
2	DAG	GEM	
3	1	18,9	
4	2	16,2	
5	3	16,5	

11 Sleep nu één cel naar beneden.

12 De selectie is nu beter; alleen de dagen met temperaturen zijn geselecteerd.

13 Ook de grafiek is aangepast.

Grafiek vergroten

Is een grafiek op deze manier gemaakt dan verschijnt deze als een object op het werkblad. Als de grafiek is geselecteerd verschijnt een rechthoek om de grafiek met daarin op de hoekpunten en aan de zijkanten puntjes. Deze vervangen de vierkantjes uit vorige versies maar de werking blijft gelijk: door met een hoekpunt te slepen vergroot of verkleint u de grafiek. Door met één van de zijden te slepen maakt u de grafiek breder of smaller, respectievelijk groter of kleiner.

INFO

Wilt u de grafiek precies passend maken, houd dan tijdens het slepen [Alt] ingedrukt. Zo volgen de randen van de grafiek de randen van de cellen.

Grafiek op een eigen werkblad

Misschien vindt u het beter dat de grafiek op een apart werkblad verschijnt? Klik op de meest rechtse knop in het lint (als het tabblad **Ontwerpen** is geselecteerd). In het dialoogvenster **Grafiek verplaatsen** kunt u de nodige instellingen maken.

1 Klik in het lint op de knop **Grafiek verplaatsen**.

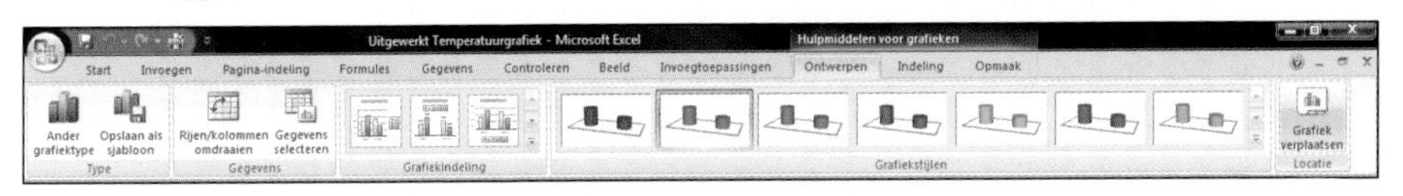

2 Het venster **Grafiek verplaatsen** opent.

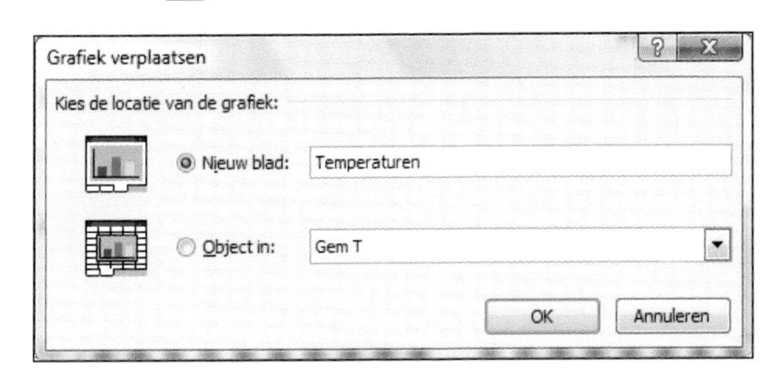

3 Markeer de rondje **Nieuw blad**.

4 Wijzig de naam in: Temperaturen

5 Klik op **OK**.

Indeling van de grafiek veranderen

In het lint valt ook de groep **Grafiekindeling** op. Deze bevat een keuzelijst met een aantal opties die vooral te maken hebben met de plaats van de titel, de legenda en ook een eventuele tabel met waarden. Uiteraard hangen de mogelijkheden telkens af van het type grafiek.

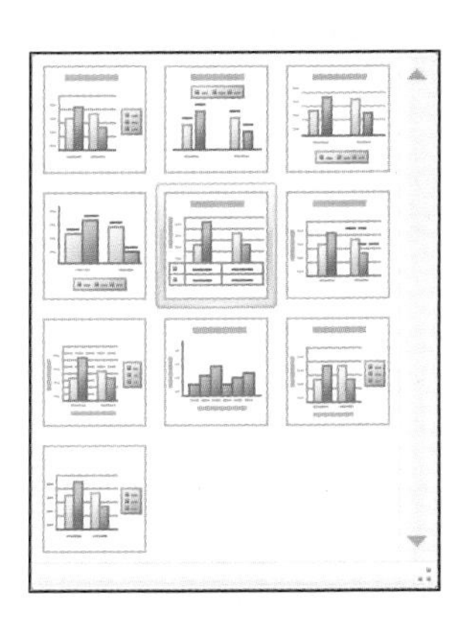

1 Klik in het lint in de groep **Grafiekindeling** op de knop **Meer**.

2 Maak uw keuze uit de lijst.

3 Bekijk de nieuwe indeling van de grafiek.

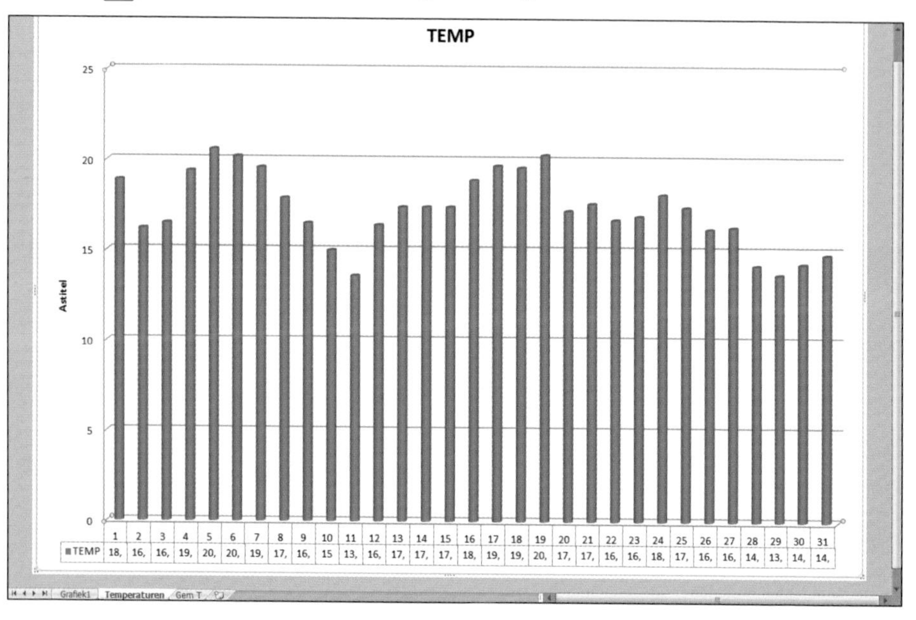

Een ander grafiektype kiezen

In het voorbeeld is bewust gekozen voor een kolomgrafiek. Soms is het echter wenselijk om de gegevens in een lijngrafiek te presenteren. De waarden die in de grafiek worden uitgezet zijn dan verbonden door een lijn. Als u deze selecteert, kunt u de eigenschappen van de lijn aanpassen.

1 Klik in het lint bij de groep **Type** op **Ander grafiektype**.

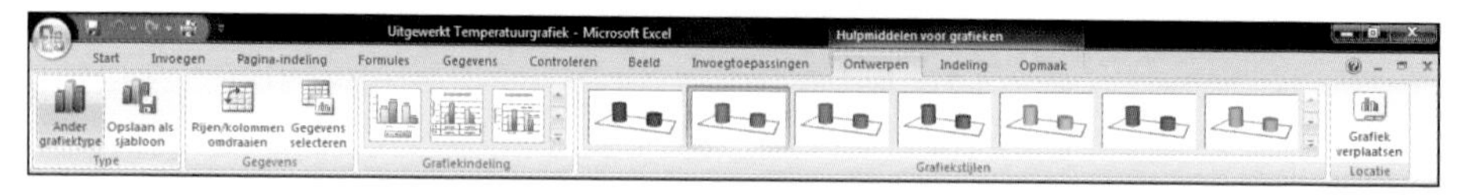

2 In het venster **Grafiektype wijzigen** kiest u voor de categorie **Lijn**.

3 Kies rechts het gewenste type.

4 Klik op **OK**.

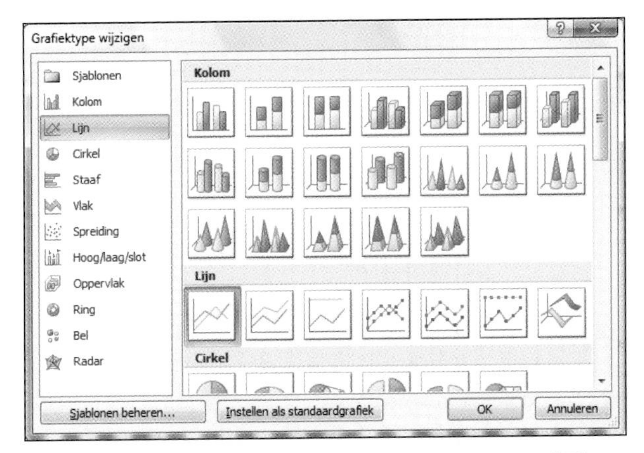

5 Selecteer eventueel een andere indeling.

6 Rechtsklik in de grafiek op de lijn.

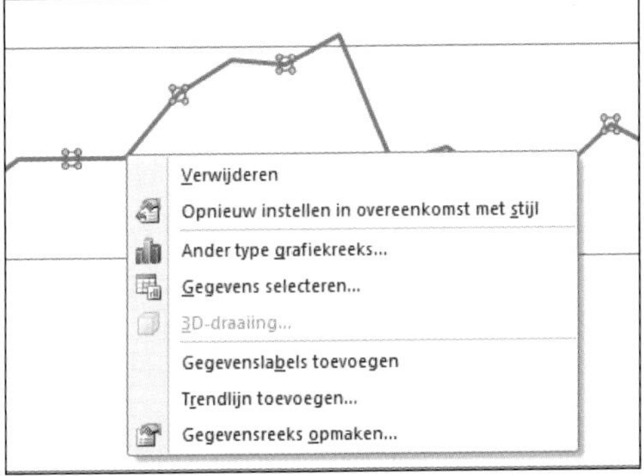

7 Klik in het snelmenu op **Gegevensreeks opmaken**.

8 Het gelijknamige venster verschijnt.

9 Klik op de categorie **Lijnstijl**.

10 Vink het vakje **Vloeiende lijn** aan.

11 Bekijk eventueel de andere opmaakopties.

12 Klik op **Sluiten**.

13 Bekijk het resultaat in de grafiek.

14 Sluit het bestand en sla de wijzigingen op.

Grafiek op basis van meer reeksen

In de voorgaande voorbeelden is de grafiek gebaseerd op één reeks cijfers. Het zal echter vaker voorkomen dat er meerdere reeksen getallen zijn. Belangrijk hierbij is of de reeksen direct naast elkaar staan in het werkblad of niet.

Twee aansluitende reeksen

Het bestand **Min en Max** bevat de reeksen voor de minimum- en de maximumtemperaturen in de maand augustus van 2006. In de eerste kolom staan de dagen van de maand en in de twee volgende kolommen de waarnemingen. Bijzonder aan deze tabel is dat er in de eerste kolom getallen staan die door Excel ook als waarden in de grafiek gezet zullen worden. Dat is niet de bedoeling! Daarom zorgt u ervoor dat die kolom niet geselecteerd is. Staat er in uw tabel met gegevens in de eerste kolom een aantal teksten, bijvoorbeeld de maanden van het jaar, dan zullen deze teksten gebruikt worden op de horizontale as. Het is de bedoeling om van deze gegevens een nette grafiek te maken. Ook nu wordt voor een kolomgrafiek gekozen.

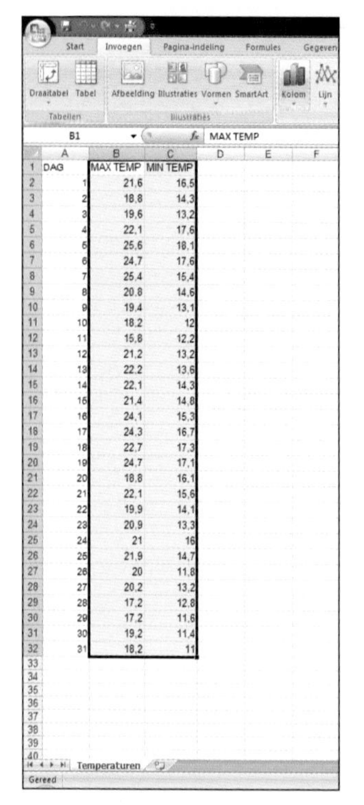

	A	B	C
1	DAG	MAX TEMP	MIN TEMP
2	1	21,6	16,5
3	2	18,8	14,3
4	3	19,6	13,2
5	4	22,1	17,6
6	5	25,6	18,1
7	6	24,7	17,6
8	7	25,4	15,4
9	8	20,8	14,6
10	9	19,4	13,1
11	10	18,2	12
12	11	15,8	12,2
13	12	21,2	13,2
14	13	22,2	13,6
15	14	22,1	14,3
16	15	21,4	14,8
17	16	24,1	15,3
18	17	24,3	16,7
19	18	22,7	17,3
20	19	24,7	17,1
21	20	18,8	16,1
22	21	22,1	15,6
23	22	19,9	14,1
24	23	20,9	13,3
25	24	21	16
26	25	21,9	14,7
27	26	20	11,8
28	27	20,2	13,2
29	28	17,2	12,8
30	29	17,2	11,6
31	30	19,2	11,4
32	31	18,2	11

1. Selecteer het gebied B1 tot en met C32.
2. Klik op **Invoegen**.
3. Klik in het lint op **Kolom**.
4. Klik in de lijst bij **3D-kolom** op het eerste plaatje.
5. De grafiek verschijnt als object naast de gegevens. Dat lijkt er goed uit te zien.
6. Op de horizontale as is, bij toeval, de reeks getallen gelijk aan de dagen die vermeld zijn in de tabel!
7. Rechtsklik op deze cijfers.

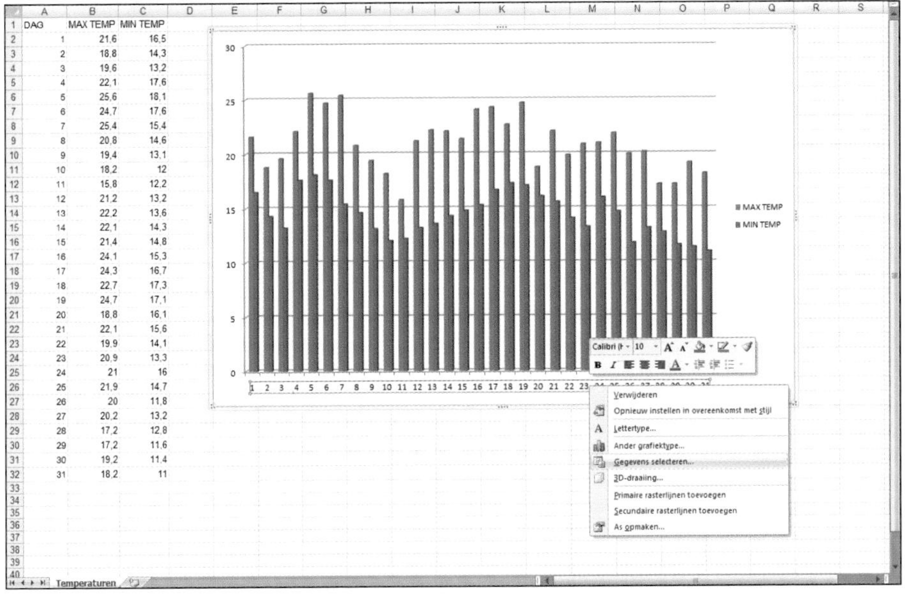

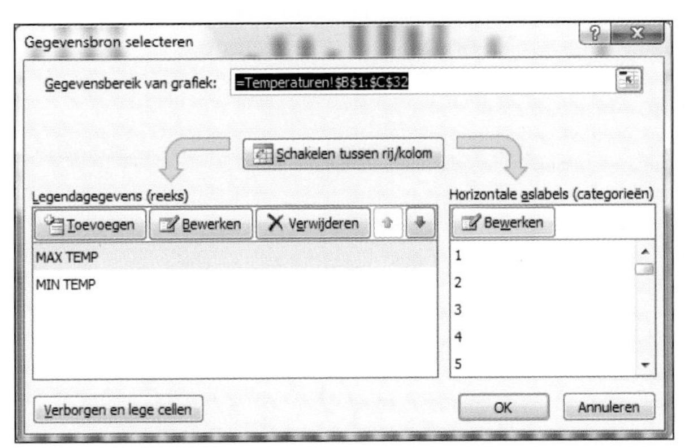

8 Klik op **Gegevens selecteren**.

9 Het venster **Gegevensbron selecteren** verschijnt.

10 Klik bij **Horizontale aslabels** op **Bewerken**.

11 Het venster **Aslabels** opent.

12 Sleep nu over de cellen A2 tot en met A32.

13 Klik op **OK**.

14 Klik in het venster **Gegevensbron selecteren** op **OK**.

De juiste gegevens zijn nu gebruikt. In de grafiek is verder geen verschil te zien, maar het is wel goed de juiste gegevens te gebruiken. Sla het bestand op als **Uitgewerkt Min en Max** en sluit het.

INFO

De werkwijze verschilt niet zoveel van een grafiek op basis van één reeks. Let wel goed op de reeks met getallen in de eerste kolom.

Twee niet aansluitende reeksen

Nu gaat u werken met het bestand **Kijkcijfers**. Hierin zijn van twee opeenvolgende maandagen de kijkcijfers opgenomen van een tiental programma's. Het is de bedoeling de kijkdichtheid (**kdh**) in één grafiek naast elkaar te presenteren. Marktaandeel wordt afgekort als **mad** en absolute aantallen als **abs**. Maar die cijfers staan niet direct naast elkaar!

1. Selecteer de cellen C3 tot en met C13.
2. Houd de [Ctrl]-toets ingedrukt.
3. Sleep nu over E3 tot en met E13 en over H3 tot en met H13.
4. Uw werkblad vertoont nu drie selecties.

	A	B	C	D	E	F	G	H	I	J	K
1	**Kijkdichtheid**										
2					**4-12-2006**			**11-12-2006**			
3			**Programma**		**kdh**	**mad**	**abs**	**kdh**	**mad**	**abs**	
4	1	2000	JOURNAAL 20 UUR	Ned1	14	31	2.034.000	12,3	28,1	1.847.000	
5	2	2034	RADAR	Ned1	13	28	2.023.000	14,3	30,4	2.148.000	
6	3	2115	MEMORIES	Ned1	12	24	1.772.000	11,5	24,3	1.726.000	
7	4	2002	GOEDE TIJDEN SLECHTE TIJDEN	RTL4	12	26	1.746.000	11,3	25,4	1.696.000	
8	5	2032	CRIME SCENE INVESTIGATION	RTL4	9,4	20	1.422.000	8,5	18	1.278.000	
9	6	1929	HALF ACHT NIEUWS	RTL4	8,5	22	1.279.000	8,9	23,2	1.340.000	
10	7	2232	HART VAN NEDERLAND	SBS 6	8,5	20	1.272.000	9,8	23,2	1.477.000	
11	8	1759	JOURNAAL 18 UUR	Ned1	8,3	29	1.249.000	8	27,7	1.208.000	
12	9	1928	INGANG OOST	Ned1	7,9	21	1.196.000	7,5	19,5	1.125.000	
13	10	1834	RTL BOULEVARD	RTL4	6,4	19	971.000	7,4	20,9	1.120.000	
14											

5. Laat [Ctrl] weer los.
6. Klik op **Invoegen**.
7. Klik op **Kolom**.
8. Klik op het grafiektype **2D kolom**.

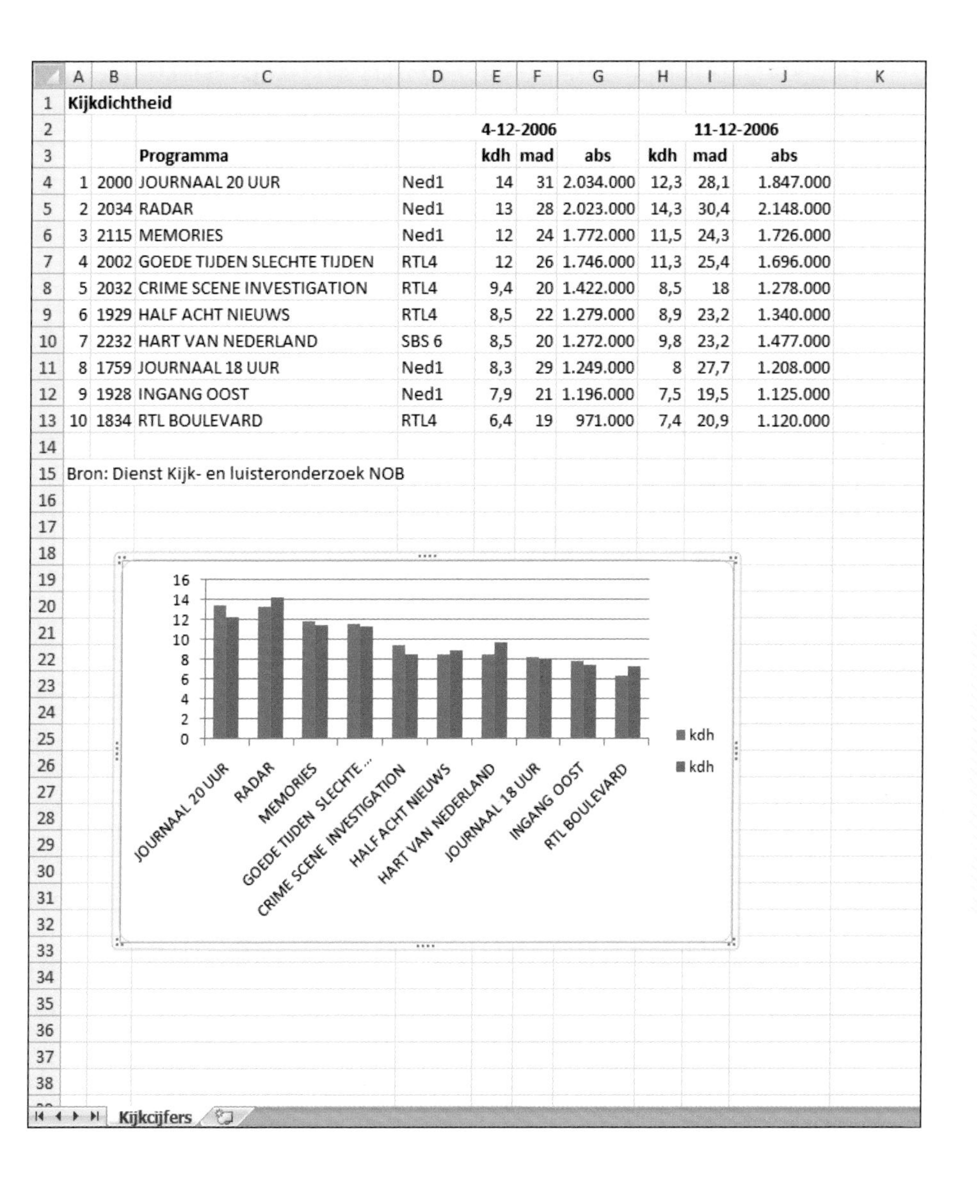

	A	B	C	D	E	F	G	H	I	J
1	**Kijkdichtheid**									
2					**4-12-2006**			**11-12-2006**		
3			**Programma**		**kdh**	**mad**	**abs**	**kdh**	**mad**	**abs**
4	1	2000	JOURNAAL 20 UUR	Ned1	14	31	2.034.000	12,3	28,1	1.847.000
5	2	2034	RADAR	Ned1	13	28	2.023.000	14,3	30,4	2.148.000
6	3	2115	MEMORIES	Ned1	12	24	1.772.000	11,5	24,3	1.726.000
7	4	2002	GOEDE TIJDEN SLECHTE TIJDEN	RTL4	12	26	1.746.000	11,3	25,4	1.696.000
8	5	2032	CRIME SCENE INVESTIGATION	RTL4	9,4	20	1.422.000	8,5	18	1.278.000
9	6	1929	HALF ACHT NIEUWS	RTL4	8,5	22	1.279.000	8,9	23,2	1.340.000
10	7	2232	HART VAN NEDERLAND	SBS 6	8,5	20	1.272.000	9,8	23,2	1.477.000
11	8	1759	JOURNAAL 18 UUR	Ned1	8,3	29	1.249.000	8	27,7	1.208.000
12	9	1928	INGANG OOST	Ned1	7,9	21	1.196.000	7,5	19,5	1.125.000
13	10	1834	RTL BOULEVARD	RTL4	6,4	19	971.000	7,4	20,9	1.120.000
14										
15	Bron: Dienst Kijk- en luisteronderzoek NOB									

De grafiek is goed, maar vraagt nog enkele aanpassingen. Zo is bij beide reeksen in de legenda de tekst **kdh** te lezen. Dat klopt ook want dat is de directe kop boven deze gegevens. Daar moet natuurlijk de datum komen.

1. Klik in het lint in de groep **Gegevens** op **Gegevens selecteren**.
2. Het venster **Gegevensbron selecteren** verschijnt.
3. De drie eerdere geselecteerde reeksen zijn met stippellijnen gemarkeerd.
4. Klik bij **Legendagegevens** op de eerste vermelding **kdh**.

5. Klik op de knop **Bewerken**.
6. Het venster **Reeks bewerken** verschijnt.
7. U ziet cel E3 gemarkeerd, maar dat moet cel D2 worden (eigenlijk D2 tot en met G2, dat is een samengevoegde cel).

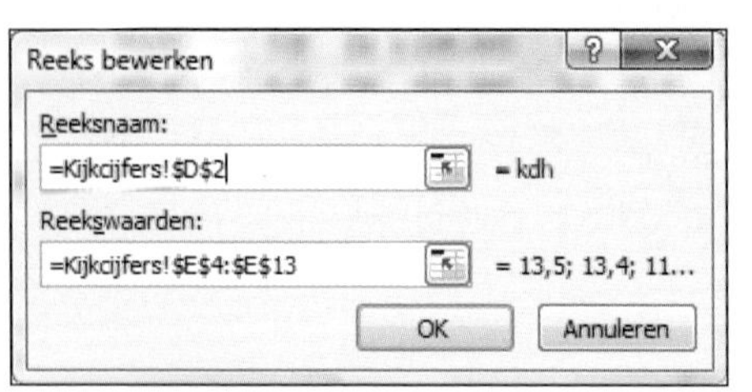

8. Klik op cel D2.
9. Klik in het venster **Reeks bewerken** op **OK**.
10. Sleept u het dialoogvenster nu iets naar beneden dan kunt u zien dat de grafiek is aangepast.
11. Herhaal deze stappen voor de tweede vermelding **kdh** en geef aan dat dit cel H2 moet worden (ook zo'n samengevoegde cel).
12. Klik op **OK**.

Grafiektitel staat in cel A1

Het is vaak handig als de titel in een grafiek geen gewone getypte tekst is, maar de inhoud van een cel, meestal cel A1. Zo wordt de titel in de grafiek meteen aangepast wanneer de titel boven de tabel wijzigt. Werk hiervoor met de formulebalk. Selecteer in de grafiek de titel, klik dan in de formulebalk en typ =. Vervolgens klikt u in het werkblad op de cel met de titel en klaar is Kees. Alleen heeft de huidige grafiek nog geen titel...

1 Klik bij **Hulpmiddelen voor grafieken** op **Indeling**.

2 Klik in de groep **Labels** op de knop **Grafiektitel**.

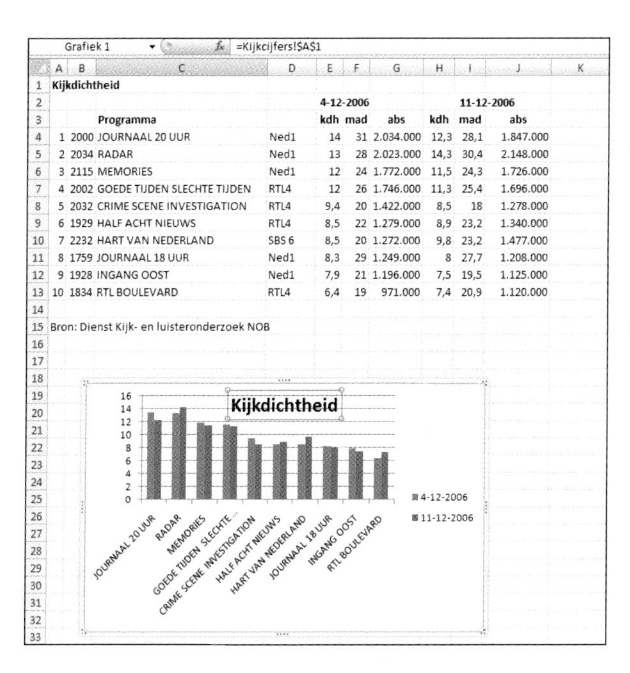

Grafiek 1 =Kijkcijfers!A1

	A	B	C	D	E	F	G	H	I	J
1	Kijkdichtheid									
2					4-12-2006			11-12-2006		
3			Programma		kdh	mad	abs	kdh	mad	abs
4	1	2000	JOURNAAL 20 UUR	Ned1	14	31	2.034.000	12,3	28,1	1.847.000
5	2	2034	RADAR	Ned1	13	28	2.023.000	14,3	30,4	2.148.000
6	3	2115	MEMORIES	Ned1	12	24	1.772.000	11,5	24,3	1.726.000
7	4	2002	GOEDE TIJDEN SLECHTE TIJDEN	RTL4	12	26	1.746.000	11,3	25,4	1.696.000
8	5	2032	CRIME SCENE INVESTIGATION	RTL4	9,4	20	1.422.000	8,5	18	1.278.000
9	6	1929	HALF ACHT NIEUWS	RTL4	8,5	22	1.279.000	8,9	23,2	1.340.000
10	7	2232	HART VAN NEDERLAND	SBS 6	8,5	20	1.272.000	9,8	23,2	1.477.000
11	8	1759	JOURNAAL 18 UUR	Ned1	8,3	29	1.249.000	8	27,7	1.208.000
12	9	1928	INGANG OOST	Ned1	7,9	21	1.196.000	7,5	19,5	1.125.000
13	10	1834	RTL BOULEVARD	RTL4	6,4	19	971.000	7,4	20,9	1.120.000
14										
15	Bron: Dienst Kijk- en luisteronderzoek NOB									

3 Klik op **Gecentreerde overlaytitel**.

4 De tekst **Grafiektitel** is toegevoegd.

5 Klik in de formulebalk.

6 Typ: =

7 Klik op het werkblad op cel **A1**.

8 Druk op [Enter] of klik in de formulebalk op het vinkje.

9 De titel is aangepast.

Een gecombineerde grafiek

Stel nu dat u de ene reeks met kijkcijfers wilt vormgeven als kolommen en de andere reeks als een lijn. Dat is mogelijk! Voorwaarde is wel dat niet de hele grafiek is geselecteerd. U dient slechts één reeks te selecteren en dan het grafiektype te wijzigen.

1. Klik op één van de kolommen in de reeks van **11-12-2006**.
2. In de grafiek worden alle kolommen van die reeks geselecteerd.
3. Klik bij **Hulpmiddelen voor grafieken** op **Ontwerpen**.

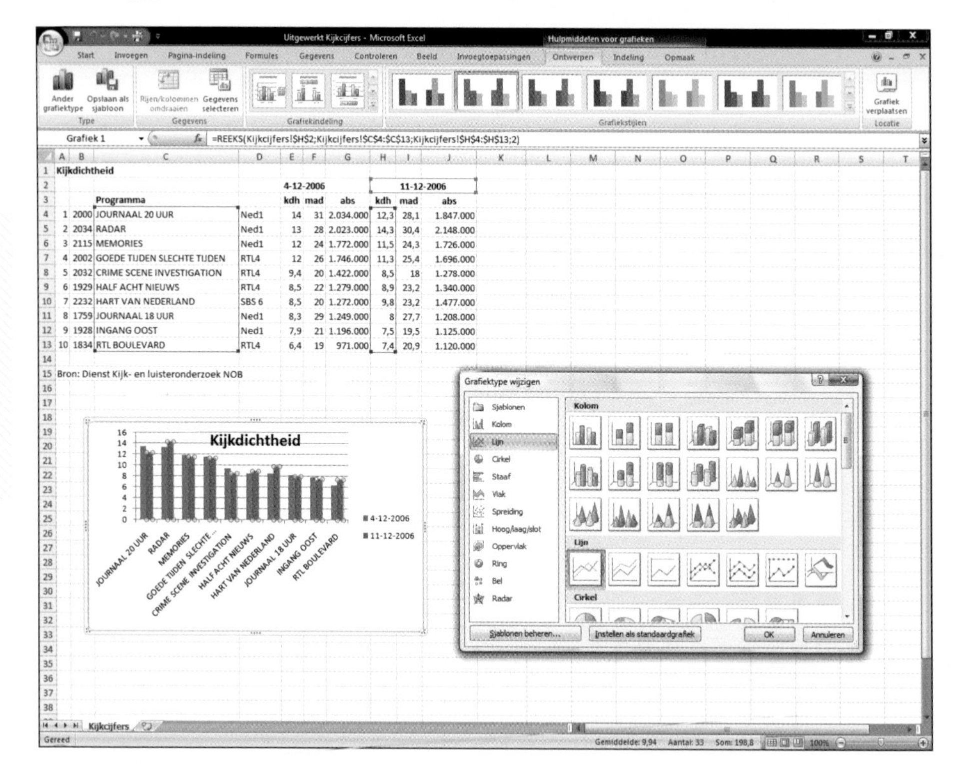

4. Klik in het lint bij **Type** op de knop **Ander grafiektype**.
5. Het venster **Grafiektype wijzigen** opent.
6. Klik op de categorie **Lijn** en maak uw keuze.

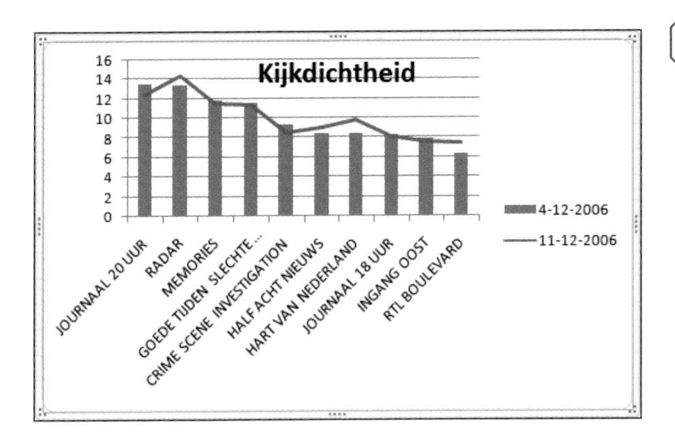

7. Bevestig met **OK**.

Draaitabelgrafiek

In hoofdstuk 4 zag u hoe gegevens kunnen worden samengevat in een draaitabel. Van die draaitabel kan ook weer een draaigrafiek gemaakt worden. U kunt ook direct aangeven dat u een draaigrafiek gaat maken. Op de achtergrond wordt dan een draaitabel gemaakt.

Open het bestand **Draaitabel kledingverkopen**. Hierin is het interessant om te weten hoeveel procent van de verkopen per artikel in welke maand heeft plaatsgevonden.

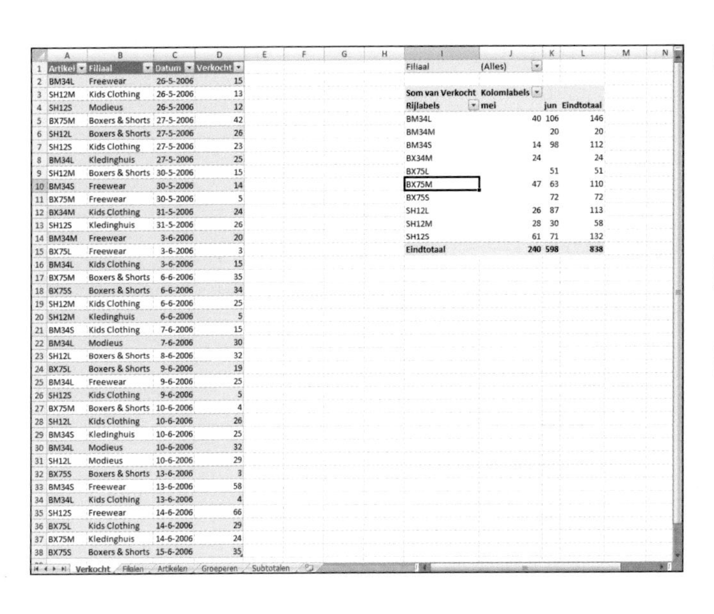

	Artikel	Filiaal	Datum	Verkocht
2	BM34L	Freewear	26-5-2006	15
3	SH12M	Kids Clothing	26-5-2006	13
4	SH12S	Modieus	26-5-2006	12
5	BX75M	Boxers & Shorts	27-5-2006	42
6	SH12L	Boxers & Shorts	27-5-2006	26
7	SH12S	Kids Clothing	27-5-2006	23
8	BM34L	Kledinghuis	27-5-2006	25
9	SH12M	Boxers & Shorts	30-5-2006	15
10	BM34S	Freewear	30-5-2006	14
11	BX75M	Freewear	30-5-2006	5
12	BX34M	Kids Clothing	31-5-2006	24
13	SH12S	Kledinghuis	31-5-2006	26
14	BM34M	Freewear	3-6-2006	20
15	BX75L	Freewear	3-6-2006	3
16	BM34L	Kids Clothing	3-6-2006	15
17	BX75M	Boxers & Shorts	6-6-2006	35
18	BX75S	Boxers & Shorts	6-6-2006	34
19	SH12M	Kids Clothing	6-6-2006	25
20	SH12M	Kledinghuis	6-6-2006	5
21	BM34S	Kids Clothing	7-6-2006	15
22	BM34L	Modieus	7-6-2006	30
23	SH12L	Boxers & Shorts	8-6-2006	32
24	BX75L	Boxers & Shorts	9-6-2006	19
25	BM34L	Freewear	9-6-2006	25
26	SH12S	Kids Clothing	9-6-2006	5
27	BX75M	Boxers & Shorts	10-6-2006	4
28	SH12L	Kids Clothing	10-6-2006	26
29	BM34S	Kledinghuis	10-6-2006	25
30	BM34L	Modieus	10-6-2006	32
31	SH12L	Modieus	10-6-2006	29
32	BX75S	Boxers & Shorts	13-6-2006	3
33	BM34S	Freewear	13-6-2006	58
34	BM34L	Kids Clothing	13-6-2006	4
35	SH12S	Freewear	14-6-2006	66
36	BX75L	Kids Clothing	14-6-2006	29
37	BX75M	Kledinghuis	14-6-2006	24
38	BX75S	Boxers & Shorts	15-6-2006	35

Filiaal (Alles)

Som van Verkocht	Kolomlabels		
Rijlabels	mei	jun	Eindtotaal
BM34L	40	106	146
BM34M		20	20
BM34S	14	98	112
BX34M	24		24
BX75L		51	51
BX75M	47	63	110
BX75S		72	72
SH12L	26	87	113
SH12M	28	30	58
SH12S	61	71	132
Eindtotaal	240	598	838

1. Klik op het tabblad **Verkocht** in de draaitabel (I1 tot en met L15).
2. Klik op **Invoegen**.
3. Klik op **Kolom**.

4. Klik op het grafiektype **100% gestapelde kolom**.
5. De grafiek verschijnt als een object.

   Er is ook een nieuw venster met filtermogelijkheden verschenen: **Deelvenster voor filter van draaigrafiek**. Met deze grafiek is het heel makkelijk om het resultaat voor één bepaald filiaal zichtbaar te maken.
6. Klik in dit venstertje op de keuzepijl bij **Rapportfilter**.

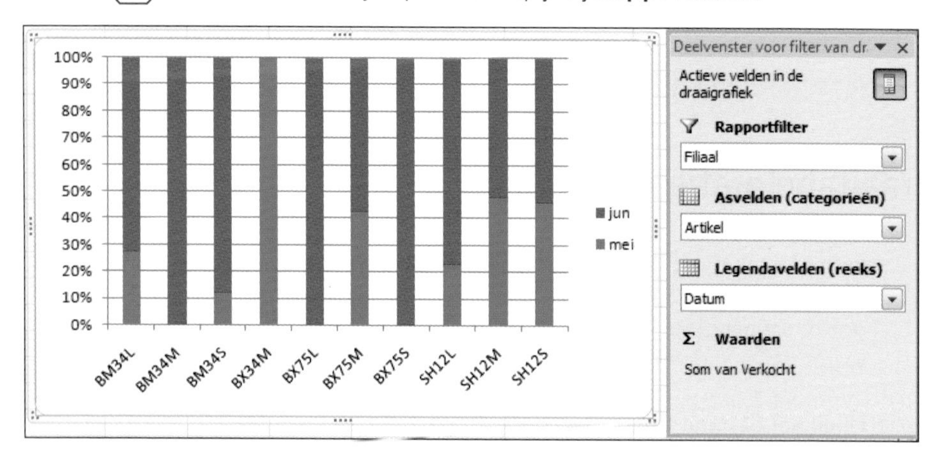

7. Er verschijnt een lijst met filialen.
8. Klik in de lijst op **Freewear**.
9. Klik op **OK**.
10. Zowel de draaitabel als de draaigrafiek zijn aangepast.

    Wilt u terug naar de grafiek met gegevens van alle filialen?

Filiaal	Freewear		
Som van Verkocht	Kolomlabels		
Rijlabels	mei	jun	Eindtotaal
BM34L	15	25	40
BM34M		20	20
BM34S	14	58	72
BX75L		3	3
BX75M	5		5
SH12S		66	66
Eindtotaal	**34**	**172**	**206**

Deelvenster voor filter van dr

Actieve velden in de draaigrafiek

Rapportfilter

Filiaal

Asvelden (categorieën)

Artikel

Legendavelden (reeks)

Datum

Waarden

Som van Verkocht

11. Klik in het **Deelvenster** op de keuzepijl bij **Rapportfilter**.
12. U ziet opnieuw de lijst met filialen.
13. Klik op **[Alle categorieën]**.
14. Klik op **OK**.

INFO
Ook in de draaitabel zelf, bij het Rapportfilter in cel J2, kan deze instelling worden aangepast. Zo is te zien dat grafiek en draaitabel dezelfde gegevens weergeven.

In dit hoofdstuk hebt u heel wat opgestoken over grafieken. U leerde een grafiek te creëren en leerde de opmaak te bepalen of te wijzigen.

Werken met formules

7

Excel is hét programma om te rekenen met gegevens. Berekeningen kunnen uitgevoerd worden door zelf een formule op te stellen of door gebruik te maken van één of meer ingebouwde functies. De functies zijn onderverdeeld in een aantal categorieën die een eigen knop hebben gekregen in het lint.

Alles optellen

Van alle functies is SOM wel de meest gebruikte. Daarom is er een speciale knop voor gemaakt, te herkennen aan het sigmasymbool $\sum$. Als voorbeeld wordt het oefenbestand **Reizigers** gebruikt. Daarin wordt bijgehouden hoeveel reizigers op een bepaald station in de verschillende treinen stappen. Het is de bedoeling te berekenen hoeveel mensen in totaal gebruik maken van het station. Ook pieken en dalen zijn belangrijk en daarom wordt gevraagd welke trein het meest en het minst genomen wordt. Daarnaast wordt ook het gemiddelde aantal reizigers gevraagd.

Eén kolom of rij optellen

Staan de gegevens in één bepaalde kolom, dan is de optelling eenvoudig. Selecteer de gevulde cellen tot een lege cel er net onder en klik op de knop **Som**. Op het werkblad **Nijkerk** staan de aantallen reizigers die in de verschillende treinen instappen.

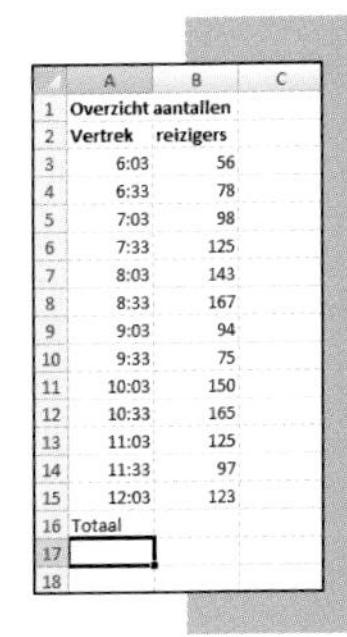

	A	B	C
1	Overzicht aantallen		
2	Vertrek	reizigers	
3	6:03	56	
4	6:33	78	
5	7:03	98	
6	7:33	125	
7	8:03	143	
8	8:33	167	
9	9:03	94	
10	9:33	75	
11	10:03	150	
12	10:33	165	
13	11:03	125	
14	11:33	97	
15	12:03	123	
16	Totaal		
17			
18			

1. Sleep over B3 tot en met B16.
2. Klik in de groep **Bewerken** op de knop **Som**.

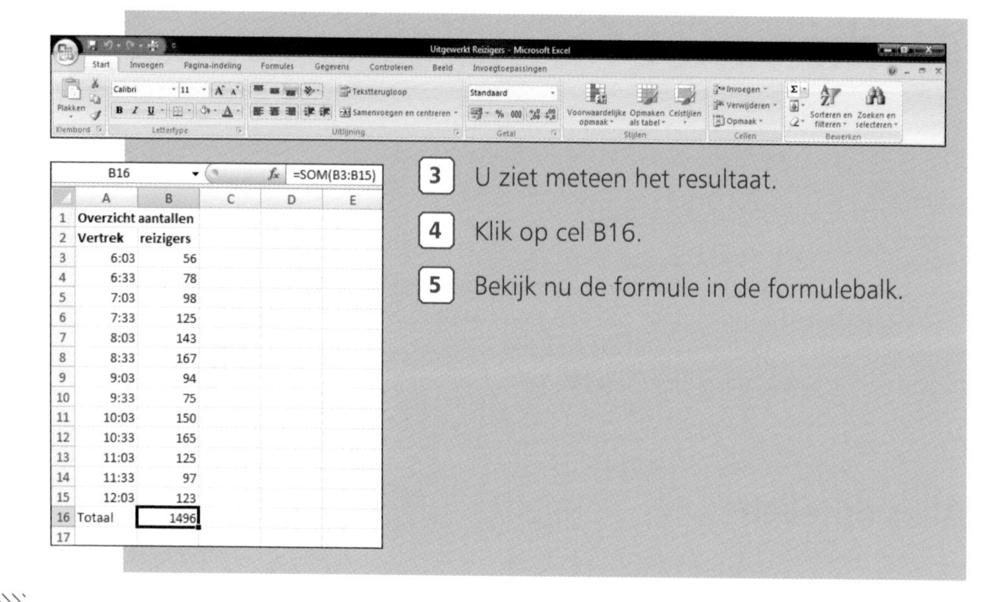

3. U ziet meteen het resultaat.
4. Klik op cel B16.
5. Bekijk nu de formule in de formulebalk.

In de formulebalk ziet u =SOM(B3:B15). Dit betekent dat de cellen B3 tot en met B15 bij elkaar opgeteld worden. De dubbele punt betekent 'tot en met'. Een formule kunt u ook zelf intypen. Let wel op: als u een puntkomma typt, dan heeft dit bij de functie SOM de betekenis 'en'.

Alternatieve totaaltelling

De volgende methode wordt veel gebruikt wanneer het resultaat niet direct onder de gegevensreeks moet komen te staan, maar bijvoorbeeld op een andere plek in het werkblad. Wis eerst de inhoud van B16.

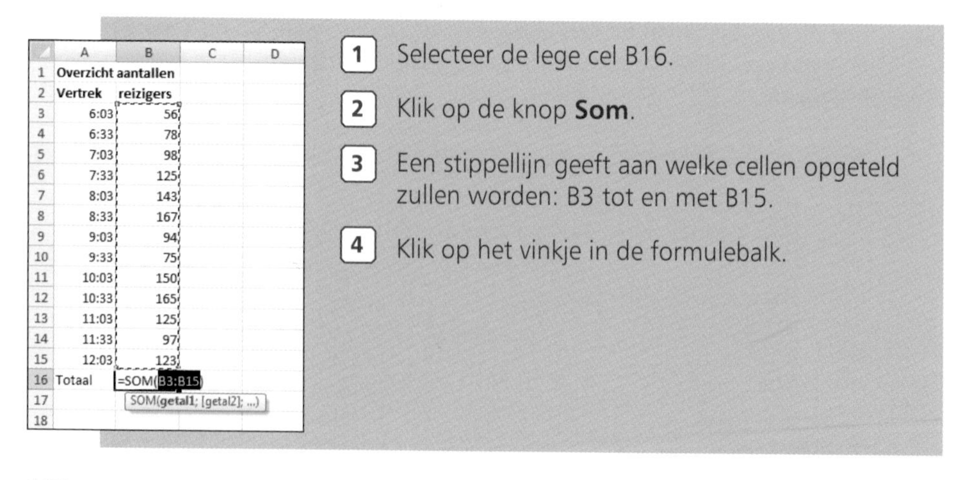

1. Selecteer de lege cel B16.
2. Klik op de knop **Som**.
3. Een stippellijn geeft aan welke cellen opgeteld zullen worden: B3 tot en met B15.
4. Klik op het vinkje in de formulebalk.

De formule is nu ingevoerd en het resultaat klopt. Mocht de selectie niet juist zijn, dan sleept u met de muis over de cellen die opgeteld moeten worden.

Formule zelf typen

De formule kunt u ook gewoon zelf typen. Selecteer de cel waarin de som moet worden berekend en begin te typen. Maar vanaf hier verschilt de werkwijze bij vorige Excel-versies! In het voorbeeld wordt eerst cel B16 weer leeggemaakt.

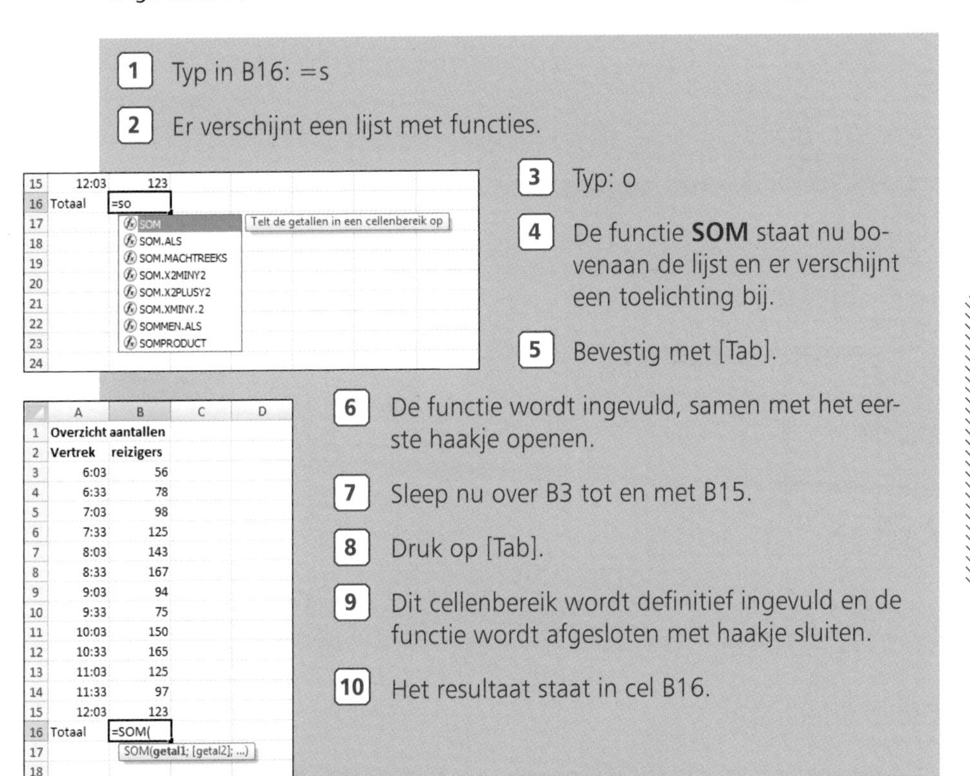
1 Typ in B16: =s
2 Er verschijnt een lijst met functies.
3 Typ: o
4 De functie SOM staat nu bovenaan de lijst en er verschijnt een toelichting bij.
5 Bevestig met [Tab].
6 De functie wordt ingevuld, samen met het eerste haakje openen.
7 Sleep nu over B3 tot en met B15.
8 Druk op [Tab].
9 Dit cellenbereik wordt definitief ingevuld en de functie wordt afgesloten met haakje sluiten.
10 Het resultaat staat in cel B16.
=so
SOM
SOM.ALS
SOM.MACHTREEKS
SOM.X2MINY2
SOM.X2PLUSY2
SOM.XMINY.2
SOMMEN.ALS
SOMPRODUCT
Telt de getallen in een cellenbereik op
Overzicht aantallen
Vertrek reizigers
6:03 56
6:33 78
7:03 98
7:33 125
8:03 143
8:33 167
9:03 94
9:33 75
10:03 150
10:33 165
11:03 125
11:33 97
12:03 123
Totaal =SOM(
SOM(getal1; [getal2]; ...)

INFO

Bij elke functie hoort een naam en daarachter een paar haakjes. Daartussen wordt bij de meeste functies ingevuld op welke cellen de functie betrekking heeft. Bij sommige functies moet er niets worden ingevuld, bijvoorbeeld **=vandaag()**. Hier wordt de systeemdatum ingevuld.

Gegevens in meerdere kolommen of rijen optellen

De optelling van gegevens die verspreid zijn over meerdere kolommen en/of rijen verloopt op precies dezelfde manier. Selecteer het hele gebied dat opgeteld moet worden en sleep één rij en één kolom verder. Onder elke rij en naast elke kolom is dan een lege cel voorzien voor de totaalsom. Op het werkblad **Lijn Harderwijk** is van een aantal stations op deze lijn het aantal instappende passagiers per trein ingevuld. U gaat nu deze aantallen optellen.

1. Bekijk de gegevens op het werkblad **Lijn Harderwijk**.
2. Sleep over B4 tot en met F17.
3. Klik in de groep **Bewerken** op de knop **Som**.

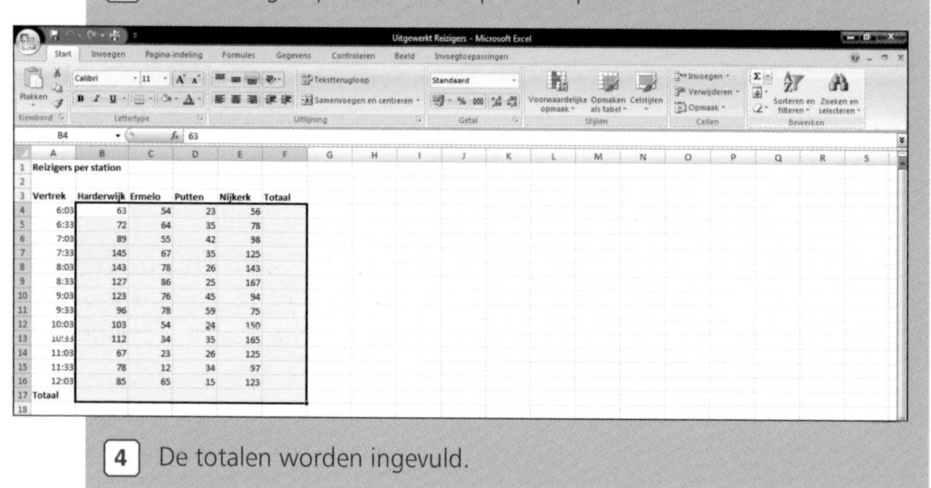

	A	B	C	D	E	F
1	Reizigers per station					
2						
3	Vertrek	Harderwijk	Ermelo	Putten	Nijkerk	Totaal
4	6:03	63	54	23	56	
5	6:33	72	64	35	78	
6	7:03	89	55	42	98	
7	7:33	145	67	35	125	
8	8:03	143	78	26	143	
9	8:33	127	86	25	167	
10	9:03	123	76	45	94	
11	9:33	96	78	59	75	
12	10:03	103	54	24	150	
13	10:33	112	34	35	165	
14	11:03	67	23	26	125	
15	11:33	78	12	34	97	
16	12:03	85	65	15	123	
17	Totaal					
18						

4. De totalen worden ingevuld.

Groen driehoekje

In kolom F zijn alle cellen voorzien van een groen driehoekje. Dit betekent dat er een mogelijke fout is opgevallen. Als u nu zo'n cel selecteert, dan verschijnt er een pictogram met een uitroepteken: een infolabel. Dit geeft informatie over de fout en hier is dit dat er getallen staan naast de getallen die zijn opgeteld. In de eerste kolom staat namelijk de vertrektijd van de trein en tijden worden net als datums door Excel als getallen gezien.

TIP

U kunt zelf instellen welke mogelijke fouten wel en niet moeten worden gecontroleerd. Klik daartoe op **Opties voor Foutcontrole**. Er verschijnt dan een venster verschijnt waarin u vinkjes kunt plaatsen of uitschakelen.

De foutmelding is echter in deze context niet juist, want het is niet de bedoeling de vertrektijd bij de aantallen passagiers op te tellen. Negeer dus de melding met een klik op **Fout negeren**. Alle driehoekjes zijn dan weg.

Kopiëren met de vulgreep

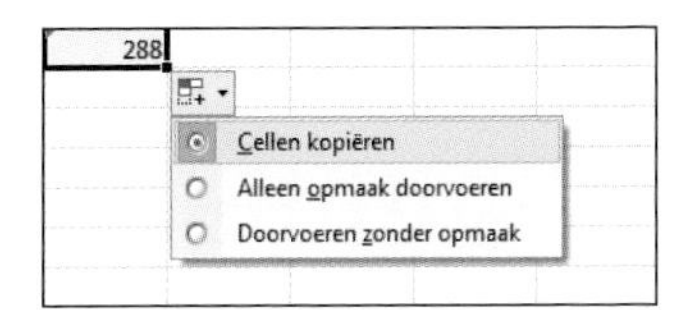

Een som die u in één cel berekend hebt, kunt u snel kopiëren naar andere rijen dankzij de vulgreep. Dit is een heel krachtig hulpmiddel! In hoofdstuk 2 hebt u al gekopieerd door te dubbelklikken op de vulgreep. Als u dat in deze oefening weer doet, verschijnt er na het dubbelklikken rechtsonder een nieuw pictogram. Klikt u hierop, dan ziet u dat de standaardinstelling **Cellen kopiëren** is gebruikt. Op deze manier kunt u dus ook de opmaak kopiëren. In Excel-termen heet dit doorvoeren of alleen de inhoud zonder opmaak.

Slepen met de vulgreep

Een dubbelklik op de vulgreep is erg handig, maar kan deze techniek ook gebruikt worden voor het kopiëren van de formule in rij 17? Het antwoord hierop is: nee. Die techniek werkt alleen bij het doorvoeren in een kolom. In dit geval zult u zelf met de vulgreep moeten slepen.

Gemiddelde berekenen

Een reeks andere functies is terug te vinden in de lijst onder de keuzepijl van de knop **Som**. Het gaat om **Som**, **Gemiddelde**, **Aantal getallen**, **Max** en **Min**.

> **INFO**
> Klikt u op de tab **Formules**, dan verschijnt helemaal links in het lint de groep **Functiebibliotheek**. Hierin vindt u snel andere functies.

Voor het berekenen van de benodigde capaciteit is het grootste aantal reizigers per trein belangrijk, maar om de verschillende lijnen met elkaar te kunnen vergelijken is het gemiddelde aantal weer nodig. Ga aan de slag met het werkblad **Lijn Harderwijk**. Voer eerst in kolom A een drietal toelichtende teksten in. Dan komen in kolom B de verschillende formules en gaat u deze met de vulgreep kopiëren. Vermijd ook getallen met cijfers achter de komma.

1 Typ in de cel A19, A20 en A21 de woordjes **GEM**, **MAX** en **MIN**.

2 Klik in cel B19.

3 Klik op de keuzepijl van de knop **Som**.

4 Klik in de lijst op **Gemiddelde**.

5 Sleep over B4 tot en met B16.

6 Druk op [Enter].

7 Klik op het keuzepijltje bij **Som**.

8 Klik in de lijst op **Max**.

9 Sleep over B4 tot en met B16.

10 Klik weer op het pijltje en kies **Min** uit de lijst.

11 Sleep over B4 tot en met B16.

12 Sleep over B19 tot en met B21.

13 Druk nu op [Ctrl]+[1].

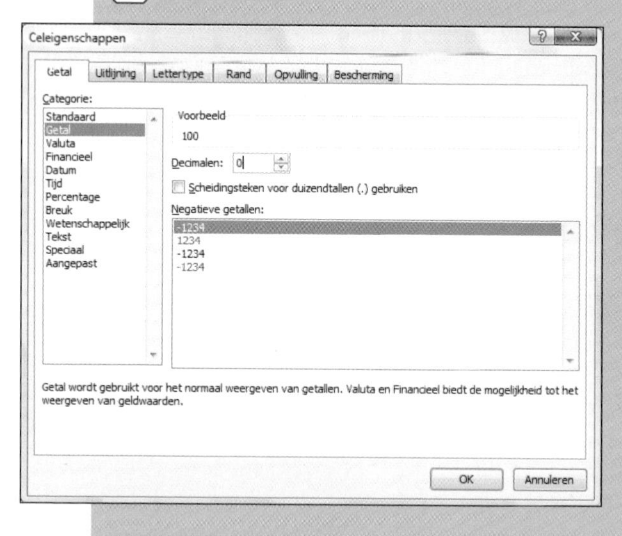

14 Het venster **Celeigenschappen** opent.

15 Klik bij **Categorie** op **Getal**.

16 Wijzig het aantal **Decimalen** in **0**.

17 Klik op **OK**.

18 De drie cellen zijn nog geselecteerd.

19 Sleep de vulgreep naar rechts tot en met kolom E.

20 Alle formules zijn nu gekopieerd.

De ALS-functie

Stel dat u inkoper bent voor een kraam dat snacks en ijs verkoopt op de markt. Afhankelijk van de weersverwachting wordt de inkooplijst samengesteld. Komt de temperatuur onder de vijf graden, dan wordt er worst besteld. De patat is altijd al aanwezig en de bestelling daarvan hangt niet van de temperatuur af.

Werk met het oefenbestand **Andere berekeningen**. Het is de bedoeling dat in de kolom **Wat bestellen?** de tekst "Worst" verschijnt wanneer de temperatuur onder de vijf graden komt. De functie die hiervoor nodig is, heet **ALS**.

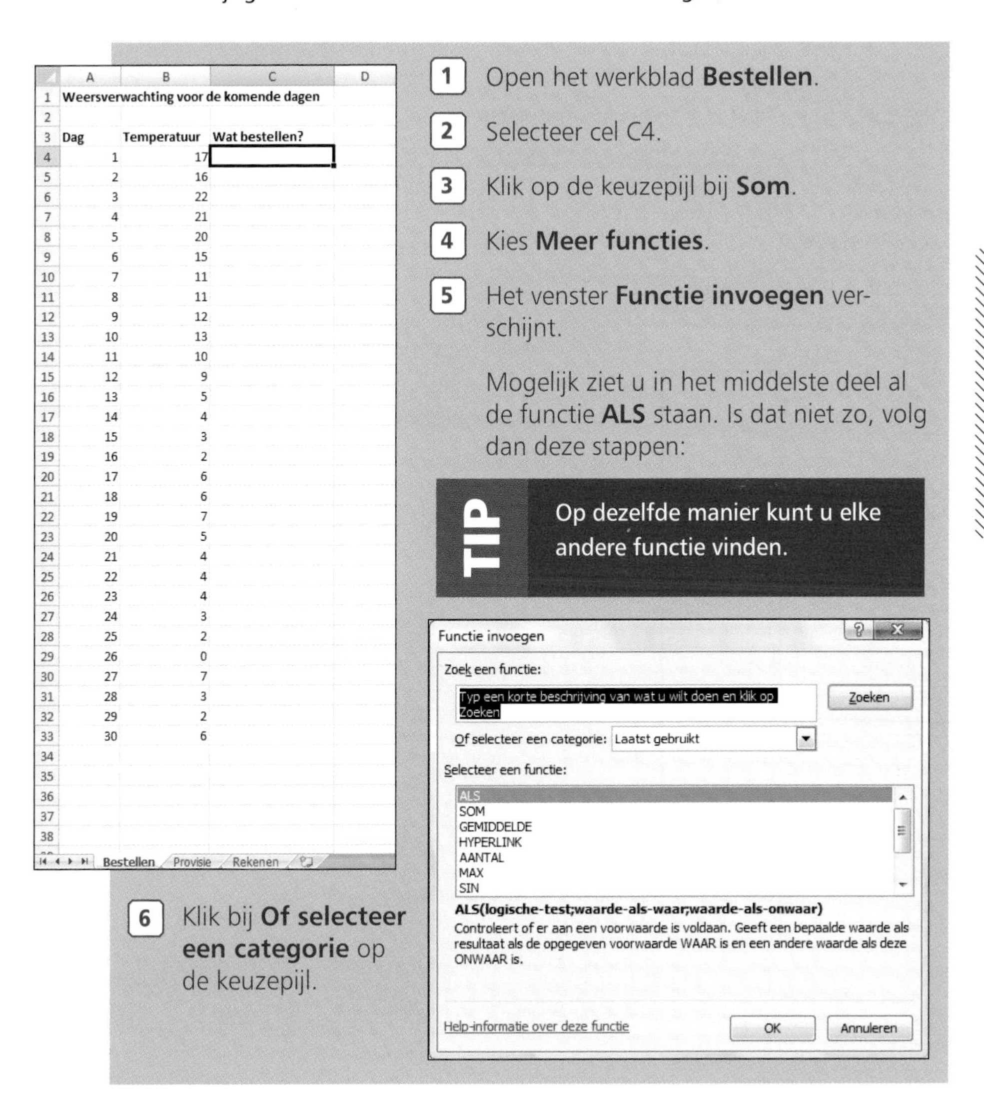

	A	B	C	D
1	Weersverwachting voor de komende dagen			
2				
3	Dag	Temperatuur	Wat bestellen?	
4	1	17		
5	2	16		
6	3	22		
7	4	21		
8	5	20		
9	6	15		
10	7	11		
11	8	11		
12	9	12		
13	10	13		
14	11	10		
15	12	9		
16	13	5		
17	14	4		
18	15	3		
19	16	2		
20	17	6		
21	18	6		
22	19	7		
23	20	5		
24	21	4		
25	22	4		
26	23	4		
27	24	3		
28	25	2		
29	26	0		
30	27	7		
31	28	3		
32	29	2		
33	30	6		
34				
35				
36				
37				
38				

Bestellen / Provisie / Rekenen

1 Open het werkblad **Bestellen**.

2 Selecteer cel C4.

3 Klik op de keuzepijl bij **Som**.

4 Kies **Meer functies**.

5 Het venster **Functie invoegen** verschijnt.

Mogelijk ziet u in het middelste deel al de functie **ALS** staan. Is dat niet zo, volg dan deze stappen:

TIP Op dezelfde manier kunt u elke andere functie vinden.

6 Klik bij **Of selecteer een categorie** op de keuzepijl.

7. Klik in de lijst op **Alles**.
8. Klik bij **Selecteer een functie** op **ALS**.
9. Lees eventueel de toelichting.
10. Klik op **OK**.
11. Het venster **Functieargumenten** opent.

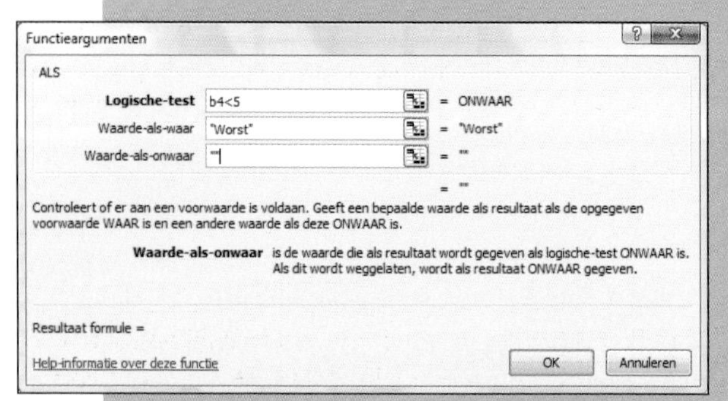

12. Bij **Logische-test** typt u b4<5.
13. Typ in het tweede vak: Worst.
14. In het derde vak typt u: "".
15. Klik op **OK**.

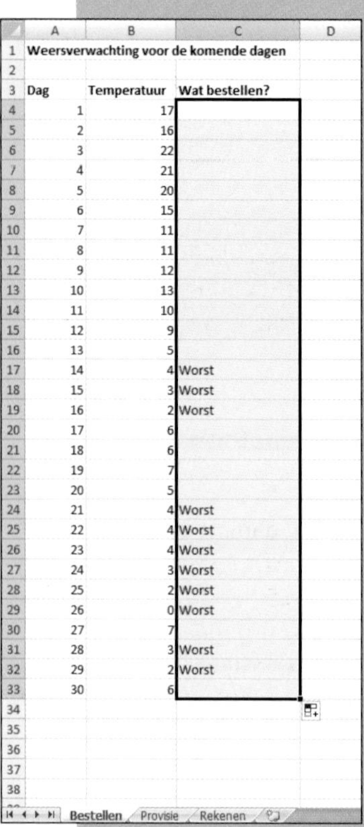

	A	B	C	D
1	Weersverwachting voor de komende dagen			
2				
3	Dag	Temperatuur	Wat bestellen?	
4	1	17		
5	2	16		
6	3	22		
7	4	21		
8	5	20		
9	6	15		
10	7	11		
11	8	11		
12	9	12		
13	10	13		
14	11	10		
15	12	9		
16	13	5		
17	14	4	Worst	
18	15	3	Worst	
19	16	2	Worst	
20	17	6		
21	18	6		
22	19	7		
23	20	5		
24	21	4	Worst	
25	22	4	Worst	
26	23	4	Worst	
27	24	3	Worst	
28	25	2	Worst	
29	26	0	Worst	
30	27	7		
31	28	3	Worst	
32	29	2	Worst	
33	30	6		
34				
35				
36				
37				
38				

16. Cel C4 blijft leeg, want de temperatuur is niet lager dan 5 graden.
17. Dubbelklik op de vulgreep.
18. De rest van de kolom wordt ingevuld.

Overal waar de temperatuur lager is dan 5° staat nu **Worst**. Wijzigt u nu één van de cellen met een hogere temperatuur in 4, dan ziet u meteen de werking van de ALS-functie.

Herstel nu weer de oorspronkelijke temperatuurwaarde.

Logische test

De functie ALS begint met een logische test. Zo'n test heeft maar twee mogelijke antwoorden: **waar** of **niet waar**, in Excel aangeduid als onwaar. De logische test uit het voorbeeld wordt vertaald als "Onderzoek of de waarde in B4 kleiner is dan 5".

Waarde-als-waar

In het tweede vak hebt u de tekst **Worst** getypt, wat moet verschijnen als het antwoord op de logische test waar is. Hier is een tekst gebruikt, maar dat kan ook een berekening zijn (zie het voorbeeld **Provisie**). De tekst typt u zonder aanhalingstekens; Excel zet die er zelf omheen. Gaat u zelf de formule typen, dan moet u er wel voor zorgen dat teksten tussen aanhalingstekens staan.

Waarde-als-onwaar

Het derde vak bevat de uitkomst bij een onwaar antwoord. In deze oefening hoeft er helemaal niets te verschijnen en dit vakje bevat dan ook slechts twee aanhalingstekens direct na elkaar. Zo vermijd u ook dat er een foutmelding verschijnt.

Een geneste ALS-functie

Komt de temperatuur echter boven de twintig graden, dan moet er juist meer ijs besteld worden en geen worst meer. Maar dat is een probleem! De logische test kan immers niet in één keer controleren of de temperatuur onder de vijf óf boven de twintig graden is. Er moet dus een nieuwe logische test worden ingevoerd. De eerste twee vakjes kunnen zo blijven, maar het derde vakje wordt gebruikt om een nieuwe ALS-functie op te halen. Hierbij moet er "IJs" ingevuld worden wanneer de temperatuur hoger is dan 20°.

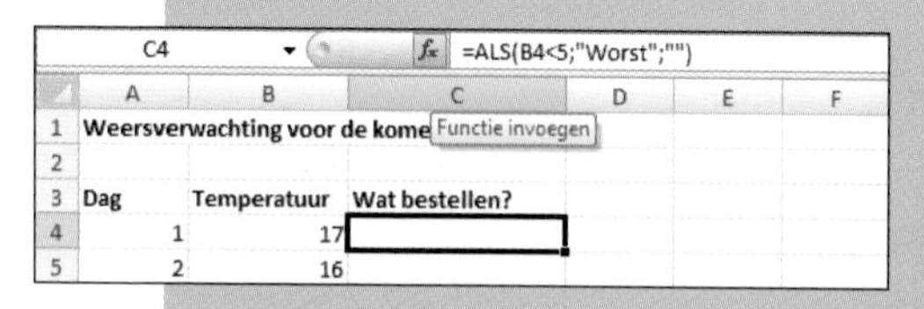

1 Klik in cel C4.

2 Klik in de formulebalk op de knop **Functie invoegen** (**fx**).

3 Het venster met de ingevulde functieargumenten opent.

4 Wis in het derde vakje de aanhalingstekens.

5 Klik nu vooraan in de formulebalk op **ALS**.

6 Er verschijnt een compleet leeg venster met de nieuwe functie.

=ALS(B4<5;"Worst";**ALS**())

7 In de formulebalk is er na de puntkomma een nieuwe ALS-functie ingevuld.

8 Typ de nieuwe voorwaarde: b4>20

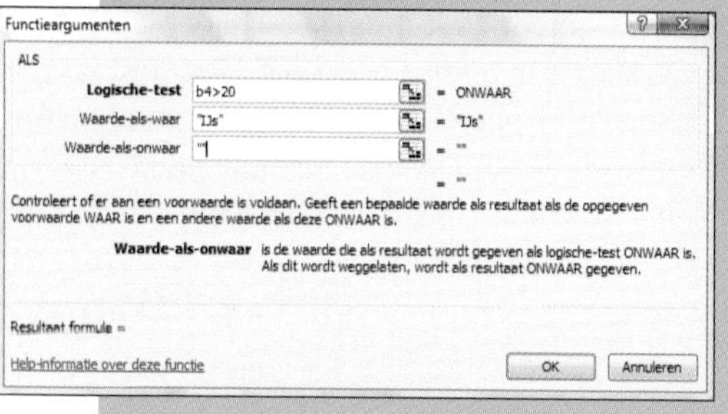

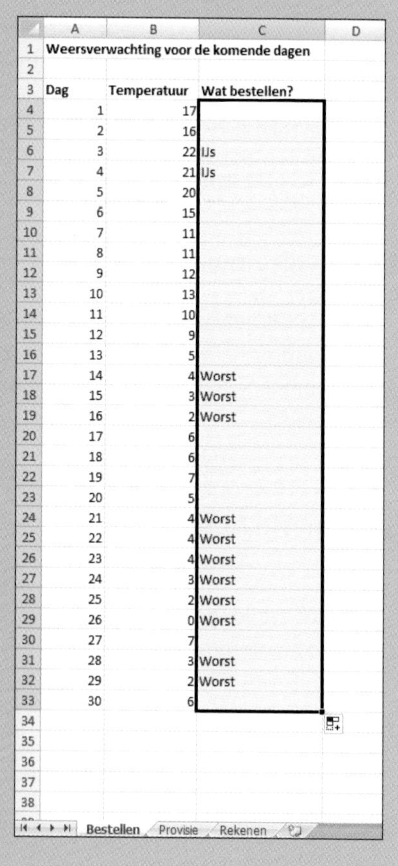

	A	B	C
1	Weersverwachting voor de komende dagen		
2			
3	Dag	Temperatuur	Wat bestellen?
4	1	17	
5	2	16	
6	3	22	IJs
7	4	21	IJs
8	5	20	
9	6	15	
10	7	11	
11	8	11	
12	9	12	
13	10	13	
14	11	10	
15	12	9	
16	13	5	
17	14	4	Worst
18	15	3	Worst
19	16	2	Worst
20	17	6	
21	18	6	
22	19	7	
23	20	5	
24	21	4	Worst
25	22	4	Worst
26	23	4	Worst
27	24	3	Worst
28	25	2	Worst
29	26	0	Worst
30	27	7	
31	28	3	Worst
32	29	2	Worst
33	30	6	

9 Typ in het tweede vak: IJs

10 Typ in het derde vak: ""

11 Klik op **OK**.

12 Dubbelklik op de vulgreep.

13 Bekijk de lijst.

Dit noemt men een geneste ALS-functie. In Excel 2007 kunt u 64 geneste functieniveaus gebruiken.

TIP

De functie **Als** kunt u snel oproepen door in de functiebibliotheek (tab **Formules**) te klikken op de knop **Logisch**.

Provisie berekenen

Een bedrijf heeft zijn medewerkers een bonus van 5% toegezegd, maar iedereen die meer dan € 40.000 omzet haalt, krijgt een bonus van 10%. Ook hier kunt u de ALS-functie toepassen. De logische test wordt nu: Is de omzet <= 40000, dan volgt een bonus van 5% en anders 10%.

Het eerste voorbeeld gebruikt deze waarde € 40.000 en de percentages in de formule. Daarna wordt een tweede werkwijze getoond waarbij deze getallen op het werkblad staan. Beide methoden leveren de juiste antwoorden op.

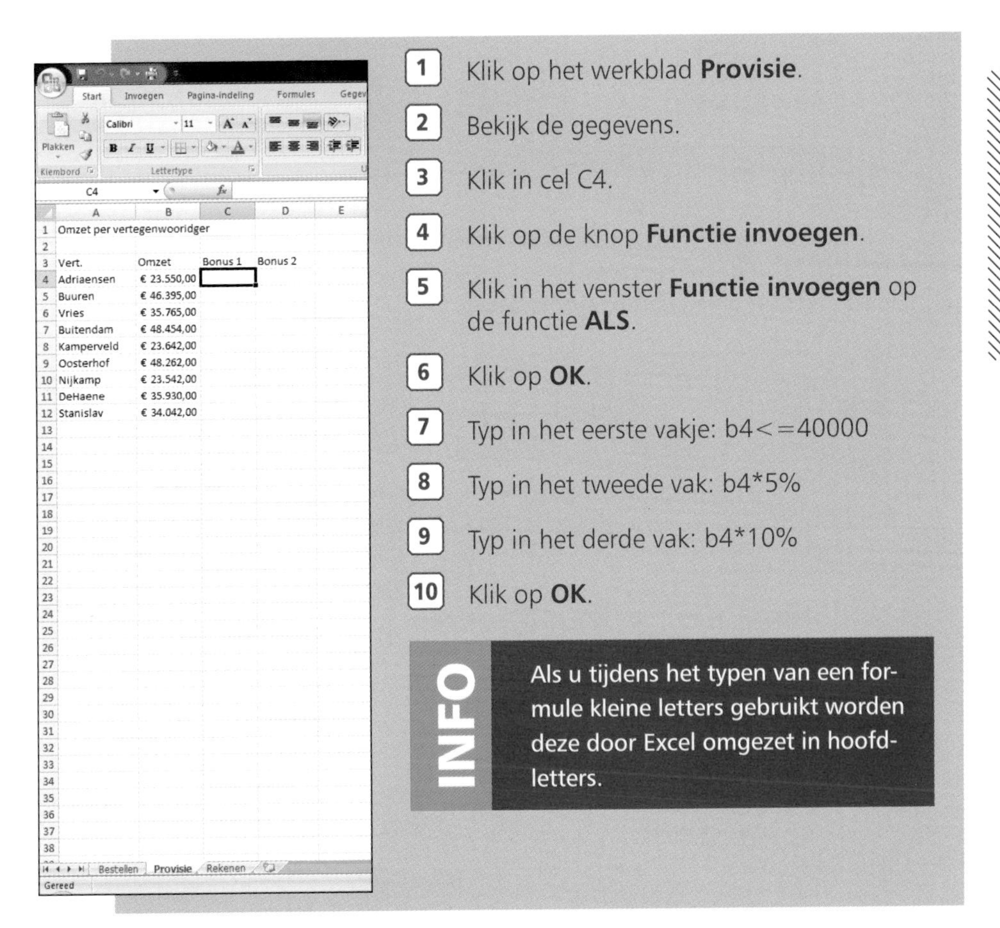

1. Klik op het werkblad **Provisie**.
2. Bekijk de gegevens.
3. Klik in cel C4.
4. Klik op de knop **Functie invoegen**.
5. Klik in het venster **Functie invoegen** op de functie **ALS**.
6. Klik op **OK**.
7. Typ in het eerste vakje: b4<=40000
8. Typ in het tweede vak: b4*5%
9. Typ in het derde vak: b4*10%
10. Klik op **OK**.

INFO

Als u tijdens het typen van een formule kleine letters gebruikt worden deze door Excel omgezet in hoofdletters.

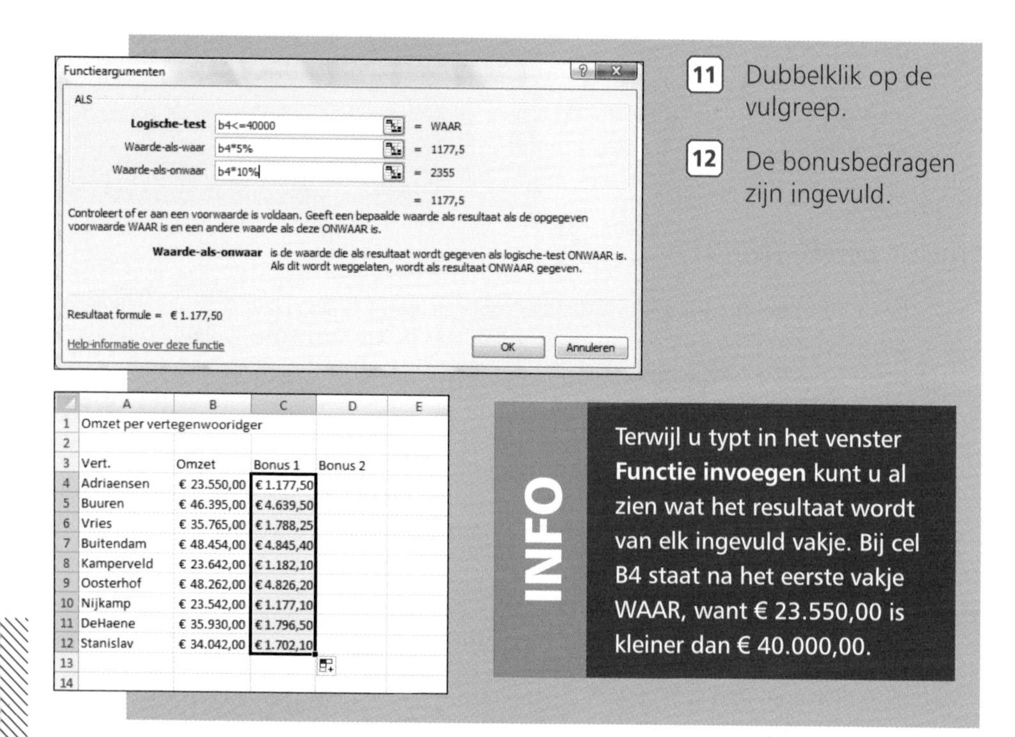

	A	B	C	D	E
1	Omzet per vertegenwooridger				
2					
3	Vert.	Omzet	Bonus 1	Bonus 2	
4	Adriaensen	€ 23.550,00	€ 1.177,50		
5	Buuren	€ 46.395,00	€ 4.639,50		
6	Vries	€ 35.765,00	€ 1.788,25		
7	Buitendam	€ 48.454,00	€ 4.845,40		
8	Kamperveld	€ 23.642,00	€ 1.182,10		
9	Oosterhof	€ 48.262,00	€ 4.826,20		
10	Nijkamp	€ 23.542,00	€ 1.177,10		
11	DeHaene	€ 35.930,00	€ 1.796,50		
12	Stanislav	€ 34.042,00	€ 1.702,10		
13					
14					

11 Dubbelklik op de vulgreep.

12 De bonusbedragen zijn ingevuld.

INFO

Terwijl u typt in het venster **Functie invoegen** kunt u al zien wat het resultaat wordt van elk ingevuld vakje. Bij cel B4 staat na het eerste vakje WAAR, want € 23.550,00 is kleiner dan € 40.000,00.

De tweede manier om de bonusbedragen te berekenen is door de waarde € 40.000,00 en de percentages 5% en 10% ergens op het werkblad te zetten en daar in de formule gebruik van te maken.

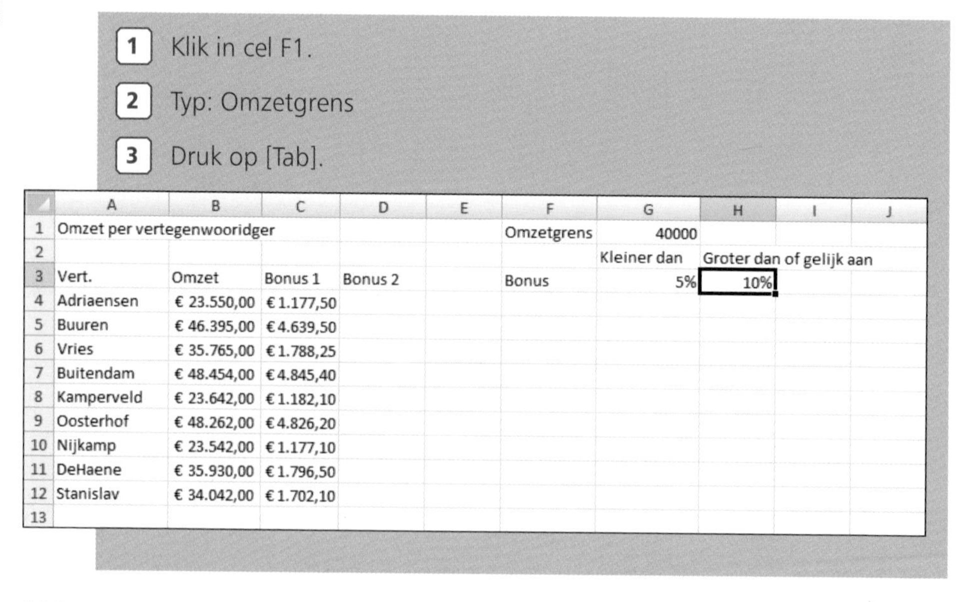

1 Klik in cel F1.

2 Typ: Omzetgrens

3 Druk op [Tab].

	A	B	C	D	E	F	G	H	I	J
1	Omzet per vertegenwooridger					Omzetgrens	40000			
2							Kleiner dan	Groter dan of gelijk aan		
3	Vert.	Omzet	Bonus 1	Bonus 2		Bonus	5%	10%		
4	Adriaensen	€ 23.550,00	€ 1.177,50							
5	Buuren	€ 46.395,00	€ 4.639,50							
6	Vries	€ 35.765,00	€ 1.788,25							
7	Buitendam	€ 48.454,00	€ 4.845,40							
8	Kamperveld	€ 23.642,00	€ 1.182,10							
9	Oosterhof	€ 48.262,00	€ 4.826,20							
10	Nijkamp	€ 23.542,00	€ 1.177,10							
11	DeHaene	€ 35.930,00	€ 1.796,50							
12	Stanislav	€ 34.042,00	€ 1.702,10							
13										

4. Typ: 40000
5. Klik in cel G2.
6. Typ: kleiner dan
7. Druk op [Tab].
8. Typ: groter dan of gelijk aan
9. Klik in cel F3.
10. Typ: Bonus
11. Druk op [Tab].
12. Typ: 5%
13. Druk op [Tab].
14. Typ: 10%

De getallen en de omschrijvingen staan op de juiste plek. Pas ook even de kolombreedtes aan zodat alles leesbaar is. In kolom D gaat u opnieuw de bonussen berekenen, maar door gebruik te maken van de zojuist ingevoerde getallen.

15. Klik in cel D4.
16. Klik op de knop **Functie invoegen**.
17. Kies in het venster **Functie invoegen** de functie **ALS**.

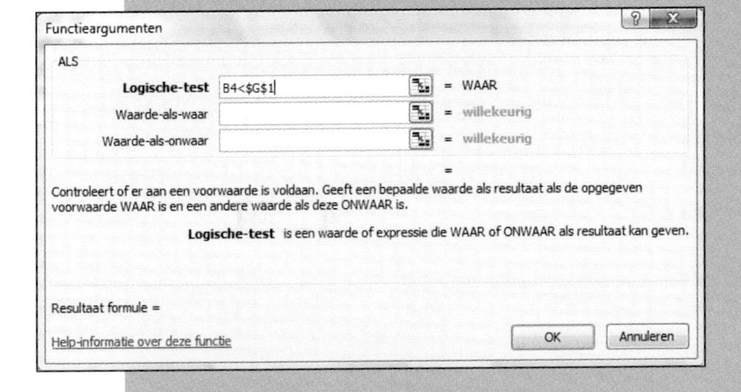

18. Klik in het eerste vakje.
19. Typ: B4<
20. Let op: ga nog niet naar het volgend vak!
21. Klik nu op cel G1.
22. Druk op [F4].
23. Bij G1 verschijnen dollartekens: G1
24. Druk op [Tab].

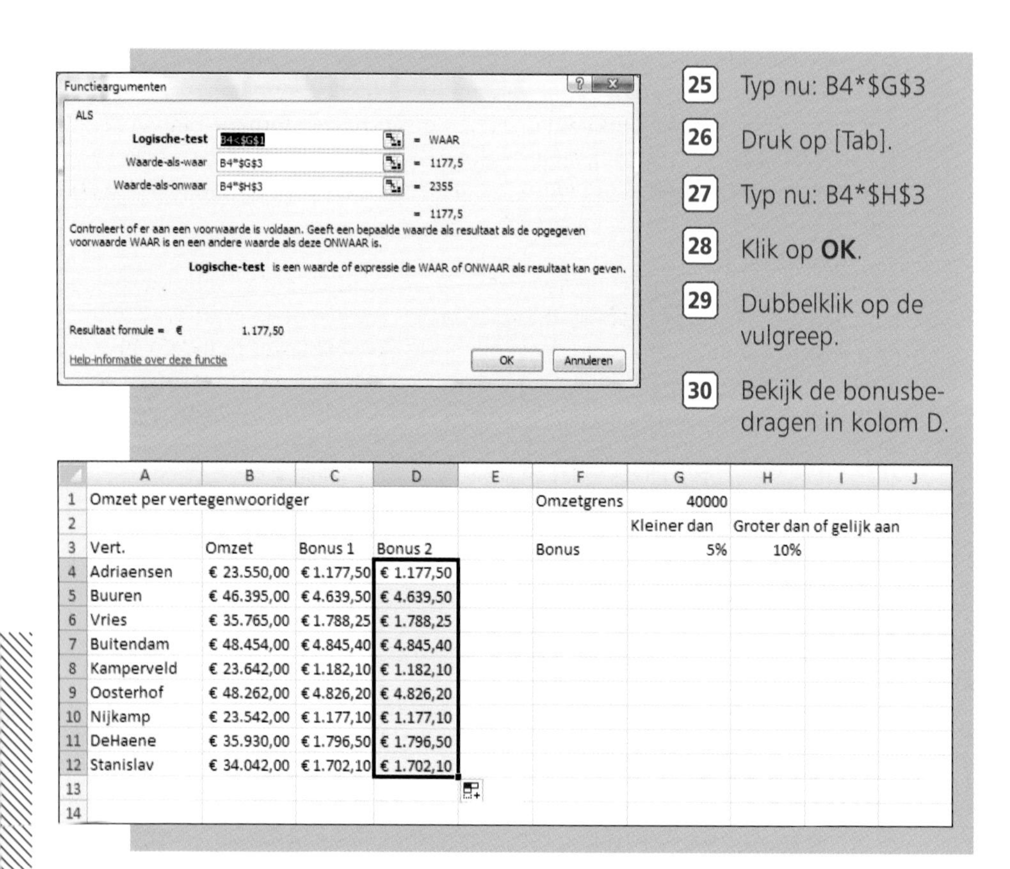

25 Typ nu: B4*G3

26 Druk op [Tab].

27 Typ nu: B4*H3

28 Klik op **OK**.

29 Dubbelklik op de vulgreep.

30 Bekijk de bonusbedragen in kolom D.

	A	B	C	D	E	F	G	H	I	J
1	Omzet per vertegenwooridger					Omzetgrens	40000			
2							Kleiner dan	Groter dan of gelijk aan		
3	Vert.	Omzet	Bonus 1	Bonus 2		Bonus	5%	10%		
4	Adriaensen	€ 23.550,00	€ 1.177,50	€ 1.177,50						
5	Buuren	€ 46.395,00	€ 4.639,50	€ 4.639,50						
6	Vries	€ 35.765,00	€ 1.788,25	€ 1.788,25						
7	Buitendam	€ 48.454,00	€ 4.845,40	€ 4.845,40						
8	Kamperveld	€ 23.642,00	€ 1.182,10	€ 1.182,10						
9	Oosterhof	€ 48.262,00	€ 4.826,20	€ 4.826,20						
10	Nijkamp	€ 23.542,00	€ 1.177,10	€ 1.177,10						
11	DeHaene	€ 35.930,00	€ 1.796,50	€ 1.796,50						
12	Stanislav	€ 34.042,00	€ 1.702,10	€ 1.702,10						
13										
14										

Beide methoden leveren exact dezelfde resultaten op. Waarom zou u nu de moeite nemen om met dollartekens te werken en extra informatie op het werkblad te gaan typen?

Stel dat het later wat beter gaat met het bedrijf. Het percentage voor de hogere bonussen kan dan stijgen naar 15%. Als u volgens de tweede methode werkt, hoeft alleen de inhoud van cel H3 gewijzigd te worden in 15% en alles wordt opnieuw berekend. Bovendien kan iedereen die met het werkblad werkt zien met welke getallen er is gerekend.

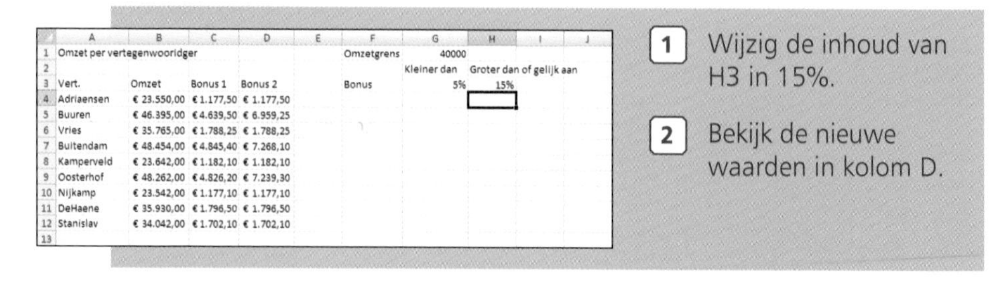

	A	B	C	D	E	F	G	H	I	J
1	Omzet per vertegenwooridger					Omzetgrens	40000			
2							Kleiner dan	Groter dan of gelijk aan		
3	Vert.	Omzet	Bonus 1	Bonus 2		Bonus	5%	15%		
4	Adriaensen	€ 23.550,00	€ 1.177,50	€ 1.177,50						
5	Buuren	€ 46.395,00	€ 4.639,50	€ 6.959,25						
6	Vries	€ 35.765,00	€ 1.788,25	€ 1.788,25						
7	Buitendam	€ 48.454,00	€ 4.845,40	€ 7.268,10						
8	Kamperveld	€ 23.642,00	€ 1.182,10	€ 1.182,10						
9	Oosterhof	€ 48.262,00	€ 4.826,20	€ 7.239,30						
10	Nijkamp	€ 23.542,00	€ 1.177,10	€ 1.177,10						
11	DeHaene	€ 35.930,00	€ 1.796,50	€ 1.796,50						
12	Stanislav	€ 34.042,00	€ 1.702,10	€ 1.702,10						
13										

1 Wijzig de inhoud van H3 in 15%.

2 Bekijk de nieuwe waarden in kolom D.

Dollartekens

Met de vulgreep kunt u formules kopiëren. Kopieert u een formule binnen dezelfde kolom, dan wordt het cijfer van elke rij automatisch aangepast: telkens één erbij als de cel een rij lager wordt aangepast. Sleept u naar rechts, dan worden de kolomletters telkens aangepast.

Maar de percentages en het bedrag die in dit voorbeeld worden gebruikt, gelden voor alle vertegenwoordigers en mogen dus niet worden aangepast. De verwijzing naar het bedrag (cel G1) in de verschillende formules moet altijd G1 blijven! Dit kunt u behouden door dollartekens te typen, wat betekent: deze celverwijzing mag niet worden aangepast. Staat er zowel voor de G als voor de 1 een dollarteken, dan maakt het niet uit in welke richting u sleept. De cel wordt nooit aangepast. Voor elke celverwijzing zijn er vier mogelijkheden, bijvoorbeeld: B3, $B3, B$3 en B3. Zo betekent $B3 dat de kolom vast staat maar de rij niet.

Zeker in tabellen met veel gegevens waarin u wilt kopiëren met de vulgreep, zult u dollartekens typen om de juiste formules te krijgen.

Eigen berekeningen

Tot nu toe hebt u met de functies gewerkt die Excel in huis heeft. Het komt natuurlijk ook voor dat u zelf een formule bedenkt, bijvoorbeeld de bonusberekening. De berekening hiervan kan behoorlijk ingewikkeld zijn. Om eigen formules te creëren kunt u gebruik maken van operatoren.

Operatoren

De operatoren die voor het maken van berekeningen worden gebruikt zijn: + (plus) voor het optellen, – (min) voor het aftrekken, / (schuine streep) voor het delen en * (sterretje) voor vermenigvuldigen.

Tussen deze operatoren onderling bestaat er een hiërarchie. Misschien kent u nog het regeltje "Meneer Van Dalen Wacht op Antwoord". Dit ezelsbruggetje helpt u te onthouden welke bewerking het eerst moet worden uitgevoerd. Zo komt vermenigvuldigen voor delen. Maar in Excel geldt er een andere volgorde: bij gelijkwaardige bewerkingen wordt de bewerking die van links af gezien het eerst voorkomt ook het eerst uitgevoerd.

	A	B	C	D	E	F	G	H	I	J	K	L
1	**Wacht meneer van dalen nog op antwoord?**											
2												
3	**Bekijk de volgende berekeningen.**											
4	Berekening	Antwoord										
5	=6/2*3	9										
6	=(6/2)*3	9										
7	=6/(2*3)	1										
8												
9	Gebruik om formules duidelijk te maken en om volgorde van berekening af te dwingen haakjes.											
10												
11	Eerste getal	5										
12	Tweede getal	4										
13		**Formule**	**Antwoord**									
14	Optellen	=B11+B12	9									
15	Aftrekken	=B11-B12	1									
16	Vermenigvuldigen	=B11*B12	20									
17	Delen	=B11/B12	1,25									
18												

Een variant op
Meneer Van Dalen Wacht Op Antwoord is:
Hoe Moeten Wij Van De Onvoldoendes Afkomen.
Haakjes, Machtsverheffen, Worteltrekken, Vermenigvuldigen, Delen, O
ptellen en Aftrekken.
In die volgorde waarbij de gekleurde bewerkingen van links naar rechts worden uitgevoerd.

Met haakjes kunt afdwingen welke bewerking het eerst moet worden uitgevoerd. U kunt zelfs beter een keer teveel haakjes plaatsen dan te weinig.

In dit hoofdstuk hebt u leren werken met de functies van Excel. Dankzij de voorbeeldoefeningen ontdekte u de kracht van de ALS-functie en geneste functies. Formules kunt u zelf ontwerpen met behulp van operatoren en haakjes.

Gegevens exporteren en importeren

8

De gegevens op een Excel-werkblad kunnen vaak in andere toepassingen nuttig zijn, maar het omgekeerde geldt ook. In dit hoofdstuk wordt ook bekeken hoe u informatie uit andere programma's kunt importeren zodat de gegevens in Excel bewerkt kunnen worden.

Opslaan als pdf

Eén van de meest gebruikte bestandsindelingen voor het uitwisselen van documenten is pdf of Portable Document Format. Met het programma Adobe Arcobat Reader kunt u zulke documenten bekijken. Lange tijd ontbrak in MS Office de mogelijkheid om gegevens in deze bestandsindeling op te slaan.

Invoegtoepassing downloaden

Om in Excel 2007 te kunnen opslaan als pdf moet u eerst op zoek gaan naar de juiste invoegtoepassing daarvoor. Bij de opdrachten voor het opslaan staat (na een standaard installatie) ook **Invoegtoepassingen voor andere bestandsindelingen zoeken**. Deze optie kunt u selecteren wanneer er nog geen bestand is geopend in Excel.

1. Klik op de **Office**-knop.
2. Klik op **Opslaan als**.
3. Kies **Invoegtoepassingen voor andere bestandsindelingen zoeken**.
4. **Help voor Excel** verschijnt.
5. Klik op de link voor het installeren en gebruiken (bijna onderaan).

De invoegtoepassing Publiceren als PDF of XPS van Microsoft installeren en gebruiken

Als u een bestand wilt opslaan in of exporteren naar PDF of XPS, moet u eerst de invoegtoepassing Publiceren als PDF of XPS voor Microsoft Office-systeem 2007 installeren.

1. Ga naar de pagina Microsoft®-invoegtoepassing Publiceren als PDF of XPS voor Microsoft Office 2007-programma's en volg de instructies.
2. Nadat u de invoegtoepassing Publiceren als PDF of XPS hebt geïnstalleerd, kunt u het bestand exporteren naar PDF of XPS. In de sectie **Zie ook** vindt u koppelingen naar meer informatie over hoe u dit kunt doen.

Terug naar boven

6 Volg de instructies voor het downloaden en installeren.

Voortaan is bij **Opslaan als** de optie **Invoegtoepassingen voor** ... vervangen door **PDF of XPS**.

En dan opslaan als pdf

Als oefening gaat u het bestand **Top 2000** opslaan als pdf. Vervolgens wordt met de browser dit bestand bekeken.

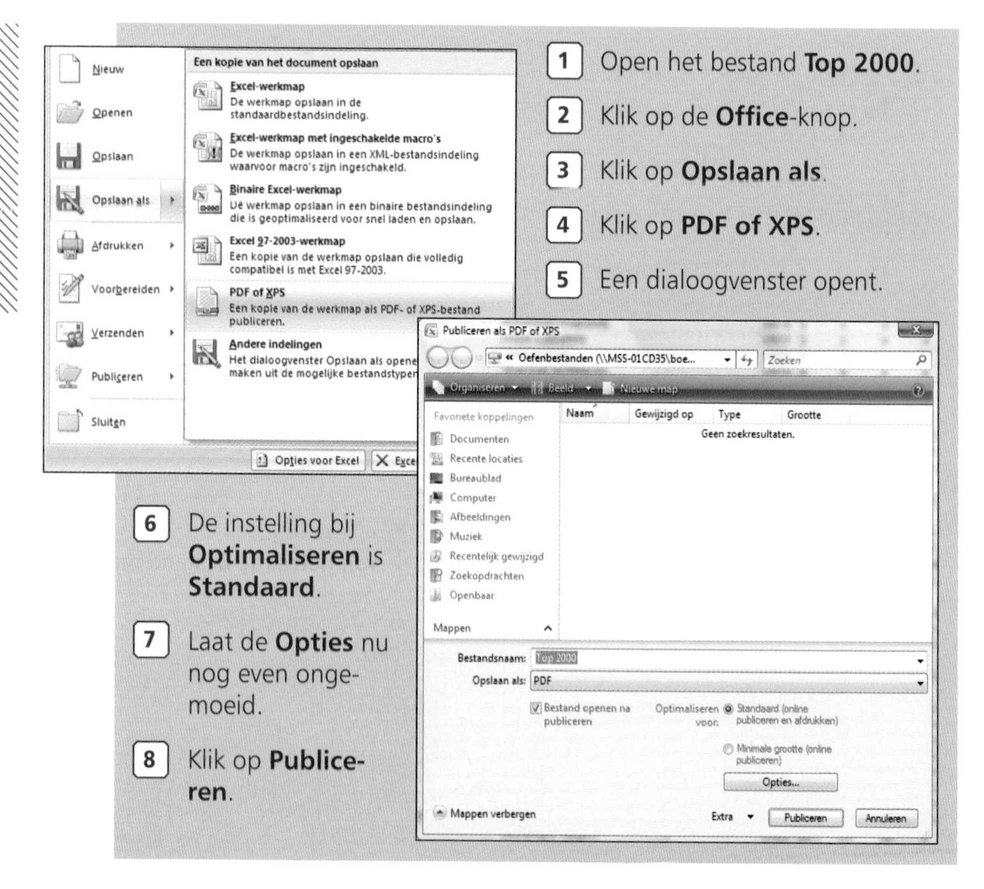

1 Open het bestand **Top 2000**.

2 Klik op de **Office**-knop.

3 Klik op **Opslaan als**.

4 Klik op **PDF of XPS**.

5 Een dialoogvenster opent.

6 De instelling bij **Optimaliseren** is **Standaard**.

7 Laat de **Opties** nu nog even ongemoeid.

8 Klik op **Publiceren**.

9. Dit proces kan even duren.

10. Daarna start Acrobat Reader en kunt u de pagina's bekijken.

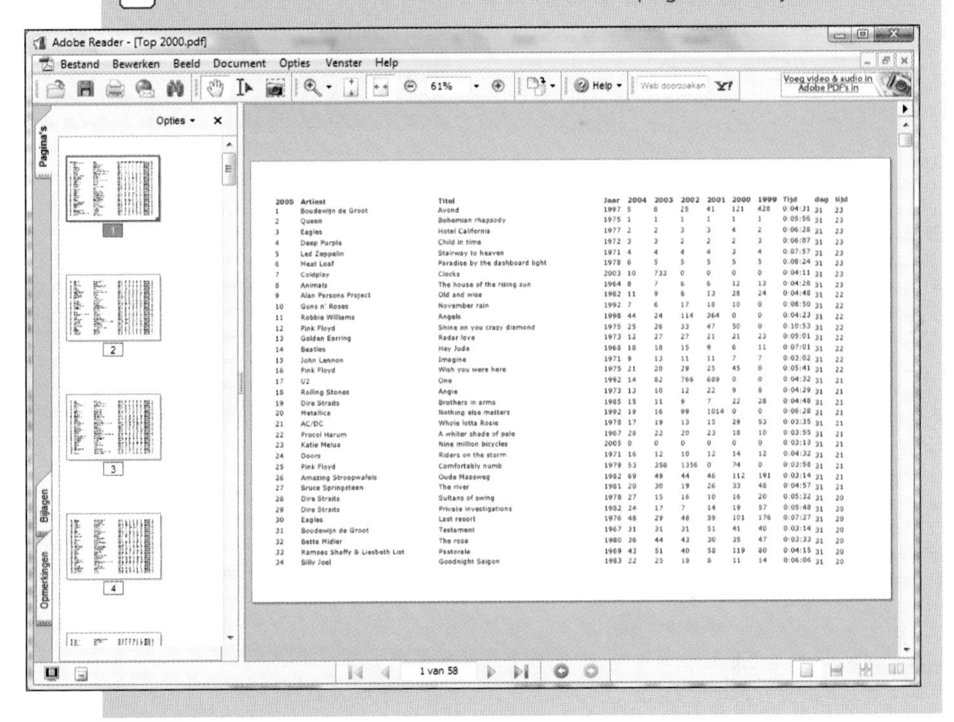

2005	Artiest	Titel	Jaar	2004	2003	2002	2001	2000	1999	Tijd	dag	tijd
1	Boudewijn de Groot	Avond	1997	5	8	25	41	121	428	0:04:31	31	23
2	Queen	Bohemian rhapsody	1975	1	1	1	1	1	1	0:05:56	31	23
3	Eagles	Hotel California	1977	2	2	3	3	4	2	0:06:28	31	23
4	Deep Purple	Child in time	1972	3	3	2	2	2	3	0:06:07	31	23
5	Led Zeppelin	Stairway to heaven	1971	4	4	4	4	3	4	0:07:57	31	23
6	Meat Loaf	Paradise by the dashboard light	1978	6	5	5	5	5	5	0:08:24	31	23
7	Coldplay	Clocks	2003	10	733	0	0	0	0	0:04:11	31	23
8	Animals	The house of the rising sun	1964	8	7	6	6	12	13	0:04:28	31	23
9	Alan Parsons Project	Old and wise	1982	11	9	8	13	28	24	0:04:48	31	22
10	Guns n' Roses	November rain	1992	7	6	17	18	10	0	0:08:50	31	22
11	Robbie Williams	Angels	1998	44	24	114	364	0	0	0:04:23	31	22
12	Pink Floyd	Shine on you crazy diamond	1975	25	26	33	47	50	0	0:10:53	31	22
13	Golden Earring	Radar love	1973	12	27	27	21	21	23	0:05:01	31	22
14	Beatles	Hey Jude	1968	18	18	15	9	6	11	0:07:01	31	22
15	John Lennon	Imagine	1971	9	13	11	11	7	7	0:03:02	31	22
16	Pink Floyd	Wish you were here	1975	21	20	29	25	45	0	0:05:41	31	22
17	U2	One	1992	14	82	766	689	0	0	0:04:32	31	21
18	Rolling Stones	Angie	1973	13	10	12	22	9	8	0:04:29	31	21
19	Dire Straits	Brothers in arms	1985	15	11	9	7	22	28	0:04:48	31	21
20	Metallica	Nothing else matters	1992	19	16	99	1014	0	0	0:06:28	31	21
21	AC/DC	Whole lotta Rosie	1978	17	19	13	15	29	53	0:03:35	31	21
22	Procol Harum	A whiter shade of pale	1967	28	22	20	23	18	10	0:03:55	31	21
23	Katie Melua	Nine million bicycles	2005	0	0	0	0	0	0	0:03:13	31	21
24	Doors	Riders on the storm	1971	16	12	10	12	14	12	0:04:32	31	21
25	Pink Floyd	Comfortably numb	1979	53	358	1356	0	74	0	0:03:58	31	21
26	Amazing Stroopwafels	Oude Maasweg	1982	69	49	44	46	112	191	0:03:14	31	21
27	Bruce Springsteen	The river	1981	20	30	19	26	33	48	0:04:57	31	21
28	Dire Straits	Sultans of swing	1978	27	15	16	10	16	20	0:05:32	31	20
29	Dire Straits	Private investigations	1982	24	17	7	14	19	57	0:05:48	31	20
30	Eagles	Last resort	1976	48	29	48	59	101	176	0:07:27	31	20
31	Boudewijn de Groot	Testament	1967	31	31	31	51	41	40	0:03:14	31	20
32	Bette Midler	The rose	1980	36	44	43	30	35	47	0:03:33	31	20
33	Ramses Shaffy & Liesbeth List	Pastorale	1969	43	51	40	58	119	80	0:04:15	31	20
34	Billy Joel	Goodnight Saigon	1983	22	25	18	8	11	14	0:06:06	31	20

En XPS dan?

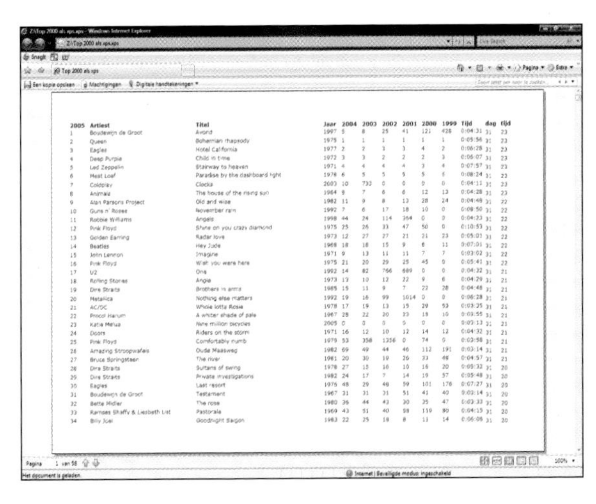

XPS staat voor XML Paper Specification, een beschrijving waarin is vastgelegd hoe documenten kunnen worden weergegeven. U ziet hier een afbeelding in Internet Explorer van hetzelfde bestand maar nu opgeslagen en gepubliceerd als xps. Opvallend is het verschil in grootte tussen beide bestanden. Het bestand in xps-indeling heeft maar één derde van de omvang van het vergelijkbare pdf-bestand (opgeslagen met de standaardinstellingen).

Importeren van een webpagina

Het internet is als informatiebron erg nuttig en het kan best eens gebeuren dat u bepaalde gegevens van een webpagina wilt gebruiken in Excel. Begin met een nieuw werkblad.

TIP
Met de sneltoets [Ctrl]+[N] creëert u snel een nieuwe werkmap.

Beurkoersen

Als voorbeeld wordt de beurspagina gebruikt op de website van een Nederlandse dagblad. De tabel met gegevens wordt geselecteerd en daarna in Excel geplakt. Dat lijkt gewoon kopiëren en plakken. Maar na het plakken verschijnt rechtsonder een knop met drie mogelijkheden.

Wanneer u dit leest zullen de gegevens op deze webpagina er al anders uitzien.

1. Surf naar **www.volkskrant.nl/redactie/economie/koersen.htm**
2. Klik bij **Amsterdam** op **AEX 25**.

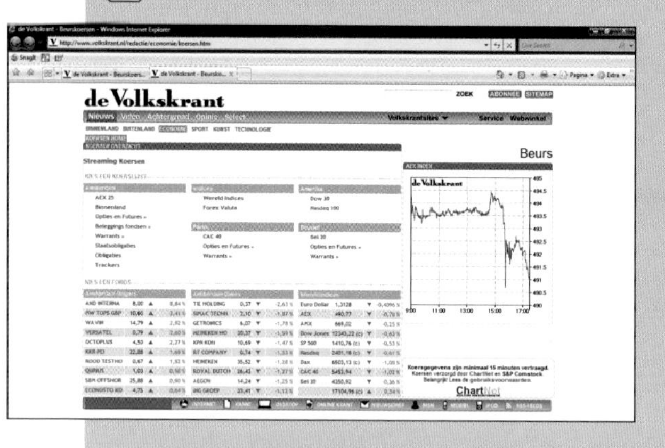

3. Selecteer de 25 fondsen en de koersen.
4. Klik op **Kopiëren**.
5. Schakel over naar de lege werkmap in Excel.
6. Klik op de knop **Plakken**.
7. Klik rechtsonder op de knop **Plakopties**.

25	UNILEVER	20,55		-0,07 /FONT< td>		20,6	20,8	20,55	4793926	20,62	22:30:00	Opties
26	VEDIOR E	15,39		-0,06 /FONT< td>		15,42	15,44	15,32	362915	15,45	22:30:00	Opties
27	WOLTERS	21,67		0,01	0,05%	21,61	21,82	21,58	806312	21,66	22:30:00	Opties
28												
29												
30												
31												
32												
33												

Opmaak van bron behouden
Aanpassen aan opmaak van bestemming
Vernieuwbare webquery maken...

8. Kies **Vernieuwbare webquery maken**.

9. Het venster **Nieuwe webquery** opent. U ziet de beurspagina.

10. Beweeg de muis naar de gele pijl bij de tabel. Deze wordt dan groen en de tabel wordt met een blauwe lijn aangegeven.

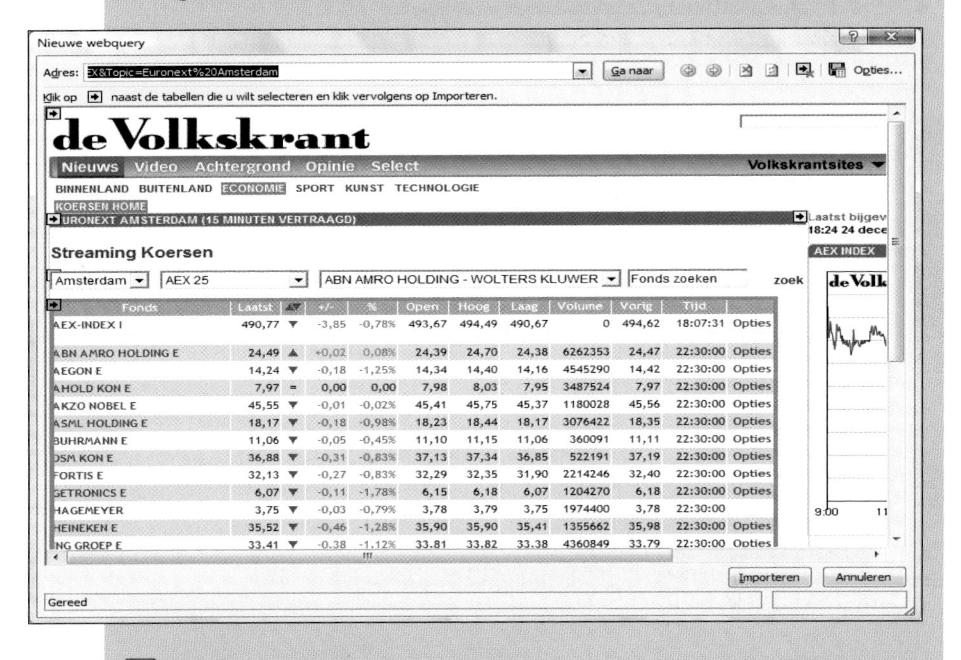

11. De gele pijl wordt een groen vinkje.

12. Klik op **Importeren**.

13. Heel even verschijnt linksboven in het nieuwe werkblad een regel met de instructie voor deze webquery. Daarna ziet u de gegevens.

Andersom werken

U kunt ook ongeveer halverwege beginnen, bij het venster **Vernieuwbare webquery**. In de oefening wordt een tweede serie getallen van dezelfde website opgehaald.

1. Klik op de tab van **Blad2**.

2. Klik op de tab **Gegevens**.

3 Klik in de groep **Externe gegevens ophalen** op **Van web**.

4 Het venster **Nieuwe webquery** verschijnt.

5 Surf naar **www.volkskrant.nl/redactie/economie/koersen.htm**

6 Klik bij **Amsterdam** op **Beleggingsfondsen**.

7 Klik op de koerslijst van de **Postbank**.

8 Klik weer op het gele pijltje om de tabel te selecteren.

9 Klik op **Importeren**.

10 Klik in het venster **Gegevens importeren** op **OK**.

Gegevens bijwerken

De naam "vernieuwbare webquery" geeft al aan dat de gegevens telkens ververst kunnen worden. Dat kunt u zelf doen. Klik daartoe op de tab **Gegevens** en klik op **Alles vernieuwen**. U kunt het bijwerken ook automatisch laten gebeuren, bijvoorbeeld ieder uur.

1 Klik in de groep **Verbindingen** op **Eigenschappen**.

2 Het venster **Eigenschappen** opent.

3 Vink onder **Vernieuwen** het vakje **Vernieuwen om de** aan.

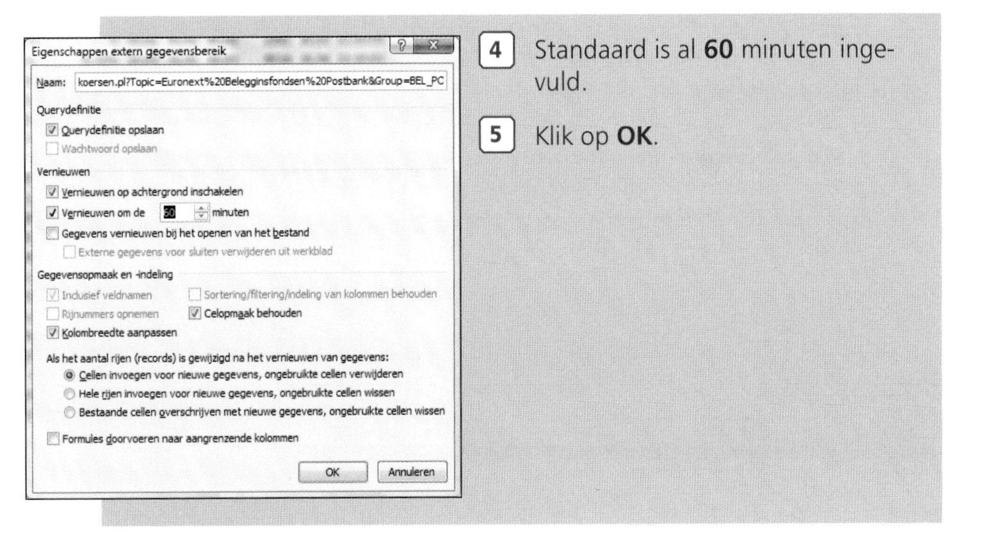

4 Standaard is al **60** minuten ingevuld.

5 Klik op **OK**.

Bestanden importeren

Ook in andere programma's schikt men de gegevens soms in de vorm van een tabel. Het kan dan voorkomen dat de gegevens in de verschillende kolommen gescheiden zijn door (punt)komma's of door een Tab. Toch kunnen zulke bestanden bewerkt worden in Excel.

Tekstbestand met komma's

Tekstbestand met komma - Kladblok

Bestand Bewerken Opmaak Beeld Help

```
Nr. ,Voornaam,Tussenv,Achternaam,Adres,Postcode,Plaats,Telefoon,Mobiel,Gebdat,Geslacht,Elftal,Contributie,Betaald,Categorie
2006001,Sjan,van de,Heuvel,Wekerom 5,7658 KN,Zeedam,0232020200,,12-4-1999,M,F3,48,12,Pupillen
1975014,Wilfred,de,Feiter,Aak 34,7464 MN,Enderen,0215651265,0656252366,31-12-1956,M,NB,130,130,Bestuur
2006002,Annemarie,den,Ameide,Achterom 10,7656 AB,Zeedam,0236758978,0667161761,12-2-1950,V,NB,130,0,Bestuur
2000001,Rudy,,Visser,Omloop 12,7650 BG,Zeedam,0235464688,0662392389,3-3-1991,M,B1,75,75,Junioren
2000002,Axel,,Visser,Omloop 12,7650 BG,Zeedam,0235464688,0652352633,3-3-1991,M,B1,75,75,Junioren
2006003,Mitchell,de,Vries,Fenkelstraat 5,7656 GH,Zeedam,0235463627,,1-1-1999,M,F1,48,12,Pupillen
2006004,Gregory,,Alma,Markt 13,7466 NN,Enderen,0215372919,,2-2-1999,M,F1,48,12,Pupillen
2006005,Bas,van,Delden,Boomweg 1,7655 GB,Zeedam,0235623423,,24-5-1999,M,F1,48,48,Pupillen
2006006,Amanda,,Epskamp,Appelstraat 5,7462 BB,Enderen,0215764525,,12-9-1998,V,F3,48,0,Pupillen
2001001,Sergio,,Boers,Molenstraat 6,7654 JK,Zeedam,0235643434,,12-12-1991,M,B1,75,75,Junioren
2001002,Melvin,de,Later,Sportpark 90,7655 HN,Zeedam,0235681913,0623782379,5-9-1990,M,B1,75,0,Junioren
2006007,Suzanne,van,Delden,Kerkplein 45,7656 HN,Zeedam,0235464637,,7-7-1999,V,F2,48,12,Pupillen
2006008,Casper,ten,Hoopen,Boomweg 13,7655 GB,Zeedam,0235746462,,2-5-1999,M,F2,48,12,Pupillen
2006009,Maikel,,Aalbers,Grindpad 24,7654 HJ,Zeedam,0235326272,,12-8-1999,M,F1,48,12,Pupillen
2006010,Jordy,,Boers,Molenstraat 6,7654 JK,Zeedam,0235643434,,13-4-1999,M,F3,48,48,Pupillen
2006011,Sascha,van,Maanen,Voorstraat 34,7453 HK,Enderen,0218484818,,31-12-1998,V,F3,48,0,Pupillen
2006012,Deborah,de,Zaage,Postweg 12,7659 HN,Zeedam,0235928271,,25-6-1999,V,F1,48,0,Pupillen
2001003,Cas,van,Daalen,Appelstraat 7,7462 BB,Enderen,0217648482,0612982183,3-3-1990,M,B1,75,75,Junioren
2001004,Ben,de,Jong,Dorpsstraat 45,7634 JK,Zeedam,0235763839,0612895642,24-6-1990,M,B1,75,0,Junioren
2006013,Aaltje,,Zegveld,Arenspad 56,7623 CX,Zeedam,0237492016,,4-4-1999,V,F2,48,0,Pupillen
2006014,Benjamin,van den,Hengel,Kruisstraat 23,7632 HN,Zeedam,0234363627,,27-5-1999,M,F1,48,0,Pupillen
2006015,Antoin,te ,Dantuma,Klaverweide 54,7656 NN,Zeedam,0234562365,,18-6-1999,M,F1,48,0,Pupillen
2006016,Fransesco,,Blijeveld,Raadhuisplein 57,7642 FV,Zeedam,0235362728,,8-9-1999,M,F2,48,0,Pupillen
2006017,Adrie,,Kamperveen,Schelpenpad 92,7632 OP,Zeedam,0235372828,,13-6-1999,M,F3,48,0,Pupillen
2006018,Nick,de,Berk,Heuvelweg 38,7645 AS,Zeedam,0236573822,,12-2-1999,M,F2,48,0,Pupillen
2006019,Hans,van,Drooge,Bentveld 23,7683 VF,Zeedam,0235472738,,24-12-1998,M,F2,48,12,Pupillen
2006020,Antje,de,Haan,Markt 56,7466 NM,Enderen,0217236237,,13-3-1999,V,F2,48,12,Pupillen
2006021,Bennie,van,Boekel,Wederik 4,7644 JK,Zeedam,0235423802,,4-5-1999,M,F3,48,12,Pupillen
2006022,Jerry,den,Braber,Houtwal 3,7677 LP,Zeedam,0232376273,,27-6-1999,M,F3,48,48,Pupillen
2001005,Ali,,Hammouti,Houtwal 5,7677 LP,Zeedam,0232365234,,4-3-1990,M,B1,75,75,Junioren
2006023,Esther,ten,Brinke,Brink 15,7623 BP,Zeedam,0232367435,,13-4-1999,V,F3,48,48,Pupillen
2001006,Hamid,,Zouaf,Buitenhof 23,7455 BN,Enderen,0212346724,0623782375,25-8-1990,M,B1,75,75,Junioren
```

Een tekstbestand bestaat uit een opsomming van gegevens die van elkaar worden gescheiden door komma's. Dit kunt u bekijken met een eenvoudig programma als Kladblok.

Wat gebeurt er wanneer zo'n bestand wordt geopend in Excel? Eerst moet u ervoor zorgen dat het bestand getoond wordt in de lijst met te openen bestanden. Standaard verschijnen daar alleen de bestanden die direct met Excel kunnen worden geopend. Dit is eenvoudig op te lossen!

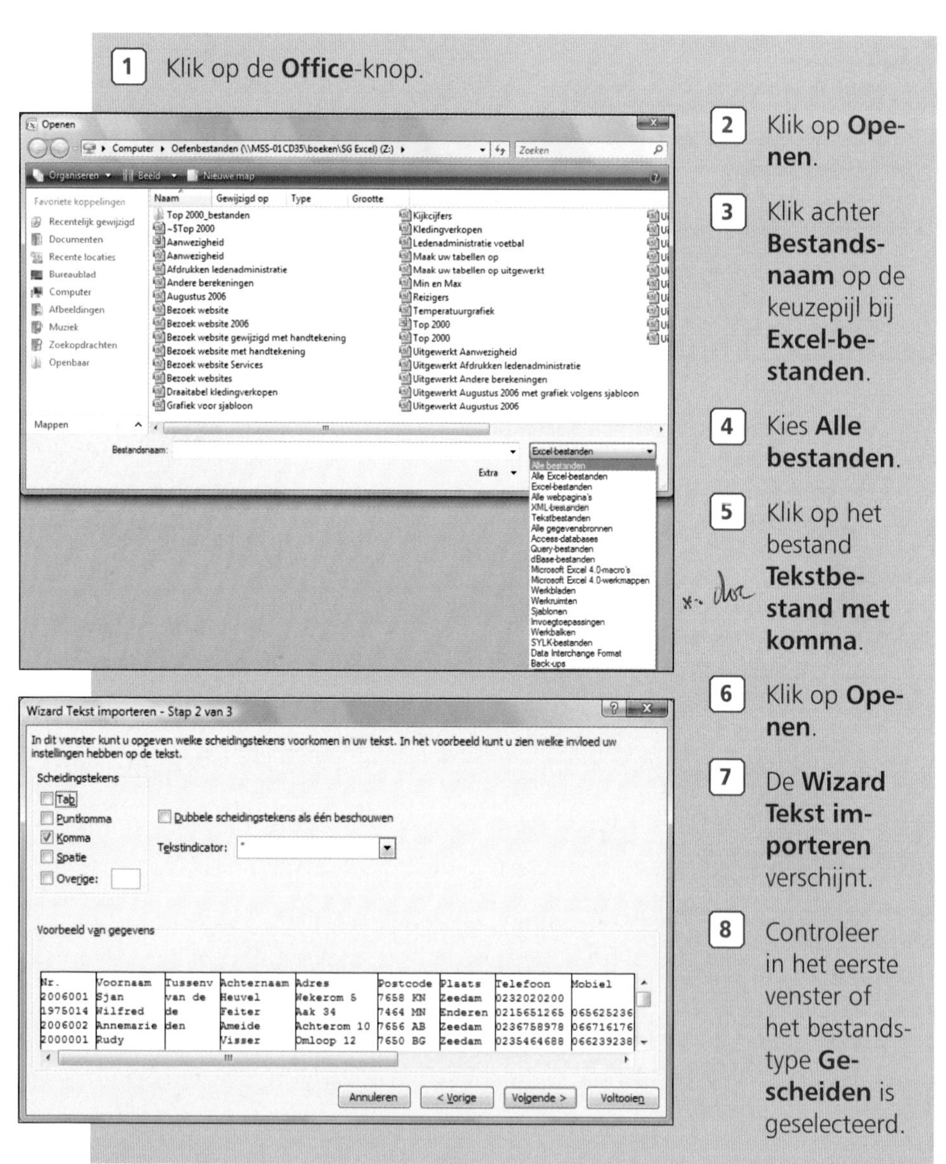

1 Klik op de **Office**-knop.

2 Klik op **Openen**.

3 Klik achter **Bestandsnaam** op de keuzepijl bij **Excel-bestanden**.

4 Kies **Alle bestanden**.

5 Klik op het bestand **Tekstbestand met komma**.

6 Klik op **Openen**.

7 De **Wizard Tekst importeren** verschijnt.

8 Controleer in het eerste venster of het bestandstype **Gescheiden** is geselecteerd.

9. Klik op **Volgende**.
10. In het tweede venster vinkt u **Komma** aan.
11. Vink **Tab** uit.
12. Het voorbeeld ziet er al heel wat beter uit.
13. Klik op **Volgende**.

Deze derde stap is heel belangrijk want bij het importeren zal Excel beoordelen welk type gegevens in een bepaalde kolom staan. Zo is het duidelijk dat de namen en de adressen bestaan uit tekst en dat de kolom met de geboortedata bestaat uit datums. Maar wat nu met de telefoonnummers … zijn dat getallen? Nee, hier moet u heel duidelijk aangeven dat het om tekst gaat!

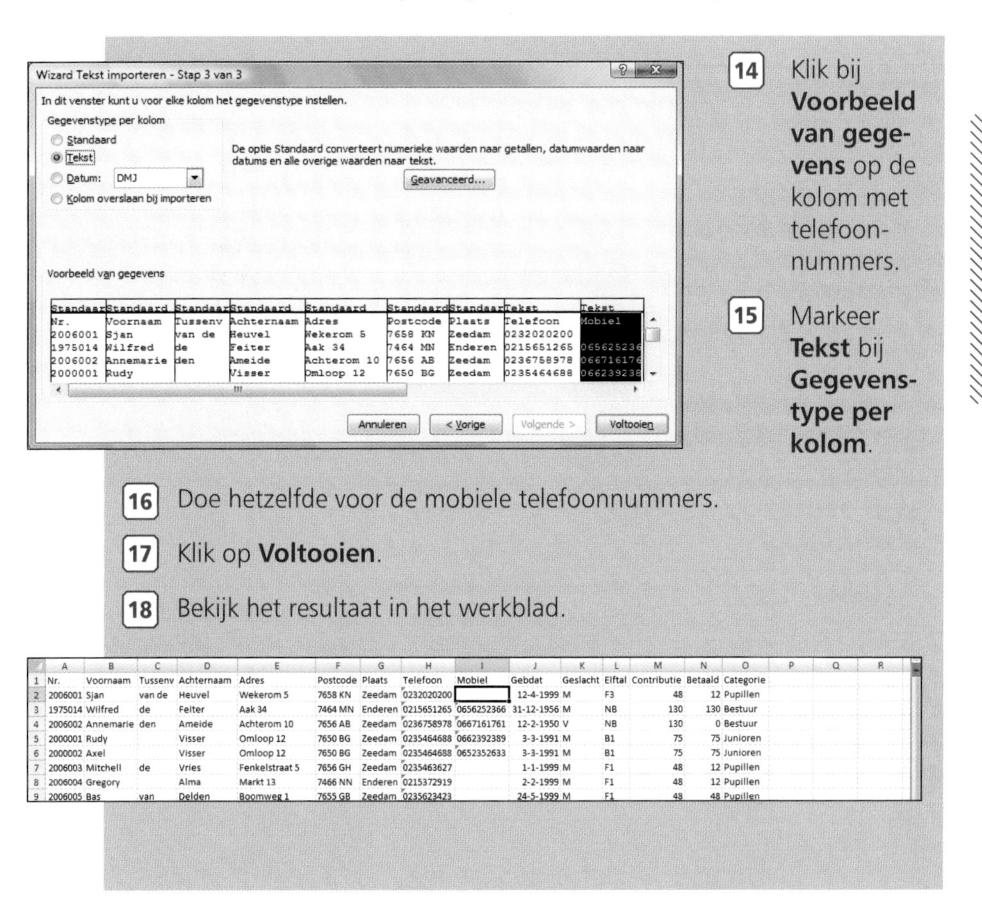

14. Klik bij **Voorbeeld van gegevens** op de kolom met telefoonnummers.
15. Markeer **Tekst** bij **Gegevenstype per kolom**.
16. Doe hetzelfde voor de mobiele telefoonnummers.
17. Klik op **Voltooien**.
18. Bekijk het resultaat in het werkblad.

	A	B	C	D	E	F	G	H	I	J	K	L	M	N	O	P	Q	R
1	Nr.	Voornaam	Tussenv	Achternaam	Adres	Postcode	Plaats	Telefoon	Mobiel	Gebdat	Geslacht	Elftal	Contributie	Betaald	Categorie			
2	2006001	Sjan	van de	Heuvel	Wekerom 5	7658 KN	Zeedam	0232020200		12-4-1999	M	F3	48	12	Pupillen			
3	1975014	Wilfred	de	Feiter	Aak 34	7464 MN	Enderen	0215651265	0656252366	31-12-1956	M	NB	130	130	Bestuur			
4	2006002	Annemarie	den	Ameide	Achterom 10	7656 AB	Zeedam	0236758978	0667161761	12-2-1950	V	NB	130	0	Bestuur			
5	2000001	Rudy		Visser	Omloop 12	7650 BG	Zeedam	0235464688	0662392389	3-3-1991	M	B1	75	75	Junioren			
6	2000002	Axel		Visser	Omloop 12	7650 BG	Zeedam	0235464688	0652352633	3-3-1991	M	B1	75	75	Junioren			
7	2006003	Mitchell	de	Vries	Fenkelstraat 5	7656 GH	Zeedam	0235463627		1-1-1999	M	F1	48	12	Pupillen			
8	2006004	Gregory		Alma	Markt 13	7466 NN	Enderen	0215372919		2-2-1999	M	F1	48	12	Pupillen			
9	2006005	Bas	van	Delden	Boomweg 1	7655 GB	Zeedam	0235623423		24-5-1999	M	F1	48	48	Pupillen			

Komma-gescheiden-bestand (csv)

Een andere veelgebruikte bestandsindeling is .csv (comma-separated values). Hiermee wordt aangegeven dat er scheidingstekens zijn gebruikt. De c is een beetje misleidend want het kan ook om andere tekens gaan, bijvoorbeeld de puntkomma.

Hetzelfde oefenbestand (**Komma gescheiden ledenadministratie**) is ook opgeslagen in deze indeling en dit gaat u nu openen. Voor Excel is het nog niet duidelijk wat er met de gegevens moet gebeuren. De tekst wordt inclusief de komma's in kolom A neergezet. Zo kan de functie **Tekst naar kolommen** worden gedemonstreerd. Het kan ook voorkomen dat bestanden in deze indeling wel in één keer goed worden weergegeven.

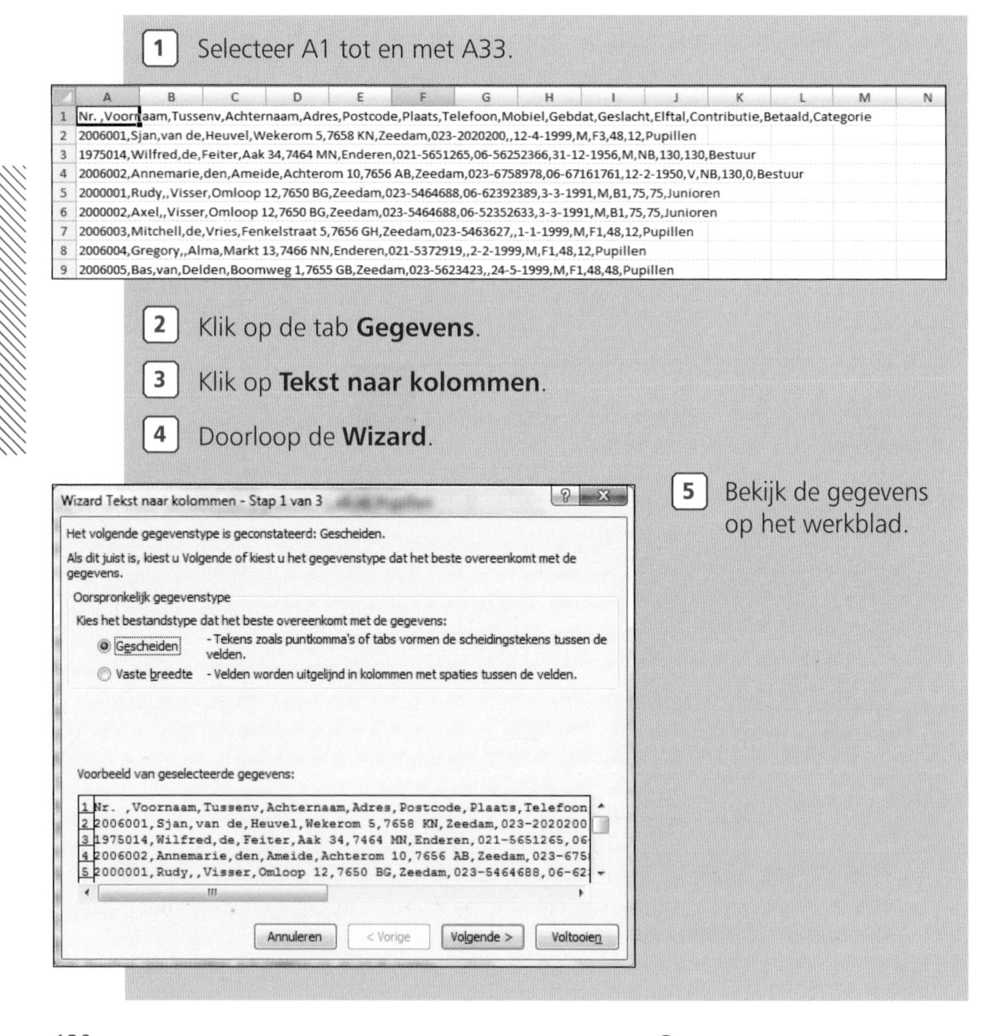

1. Selecteer A1 tot en met A33.
2. Klik op de tab **Gegevens**.
3. Klik op **Tekst naar kolommen**.
4. Doorloop de **Wizard**.
5. Bekijk de gegevens op het werkblad.

Koppeling plakken

Stel, u typt een jaarverslag in de tekstverwerker Word. Daarin wilt u resultaten verwerken die beschikbaar zijn als een tabel in Excel (bestand **Bezoek website**). Even kopiëren en plakken dus! Echter, hier schuilt een addertje onder het gras... Als er later iemand in het Excel-bestand de titeltjes gaat wijzigen, dan wordt dit niet bijgewerkt in Word. Gebruik dus hier de optie **Koppeling plakken**.

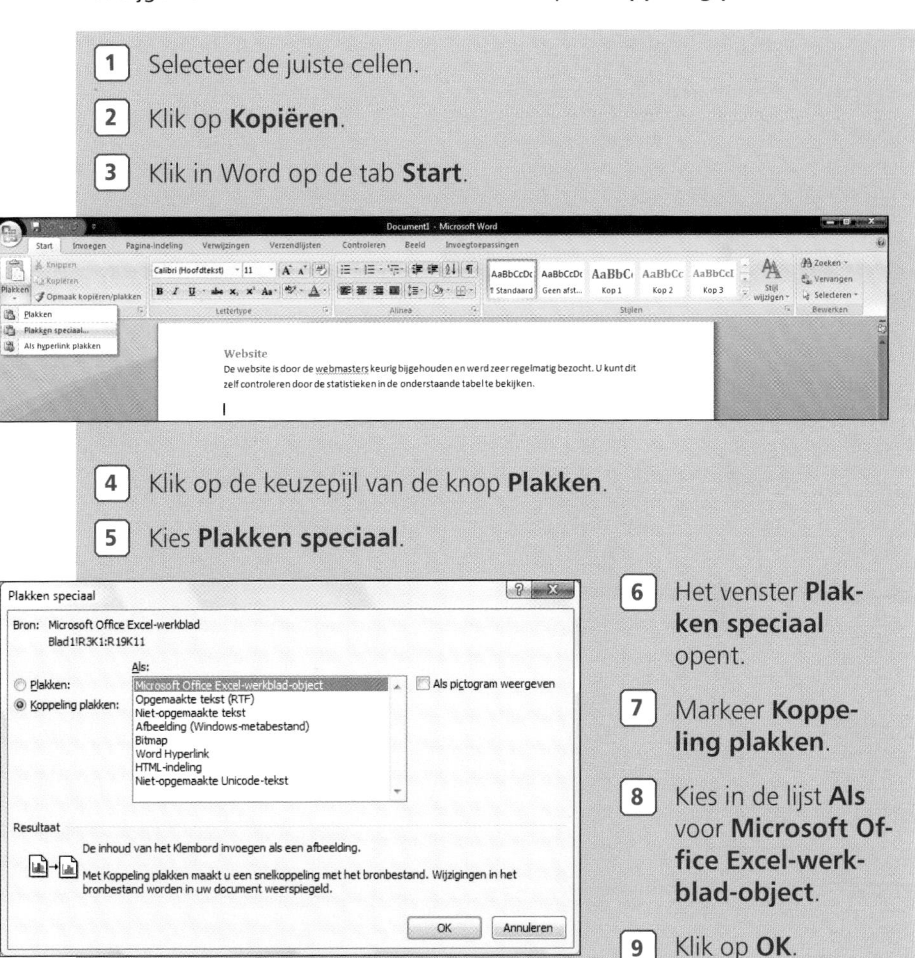

1. Selecteer de juiste cellen.
2. Klik op **Kopiëren**.
3. Klik in Word op de tab **Start**.
4. Klik op de keuzepijl van de knop **Plakken**.
5. Kies **Plakken speciaal**.
6. Het venster **Plakken speciaal** opent.
7. Markeer **Koppeling plakken**.
8. Kies in de lijst **Als** voor **Microsoft Office Excel-werkblad-object**.
9. Klik op **OK**.

De gekoppelde tabel wordt geplakt en wijzigingen in het originele Excel-bestand zullen meteen te zien zijn in het jaarverslag. Om wijzigingen aan te brengen dubbelklikt u in het jaarverslag op de tabel en Excel opent direct met het juiste bestand.

In dit hoofdstuk hebt u gezien hoe u gegevens vanuit Excel op verschillende manieren kunt exporteren en importeren.

Afdrukken

Een afdruk op papier is nog steeds handig als het erop aankomt gegevens te archiveren of gewoon na te lezen. Afdrukken in Excel vraagt extra aandacht, want een werkblad kan zo groot zijn dat een A4-vel niet volstaat. Gelukkig biedt het programma een aantal mogelijkheden en opties om daar een mouw aan te passen.

Een brede tabel printen

U gaat werken met het oefenbestand **Afdrukken ledenadministratie**.

1. Klik op het tabblad **Pagina-indeling**.

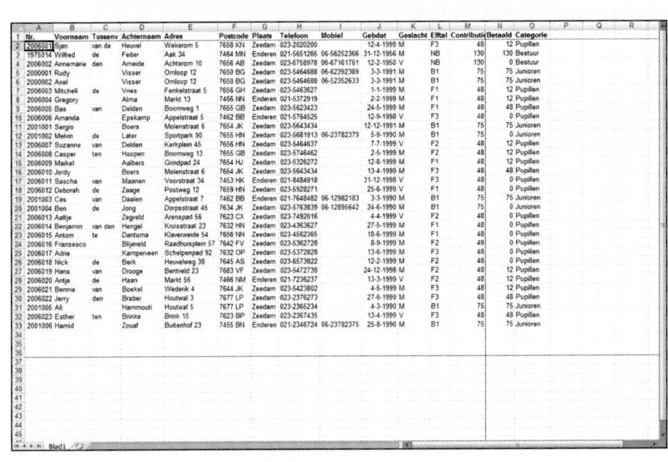

2. Klik op de knop **Afdrukstand**.
3. Klik op **Liggend**.
4. Bekijk de stippellijnen op het werkblad.

De marges aanpassen

Door de standaard marges iets te versmallen kunt u ervoor zorgen dat er meer op het vel past.

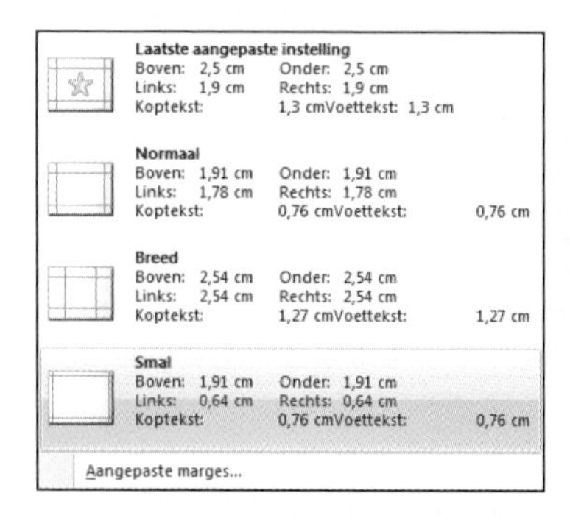

1. Klik op de knop **Marges**.
2. Klik op **Smal**.
3. Bekijk de wijziging in het werkblad.

Helaas passen nog niet alle gegevens van de ledenlijst op dat ene vel papier. Om dit te verhelpen bestaat er een andere werkwijze:

1. Klik op het startpictogram in de groep **Aanpassen aan pagina**.

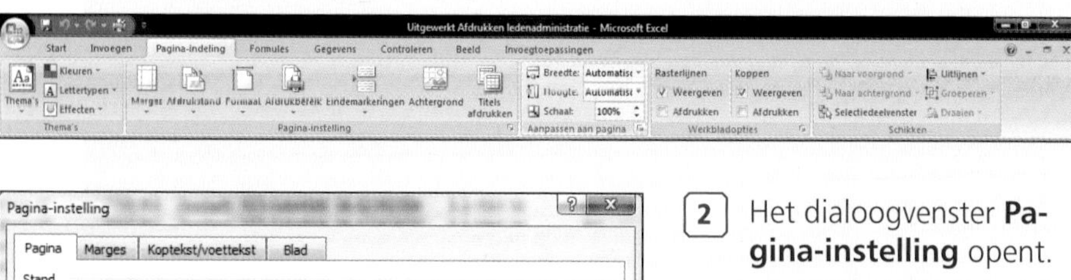

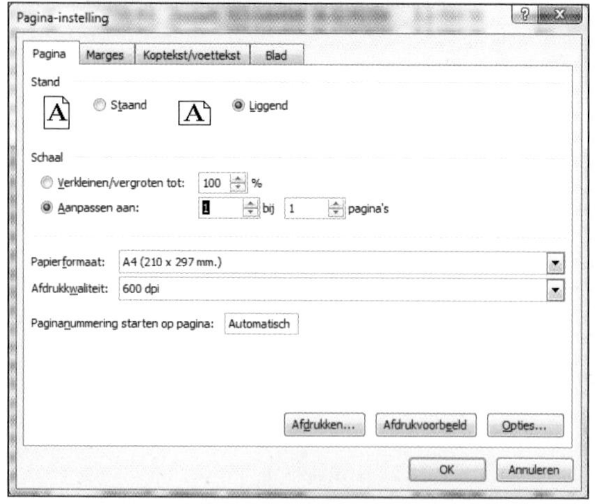

2. Het dialoogvenster **Pagina-instelling** opent.
3. Bij **Schaal** markeert u **Aanpassen aan**.
4. Controleer of in beide vakjes **1** staat.
5. Klik op **OK**.
6. De stippellijnen zijn nu verdwenen.

In de groep **Aanpassen aan pagina** kunt u dit ook instellen door bij **Breedte** en bij **Hoogte** te kiezen voor **1 pagina**.

Afdrukvoorbeeld

Het afdrukvoorbeeld is een handige hulp om op voorhand te zien hoe het gedrukte resultaat eruit zal zien. Klik op de Office-knop en selecteer dan bij **Afdrukken** de optie **Afdrukvoorbeeld**. Het kan ook zo:

1. Klik op het startpictogram in de groep **Aanpassen aan pagina**.
2. Het venster **Pagina-instelling** verschijnt.
3. Klik op de knop **Afdrukvoorbeeld**.
4. Bekijk het voorbeeld van de pagina.

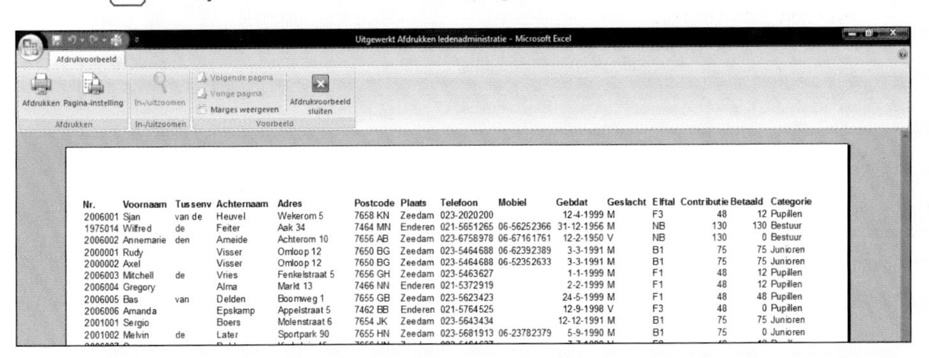

Nr.	Voornaam	Tussenv	Achternaam	Adres	Postcode	Plaats	Telefoon	Mobiel	Gebdat	Geslacht	Elftal	Contributie	Betaald	Categorie
2006001	Sjan	van de	Heuvel	Wekerom 5	7658 KN	Zeedam	023-2020200		12-4-1999	M	F3	48	12	Pupillen
1975014	Wilfred	de	Feiter	Aak 34	7464 MN	Enderen	021-5651265	06-56252366	31-12-1956	M	NB	130	130	Bestuur
2006002	Annemarie	den	Ameide	Achterom 10	7656 AB	Zeedam	023-6758978	06-67161761	12-2-1950	V	NB	130	0	Bestuur
2000001	Rudy		Visser	Omloop 12	7650 BG	Zeedam	023-5464688	06-62392389	3-3-1991	M	B1	75	75	Junioren
2000002	Axel		Visser	Omloop 12	7650 BG	Zeedam	023-5464688	06-52352633	3-3-1991	M	B1	75	75	Junioren
2006003	Mitchell	de	Vries	Fenkelstraat 5	7656 GH	Zeedam	023-5463627		1-1-1999	M	F1	48	12	Pupillen
2006004	Gregory		Alma	Markt 13	7466 NN	Enderen	021-5372919		2-2-1999	M	F1	48	12	Pupillen
2006005	Bas	van	Delden	Boomweg 1	7655 GB	Zeedam	023-5623423		24-5-1999	M	F1	48	48	Pupillen
2006006	Amanda		Epskamp	Appelstraat 5	7462 BB	Enderen	021-5764525		12-9-1998	V	F3	48	0	Pupillen
2001001	Sergio		Boers	Molenstraat 6	7654 JK	Zeedam	023-5643434		12-12-1991	M	B1	75	75	Junioren
2001002	Melvin	de	Later	Sportpark 90	7655 HN	Zeedam	023-5681913	06-23782379	5-9-1990	M	B1	75	0	Junioren

5. Bekijk de mogelijkheden in het lint.
6. Klik op **Afdrukvoorbeeld sluiten**.

Pagina-indeling

Nieuw in Excel 2007 is de weergave **Pagina-indeling**.

Is in een werkblad de titelblokkering actief, dan levert dat bij het overschakelen naar deze weergave een melding op dat dit niet compatibel is met **Pagina-indeling**. Op dat moment wordt de titelblokkering uitgezet.

1 Klik op het tabblad **Beeld**.

2 Klik op **Pagina-indeling**.

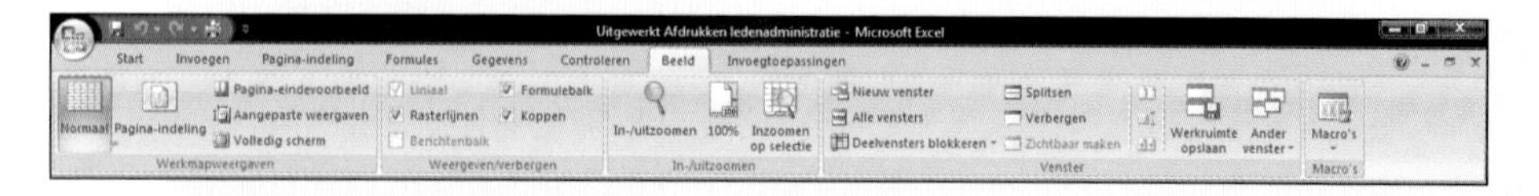

3 Er verschijnt een waarschuwing.

4 Klik op **OK**.

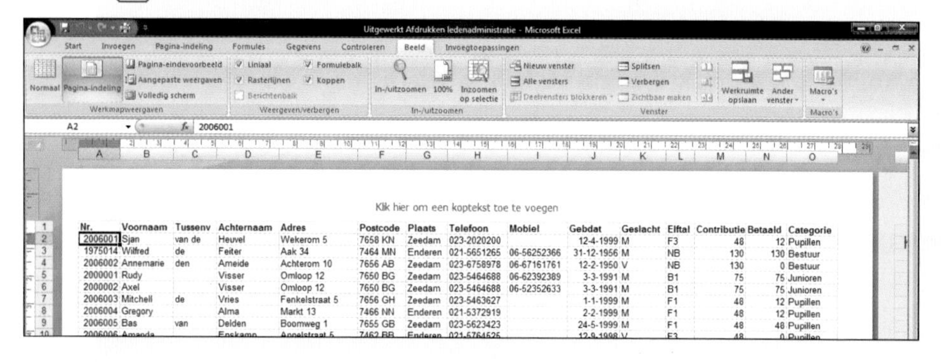

5 Hier valt iets bijzonders op: linialen!

Kop- en voetteksten

In de weergave **Pagina-indeling** is er opvallend ruimte gemaakt voor het invullen en bewerken van de kop- en voettekst. Komt de muisaanwijzer op zo'n gebied, dan verschijnt een kleine tabel (één rij en drie kolommen). Door in één van de vakken te klikken, wordt een nieuw tabblad toegevoegd aan het lint, namelijk het tabblad **Ontwerpen**. Er zijn mogelijkheden toegevoegd zoals het maken van een afwijkende koptekst voor de eerste pagina, het werken met verschillende kop- en voetteksten voor even en oneven pagina's, vergroten/verkleinen met de instellingen in het document en het aanpassen van de uitlijning aan de paginamarges. Dit laatste ziet u pas op het moment dat u in één van de zijvakken klikt; dan wordt de grootte aangepast aan de marges van de pagina.

1. Klik in de koptekst.
2. Er verschijnen drie vakken: klik in het linkervak.

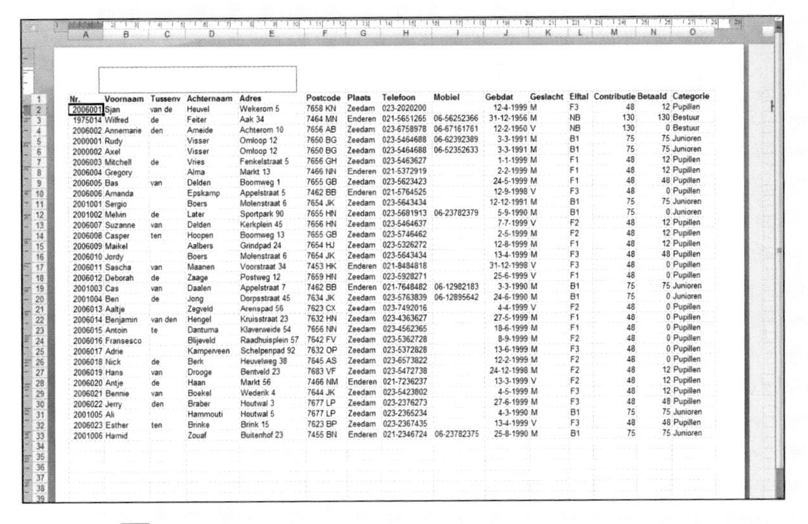

3. Typ: Ledenlijst
4. Druk twee keer op [Tab].
5. Het rechtervak is nu geselecteerd.

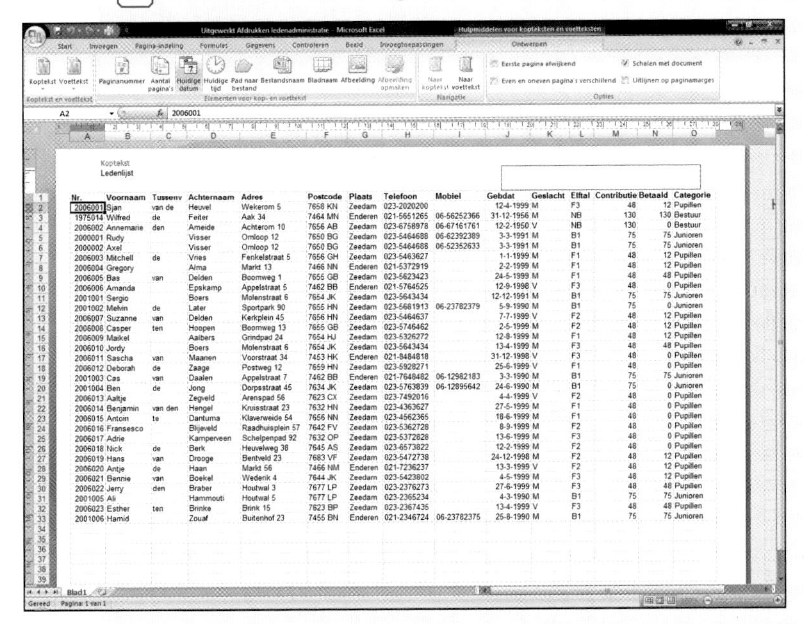

6. Klik in de groep **Elementen voor kop- en voettekst** op **Huidige datum**.

7. De code **&[Datum]** is ingevoegd en zal de echte datum tonen zodra een ander vak wordt geselecteerd.

8. Klik in het linkervak van de voettekst.

9. Klik op de knop **Bestandsnaam**.

10. Klik in het rechtervak van de voettekst.

11. Klik op de knop **Paginanummer**.

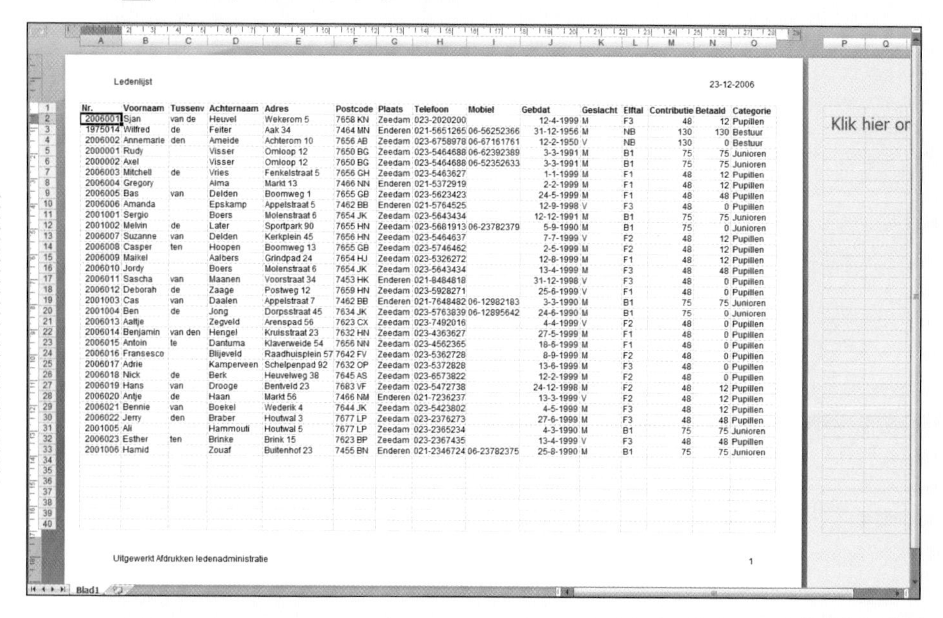

Ledenlijst 23-12-2006

Nr.	Voornaam	Tussenv	Achternaam	Adres	Postcode	Plaats	Telefoon	Mobiel	Gebdat	Geslacht	Elftal	Contributie	Betaald	Categorie
2006001	Sjan	van de	Heuvel	Wekerom 5	7658 KN	Zeedam	023-2020200		12-4-1999	M	F3	48	12	Pupillen
1975014	Wilfred	de	Feiter	Aak 34	7464 MN	Enderen	021-5651265	06-56252366	31-12-1956	M	NB	130	130	Bestuur
2006002	Annemarie	den	Ameide	Achterom 10	7656 AB	Zeedam	023-6758978	06-67161761	12-2-1950	V	NB	130	0	Bestuur
2000001	Rudy		Visser	Omloop 12	7650 BG	Zeedam	023-5464688	06-62392389	3-3-1991	M	B1	75	75	Junioren
2000002	Axel		Visser	Omloop 12	7650 BG	Zeedam	023-5464688	06-52352633	3-3-1991	M	B1	75	75	Junioren
2006003	Mitchell	de	Vries	Fenkelstraat 5	7656 GH	Zeedam	023-5463627		1-1-1999	M	F1	48	12	Pupillen
2006004	Gregory		Alma	Markt 13	7466 NN	Enderen	021-5372919		2-2-1999	M	F1	48	12	Pupillen
2006005	Bas	van	Delden	Boomweg 1	7655 GB	Zeedam	023-5623423		24-5-1999	M	F1	48	48	Pupillen
2006006	Amanda		Epskamp	Appelstraat 5	7462 BB	Enderen	021-5764525		12-9-1998	V	F3	48	0	Pupillen
2001001	Sergio		Boers	Molenstraat 6	7654 JK	Zeedam	023-5643434		12-12-1991	M	B1	75	75	Junioren
2001002	Melvin	de	Later	Sportpark 90	7655 HN	Zeedam	023-5681913	06-23782379	5-9-1990	M	B1	75	0	Junioren
2006007	Suzanne	van	Delden	Kerkplein 45	7656 HN	Zeedam	023-5464637		7-7-1999	V	F2	48	12	Pupillen
2006008	Casper	ten	Hoopen	Boomweg 13	7655 GB	Zeedam	023-5746462		2-5-1999	M	F2	48	12	Pupillen
2006009	Maikel		Aalbers	Grindpad 24	7654 HJ	Zeedam	023-5326272		12-8-1999	M	F1	48	12	Pupillen
2006010	Jordy		Boers	Molenstraat 6	7654 JK	Zeedam	023-5643434		13-4-1999	M	F3	48	48	Pupillen
2006011	Sascha	van	Maanen	Voorstraat 34	7453 HK	Enderen	021-8484818		31-12-1998	V	F3	48	0	Pupillen
2006012	Deborah	de	Zaage	Postweg 12	7659 HN	Zeedam	023-5928271		25-6-1999	V	F1	48	0	Pupillen
2001003	Cas	van	Daalen	Appelstraat 7	7462 BB	Enderen	021-7648482	06-12982183	3-3-1990	M	B1	75	75	Junioren
2001004	Ben	de	Jong	Dorpsstraat 45	7634 JK	Zeedam	023-5763839	06-12895642	24-6-1990	M	B1	75	0	Junioren
2006013	Aaltje		Zegveld	Arenspad 56	7623 CX	Zeedam	023-7492016		4-4-1999	V	F2	48	0	Pupillen
2006014	Benjamin	van den	Hengel	Kruisstraat 23	7632 HN	Zeedam	023-4363627		27-5-1999	M	F1	48	0	Pupillen
2006015	Antoin	te	Dantuma	Klaverweide 54	7656 NN	Zeedam	023-4562365		18-6-1999	M	F1	48	0	Pupillen
2006016	Fransesco		Blijeveld	Raadhuisplein 57	7642 FV	Zeedam	023-5362728		8-9-1999	M	F2	48	0	Pupillen
2006017	Adrie		Kamperveen	Schelpenpad 92	7632 OP	Zeedam	023-5372828		13-6-1999	M	F3	48	0	Pupillen
2006018	Nick	de	Berk	Heuvelweg 38	7645 AS	Zeedam	023-6573822		12-2-1999	M	F2	48	0	Pupillen
2006019	Hans	van	Drooge	Bentveld 23	7683 VF	Zeedam	023-5472738		24-12-1998	M	F2	48	12	Pupillen
2006020	Antje	de	Haan	Markt 56	7466 NM	Enderen	021-7236237		13-3-1999	V	F2	48	12	Pupillen
2006021	Bennie	van	Boekel	Wederik 4	7644 JK	Zeedam	023-5423802		4-5-1999	M	F3	48	12	Pupillen
2006022	Jerry	den	Braber	Houtwal 3	7677 LP	Zeedam	023-2376273		27-6-1999	M	F3	48	48	Pupillen
2001005	Ali		Hammouti	Houtwal 5	7677 LP	Zeedam	023-2365234		4-3-1990	M	B1	75	75	Junioren
2006023	Esther	ten	Brinke	Brink 15	7623 BP	Zeedam	023-2367435		13-4-1999	V	F3	48	48	Pupillen
2001006	Hamid		Zouaf	Buitenhof 23	7455 BN	Enderen	021-2346724	06-23782375	25-8-1990	M	B1	75	75	Junioren

Uitgewerkt Afdrukken ledenadministratie 1

12. Bekijk het resultaat.

Titels herhalen op meerdere vellen

Vaak is het onvermijdelijk dat uw tabellen over meerdere pagina's verspreid staan. Dan is het wel prettig als boven iedere kolom of voor iedere rij het titeltje herhaald wordt en dus af te lezen valt wat al die gegevens betekenen. Om dit op het beeldscherm te blijven zien, gebruikt u **Titels blokkeren**. Voor het afdrukken moet u aangeven welke rij(en) en welke kolom(men) herhaald moeten worden. Deze instelling vindt u op het tabblad **Pagina-indeling**.

In de oefening moet u eerst de schaalaanpassing (1 bij 1 pagina) ongedaan maken door aan te geven dat er weer op 100% moet worden afgedrukt.

Twee kolommen passen bij de normale instelling (de stand **Liggend** is niet aangepast) niet meer op het eerste vel. Het is daarom handig als kolom A met het lidnummer op pagina 2 herhaald kan worden. Maar nog mooier is het wanneer de eerste vier kolommen worden herhaald.
Bij het afdrukken worden kolommen en rijen die u herhaalt ook 'titels' genoemd.

1 Klik op de knop **Titels afdrukken**.

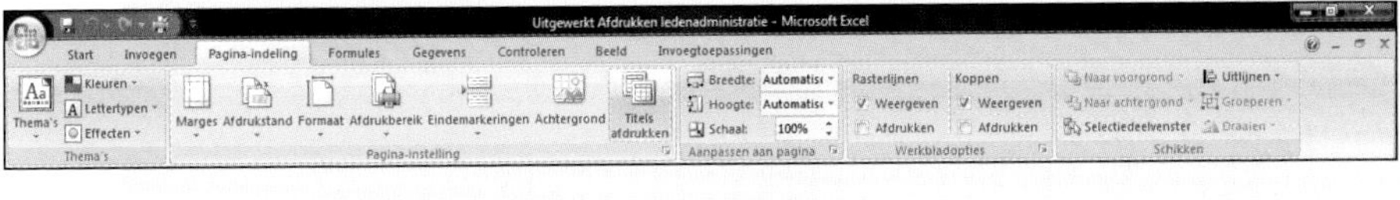

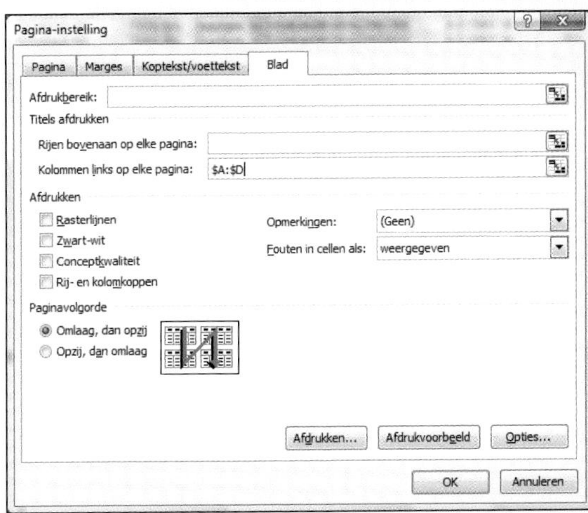

2 Het dialoogvenster **Pagina-instelling** verschijnt.

3 Klik in het vak **Kolommen links op elke pagina**.

4 Sleep nu over de cellen A tot en met D.

5 Klik in het venster op **Afdrukvoorbeeld**.

6 Bekijk de eerste pagina.

7 Klik in de groep **Voorbeeld** op **Volgende pagina**.

8 Bekijk nu het tweede blad.

9 De eerste vier kolommen worden netjes herhaald.

10 Klik op **Afdrukvoorbeeld sluiten**.

Hetzelfde principe geldt voor rijen. Deze instelling wordt met het bestand opgeslagen en zal bij de volgende afdruk ook gebruikt worden.

Lijnen afdrukken

Soms kan het wenselijk zijn om alleen lijnen om de gegevens te zien op de afdruk. Ook dat kan met één instelling: in de groep **Werkbladopties** is zowel voor de rasterlijnen als de koppen aan te geven dat deze ook moeten worden afgedrukt. Verwar de koppen niet met kopteksten, want hiermee wordt bedoeld de kolomkoppen (A, B, C enzovoort) en de rijcijfers.

1 Vink **Afdrukken** aan in de groep **Werkbladopties**.

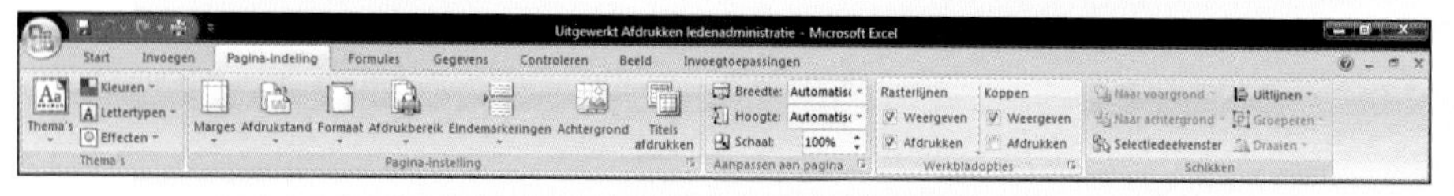

2 Klik op het **Startpictogram** van deze groep.

3 **Pagina-instelling** opent met het tabblad **Blad**.

4 **Rasterlijnen** is aangevinkt.

Pagina-einde invoegen en verwijderen

De pagina-indeling kunt u zelf nog wat meer aanpassen, bijvoorbeeld het pagina-einde. In het oefenbestand wilt u bepaalde kolommen niet afdrukken. Het pagina-einde dat nu rechts van kolom N ligt (stippellijn), zou beter na kolom L komen. Een pagina-einde voegt u in door de cel te selecteren die op een nieuwe pagina moet komen.

1 Klik in cel M1.

2 Klik op de tab **Pagina-indeling**.

3 Klik in de groep **Pagina-instelling** op **Eindemarkeringen**.

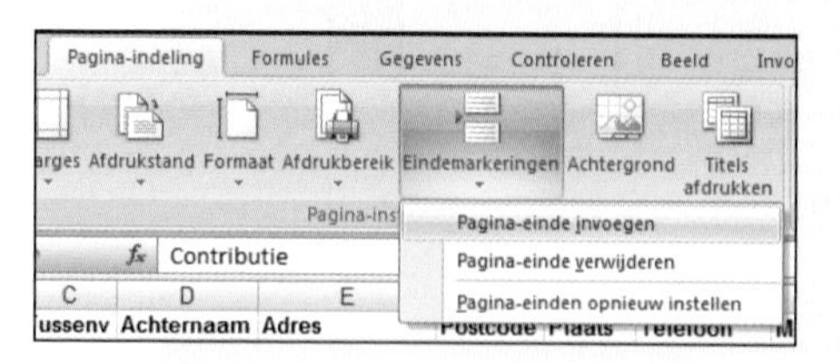

4 Kies **Pagina-einde invoegen**.

5 Bekijk de nieuwe plek van de stippellijn.

Bij **Eindemarkeringen** kan ook een pagina-einde worden verwijderd. Klik in de eerste cel na het pagina-einde dat moet worden verwijderd. Excel zal dan weer de ruimte op de pagina invullen met zoveel mogelijk gegevens.

Pagina-einde verslepen

Een andere manier om de plaats van de pagina-einden aan te passen is te kiezen voor een andere weergave. Met blauwe lijnen kunt u dan de pagina's zelf indelen. Hiertoe moet u wel de tab **Beeld** selecteren. In het voorbeeld wordt eerst gesorteerd op elftal en worden de gegevens van elk elftal op een nieuwe pagina afgedrukt.

1. Klik in kolom L.
2. Klik op de tab **Start**.
3. Klik in de groep **Bewerken** op **Sorteren en filteren**.
4. Klik op **Sorteren van A naar Z**.
5. Klik op de tab **Beeld**.

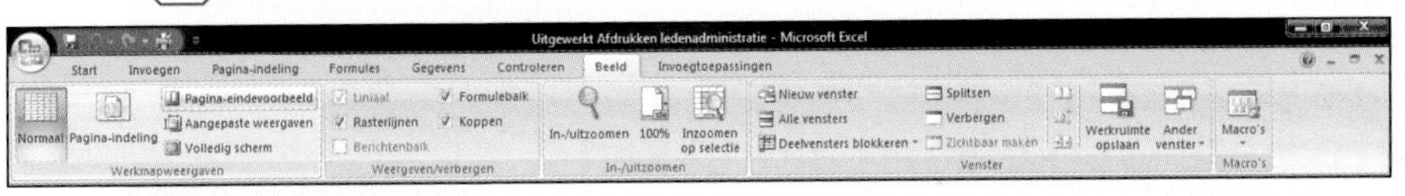

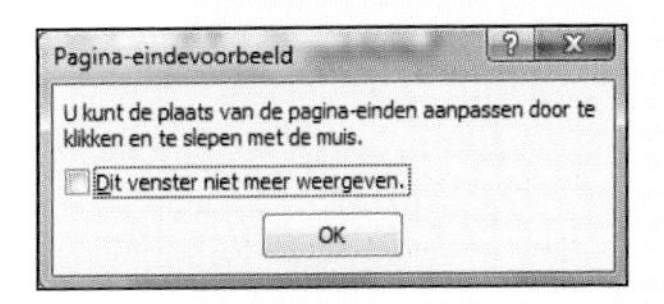

6. Klik in de groep **Werkmapweergaven** op **Pagina-eindevoorbeeld**.
7. Het instructievenstertje verschijnt.
8. Klik op **OK**.

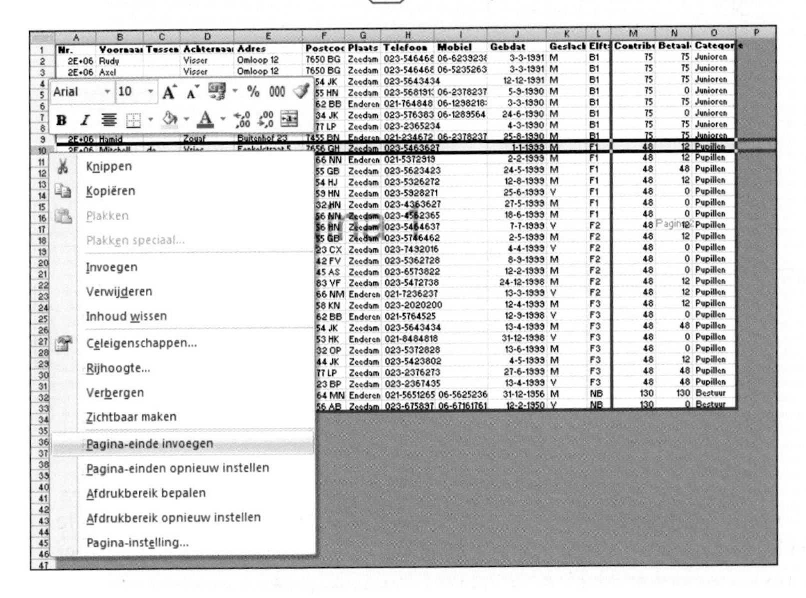

9. Het elftal B1 komt tot en met rij 9.
10. Rechtsklik op rijcijfer **10**.
11. Klik op **Pagina-einde invoegen**.
12. Herhaal dit bij rij 17, 24 en 32.

Het is nu wel beter om rij 1 als titel in te stellen. Dan komt de inhoud van deze rij op iedere pagina terug.

Op een werkblad met meer gegevens ziet u in het begin al meer blauwe lijnen en kunt dan meteen beginnen met slepen. Om weer met het gewone beeld te kunnen werken, klikt u op de tab **Beeld** en vervolgens in de groep **Werkmap-weergaven** op **Normaal**.

Meerdere werkbladen afdrukken

Standaard wordt alleen het actieve werkblad afgedrukt. Maar u wilt vast wel eens in één keer de gegevens op meerdere werkbladen of zelfs de hele werkmap afdrukken. Voor dat laatste klikt u in het dialoogvenster **Afdrukken** gewoon voor **Hele werkmap** en alles wordt afgedrukt. Wilt u meerdere werkbladen af-drukken, dan moet u deze selecteren door op de werkbladtabs te klikken. Doe dat met ingedrukte [Ctrl]- of [Shift]-toets.

In dit hoofdstuk hebt u bekeken hoe u Excel-gegevens afdrukt en hoe u bepaalt hoe de afdruk eruit komt te zien. Door hier wat tijd aan te besteden voordat u gaat printen, voorkomt u dat er een hoop onbruikbaar papier uit de printer komt.

Praktische voorbeelden 10

In dit laatste hoofdstuk komen nog een aantal praktische oefeningen aan bod. U ziet onder andere hoe u kunt voorkomen dat ongeldige waarden worden ingevoerd. Daarnaast wordt ook gebruik gemaakt van de zoekfunctie. Voor het bedrijf dat kleding verkoopt via verschillende filialen moet een bestellijst worden gemaakt. Hiervan gaat u twee versies maken.

Bestellijst maken

De eerste lijst wordt een formulier waarop de artikelen al zijn ingevuld. De werknemer hoeft alleen maar de aantallen in te vullen en het filiaal op te geven. Open het bestand **Bestellingen Kledingverkopen** en bekijk de ingevulde gegevens op het werkblad **Bestellijst 1**.

Op het werkblad **Artikelen** staan de gegevens die nodig zijn voor de bestellijst. Deze gegevens moeten op het werkblad **Bestellijst 1** komen. Maar elke wijziging op het werkblad **Artikelen** moet automatisch worden aangepast in de bestellijst zelf. Eerst wordt op het werkblad **Artikelen** een selectie gemaakt van de benodigde gegevens.

	A	B	C	D
1	Artikelnummer	Omschrijving	Prijs	Inkoop
2	BM34L	Bermuda	€ 13,95	€ 4,19
3	BM34M	Bermuda	€ 12,75	€ 3,85
4	BM34S	Bermuda	€ 11,50	€ 3,65
5	BX75L	Boxershort	€ 9,75	€ 3,25
6	BX75M	Boxershort	€ 8,95	€ 2,75
7	BX75S	Boxershort	€ 7,50	€ 2,95
8	SH12L	Short	€ 24,25	€ 8,45
9	SH12M	Short	€ 23,75	€ 8,65
10	SH12S	Short	€ 22,50	€ 7,25

1. Selecteer A2 tot en met A10.
2. Houd [Ctrl] ingedrukt en selecteer ook D2 tot en met D10.
3. Klik op **Kopiëren**.
4. Open het werkblad **Bestellijst 1**.

D7 fx =Artikelen!D2

	A	B	C	D	E
1		Bestellijst			
2					
3	Filiaal				
4					
5					
6	Aantal	Artikelnummer	Artikelomschrijving	Prijs	Totaal
7		BM34L	Bermuda	€ 4,19	
8		BM34M	Bermuda	€ 3,85	

5. Klik in cel B7.
6. Klik op de keuzepijl van de knop **Plakken**.
7. Kies **Koppeling plakken**.
8. De gegevens zijn geplakt.

9. Klik nu in D7 en bekijk de formulebalk.
10. U ziet een verwijzing naar de inhoud van **D2** op het tabblad **Artikelen**.

Maximaal 24 stuks bestellen

De maximale bestelhoeveelheid per artikel is 24 stuks; het minimum is 0. Invoercontrole is heel belangrijk want een typfout is zo gemaakt! Om de invoer te kunnen controleren, te valideren, moet u aangeven wat de grenzen zijn.

1. Selecteer A7 tot en met A15.
2. Klik op de tab **Gegevens**.
3. Klik bij **Hulpmiddelen voor gegevens** op **Gegevensvalidatie**.

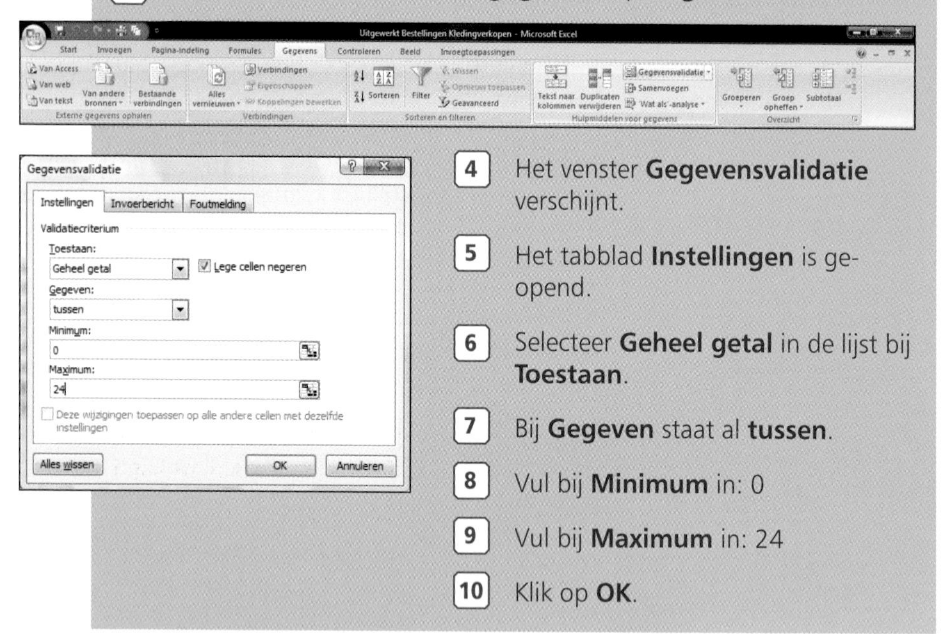

4. Het venster **Gegevensvalidatie** verschijnt.
5. Het tabblad **Instellingen** is geopend.
6. Selecteer **Geheel getal** in de lijst bij **Toestaan**.
7. Bij **Gegeven** staat al **tussen**.
8. Vul bij **Minimum** in: 0
9. Vul bij **Maximum** in: 24
10. Klik op **OK**.

INFO

Het is mogelijk een invoerbericht in te stellen waarin u een toelichting geeft op de beperking, bijvoorbeeld: "Waarden tussen 0 en 24 invullen, s.v.p.".

Invoercontrole uitproberen

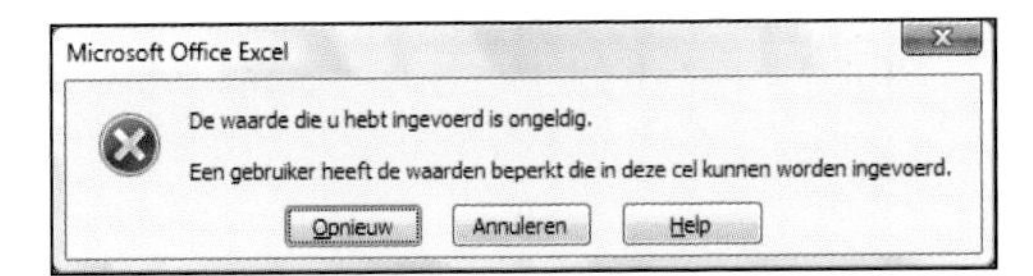

Wat gebeurt er wanneer een waarde wordt ingevuld die niet is toegestaan? Er verschijnt een waarschuwing en het getal kan worden gewijzigd.

Foutmelding aanpassen

De controle werkt, maar de foutmelding is niet zo duidelijk. Er wordt immers niet gemeld wat nu precies de grenswaarden zijn. Dat kunt u verbeteren!

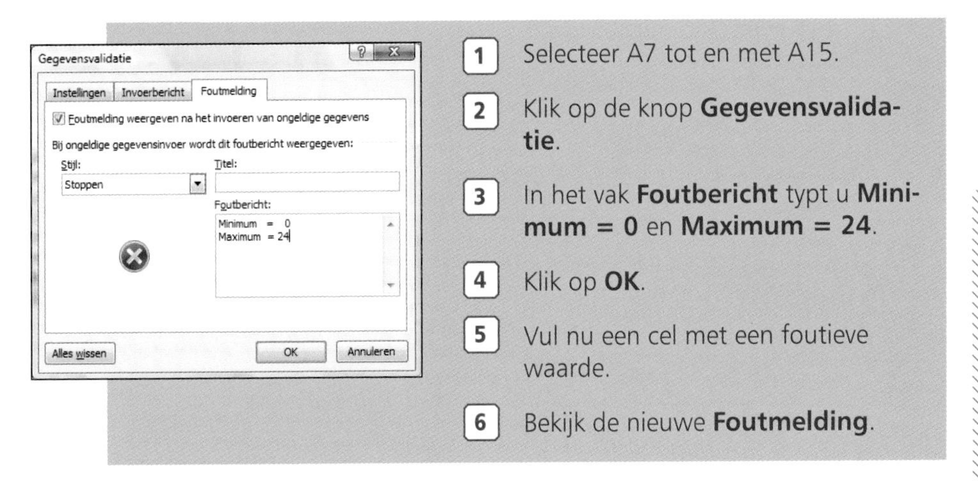

1. Selecteer A7 tot en met A15.
2. Klik op de knop **Gegevensvalidatie**.
3. In het vak **Foutbericht** typt u **Minimum = 0** en **Maximum = 24**.
4. Klik op **OK**.
5. Vul nu een cel met een foutieve waarde.
6. Bekijk de nieuwe **Foutmelding**.

Formule opstellen en kopiëren

Het is wel belangrijk alvast een indruk te krijgen van de totaalprijs van de bestelling. Daarvoor moeten de aantallen in kolom A worden vermenigvuldigd met de inkoopprijs per artikel in kolom D.

1. Klik in cel E7.
2. Typ =
3. Klik op cel A7.
4. Typ *
5. Klik op cel D7.

ALS ▾ ✕ ✓ fx =A7*D7

	A	B	C	D	E	F
1		Bestellijst				
2						
3	Filiaal					
4						
5						
6	Aantal	Artikelnummer	Artikelomschrijving	Prijs	Totaal	
7	12	BM34L	Bermuda	€ 4,19	=A7*D7	
8		BM34M	Bermuda	€ 3,85		

6 Klik op het vinkje.

7 Dubbelklik op de vulgreep van cel E7 om de formule te kopiëren.

ALS-functie gebruiken

Ook bij artikelen die niet zijn besteld staat er een eurosymbool met een streepje erachter. Dat oogt wat slordig. Mooier is het om eerst te controleren of er iets ingevuld is in cel A7. Is dat niet zo, dan moet gans de cel leeg blijven. Hiervoor gebruikt u de functie ALS.

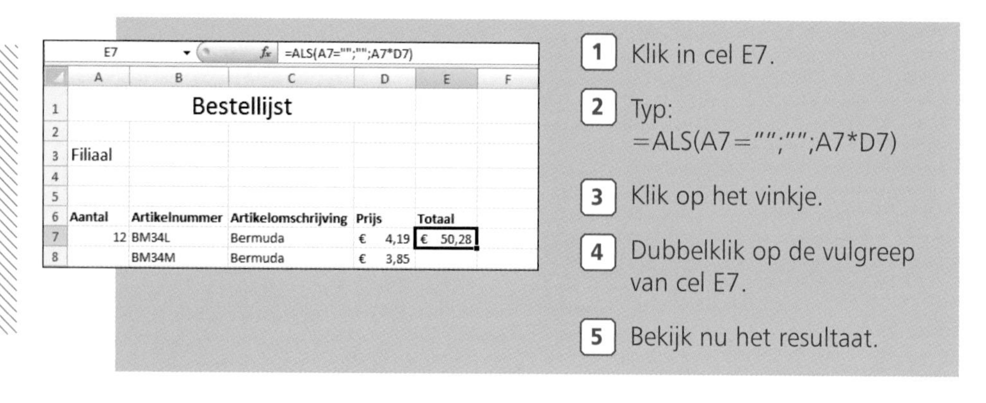

1 Klik in cel E7.

2 Typ:
=ALS(A7="";"";A7*D7)

3 Klik op het vinkje.

4 Dubbelklik op de vulgreep van cel E7.

5 Bekijk nu het resultaat.

Totaal berekenen

Hiervoor gebruikt u natuurlijk de functie **Som**. Daar bestaat ook een sneltoets voor.

1 Klik in cel C16.

2 Typ: Totaalbedrag bestelling

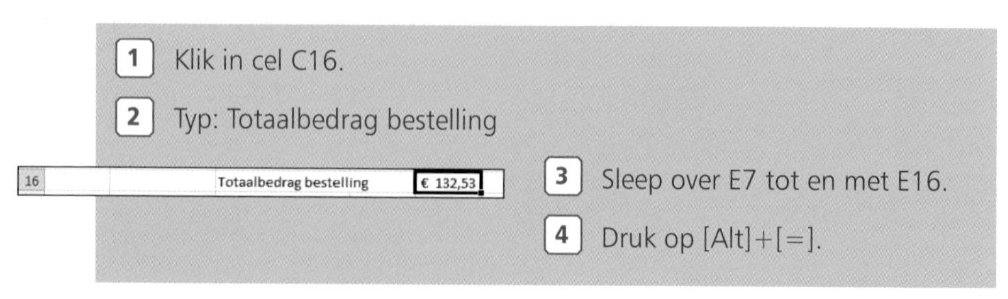

3 Sleep over E7 tot en met E16.

4 Druk op [Alt]+[=].

Voor welk filiaal?

Het werkblad **Filialen** bevat informatie over de aangesloten filialen. Het is de bedoeling dat met een keuzelijst het betreffende filiaal kan worden aangeduid. Zo behoudt u de controle over de invoer en de spelling ervan. Nu kan een keuzelijst met gegevens op een ander werkblad alleen worden gemaakt wanneer daar een naam is toegekend aan, in dit voorbeeld, de cellen met de filiaalnamen. Dat is de eerste stap.

Naam geven

Op het werkblad **Filialen** maakt u een selectie van de cellen met de filiaalnamen. Daar wordt dan de naam **Filiaalnamen** aan toegekend.

1. Sleep over A2 tot en met A6.
2. Klik op de tab **Formules**.
3. Klik in de groep **Gedefinieerde namen** op **Naam bepalen**.

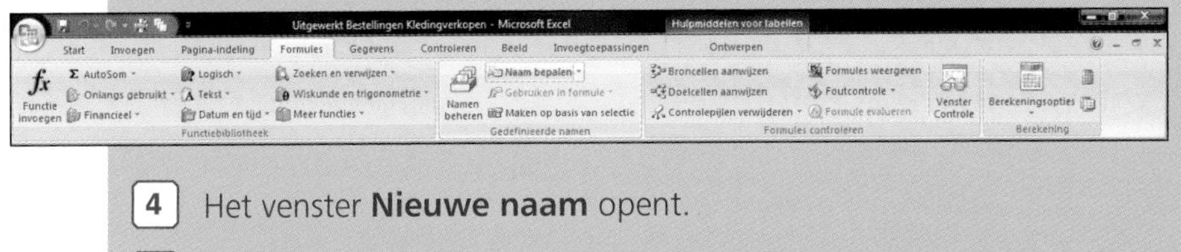

4. Het venster **Nieuwe naam** opent.
5. Typ bij **Naam:** Filiaalnamen
6. Klik op **OK**.

Valideren

De volgende stap is op het werkblad met de bestellijst een cel te selecteren waarin de keuzelijst moet komen. Die keuzelijst wordt gemaakt door gebruik te maken van valideren, maar nu wordt aangegeven dat er een lijst is. Excel herkent die lijst aan de naam (zie stap 1). Daarom moest in het venster **Nieuwe naam** ook staan dat de naam geldig is voor heel de werkmap.

1. Open het werkblad **Bestellijst 1**.
2. Klik in cel B3.
3. Klik op de tab **Gegevens**.

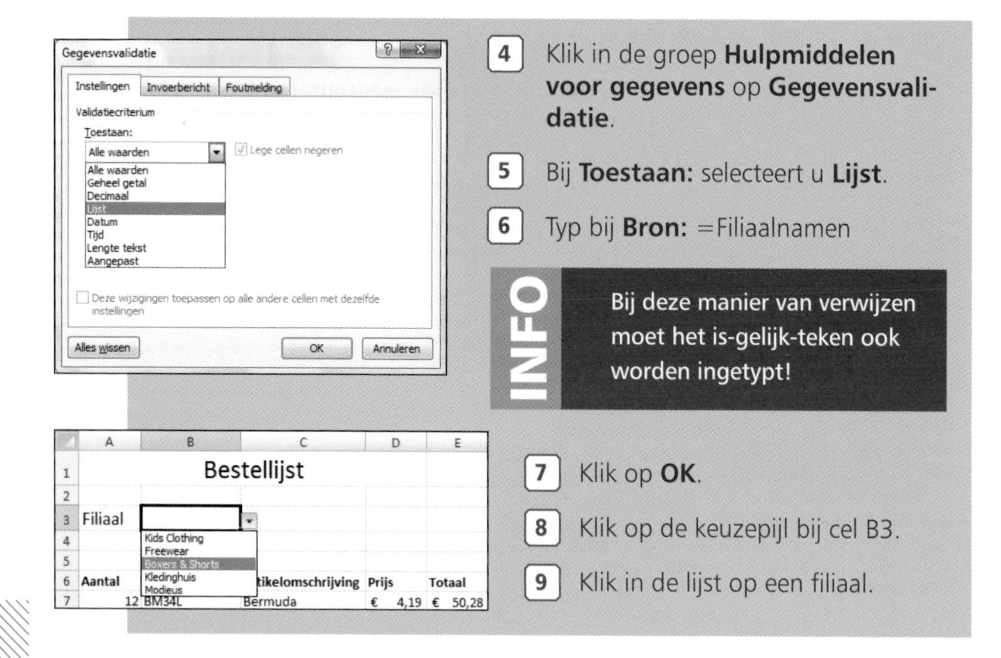

4 Klik in de groep **Hulpmiddelen voor gegevens** op **Gegevensvalidatie**.

5 Bij **Toestaan:** selecteert u **Lijst**.

6 Typ bij **Bron:** =Filiaalnamen

INFO

Bij deze manier van verwijzen moet het is-gelijk-teken ook worden ingetypt!

7 Klik op **OK**.

8 Klik op de keuzepijl bij cel B3.

9 Klik in de lijst op een filiaal.

Alternatieve bestellijst

Er is nog een tweede werkblad met de naam **Bestellijst 2** gemaakt. Hier gaat u op een andere manier te werk: de gebruiker kan via een keuzelijst bepalen welk artikel hij wil bestellen. Vervolgens worden de juiste gegevens opgezocht met de functie **Verticaal zoeken**. Dit heeft als voordeel dat de bestellijst niet bij iedere wijziging van het assortiment hoeft te worden aangepast; de keuzelijst geeft immers de laatste stand van zaken weer.

Aantallen beperken

De invoer beperkt u op dezelfde manier als hiervoor beschreven:

1 Open het werkblad **Bestellijst 2**.

2 Selecteer A7 tot en met A15.

3 Beperk de invoer tussen 0 en 24.

Artikelnummers krijgen een naam

De artikelnummers (kolom B) moeten ook weer met keuzelijst tevoorschijn komen. Dat gaat op dezelfde manier als het oproepen van de filiaalnamen. Eerst moet op het werkblad **Artikelen** een naam worden toegekend aan de artikelnummers. Kies voor de naam **Artikelnummers**.

Keuzelijst maken

De volgende stap is in de cellen B7 tot en met B15 aangeven dat er een keuze moet worden gemaakt uit de zojuist gemaakte lijst.

1. Open het werkblad **Bestellijst 2**.
2. Selecteer B7 tot en met B15.
3. Maak hier een keuzelijst.
4. Typ bij **Bron:** =Artikelnummers
5. Klik op **OK**.
6. Selecteer in B7 alvast een artikelnummer.

Andere gegevens opzoeken

Voor de andere gegevens wordt gebruik gemaakt van de functie **Verticaal zoeken**. Deze functie kan in een tabel naar gegevens zoeken. De voorwaarde is wel dat in de eerste kolom van de tabel de gegevens staan die gezocht worden. En dat is in dit voorbeeld zo, want in de tabel met de artikelen staat het artikelnummer in de eerste kolom.

Welke naam heeft die tabel?

Maar eerst moet de naam van de tabel gevonden worden.

1. Open het werkblad **Artikelen**.
2. Klik ergens in de tabel.
3. Klik op de tab **Formules**.

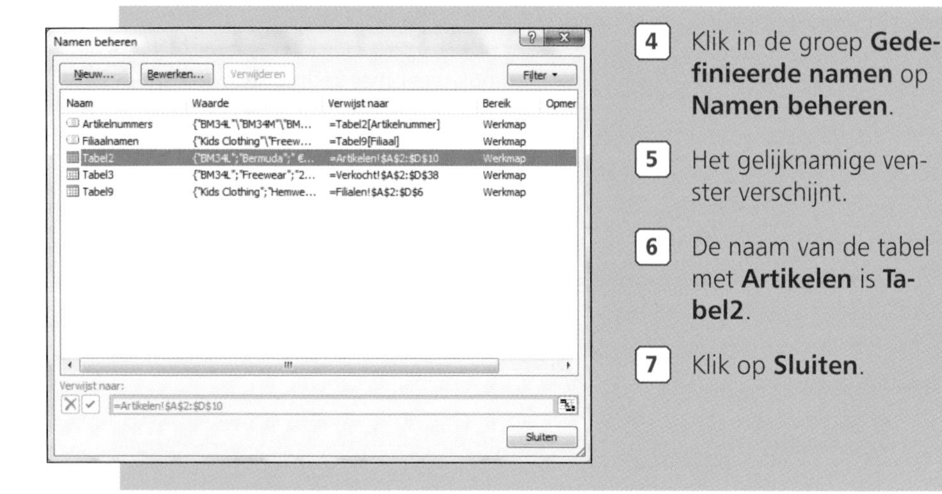

4 Klik in de groep **Gedefinieerde namen** op **Namen beheren**.

5 Het gelijknamige venster verschijnt.

6 De naam van de tabel met **Artikelen** is **Tabel2**.

7 Klik op **Sluiten**.

Verticaal zoeken

Het moment is aangebroken dat u **Verticaal zoeken** gaat gebruiken. Na de stappen van het invullen volgt een korte uitleg van de functie. Voor alle duidelijkheid volgt hier nog even de opbouw van de tabel met de artikelgegevens:

Kolom 1	Kolom 2	Kolom 3	Kolom 4
Artikelnummer	Omschrijving	Prijs	Inkoopprijs

1 Klik in cel C7.

2 Klik op de tab **Formules**.

3 Klik in de groep **Functiebibliotheek** op **Zoeken en verwijzen**.

4 Kies **VERT.ZOEKEN** in de lijst.

5 Het venster **Functieargumenten** verschijnt.

6 De cursor staat achter **Zoekwaarde**.

7 Klik op cel B7.

8 Druk op [Tab].

9 Typ bij **Tabelmatrix:** Tabel2

10 Druk op [Tab].

TIP Hier gebruikt u geen is-gelijk-teken bij de verwijzing naar de naam.

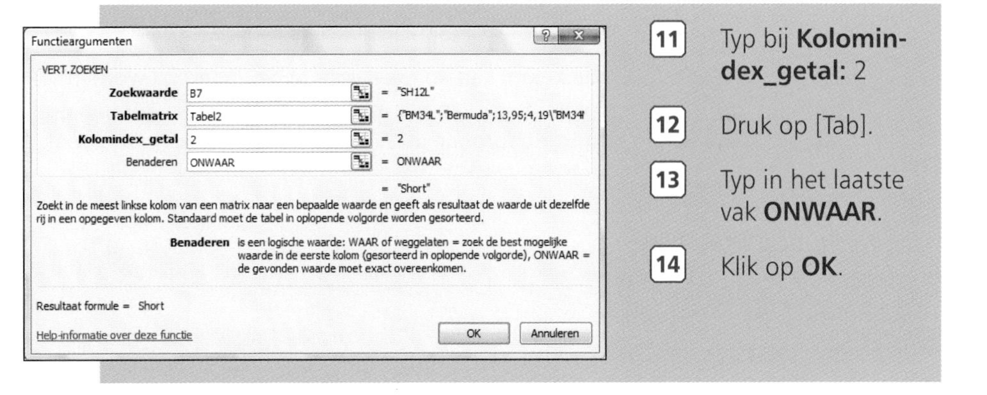

11 Typ bij **Kolomindex_getal:** 2

12 Druk op [Tab].

13 Typ in het laatste vak **ONWAAR**.

14 Klik op **OK**.

Gaat dat goed?

	A	B	C	D	E	F
1		Bestellijst				
2						
3	Filiaal					
4						
5						
6	**Aantal**	**Artikelnummer**	**Artikelomschrijving**	**Prijs**	**Totaal**	
7		BX75L	Boxershort			
8			#N/B			
9			#N/B			
10			#N/B			
11			#N/B			
12			#N/B			
13			#N/B			
14			#N/B			
15			#N/B			
16						

De formule in cel C7 doet zijn werk. Gebruik dan de vulgreep en sleep door naar C15.

Helaas levert dit in de andere cellen een foutmelding op. **#N/B** betekent dat de waarde niet bekend is. Dat klopt ook want bij die cellen is nog geen artikelnummer geselecteerd. Maar die foutmelding staat niet netjes en dat gaat u even wegwerken. De oplossing hiervoor hebt u eigenlijk al eerder in dit hoofdstuk toegepast. Bij het bepalen van de totale prijs moet de formule alleen worden toegepast wanneer er een aantal is ingevuld.
Voor het gemak wordt de formule in C7 via de formulebalk aangepast.

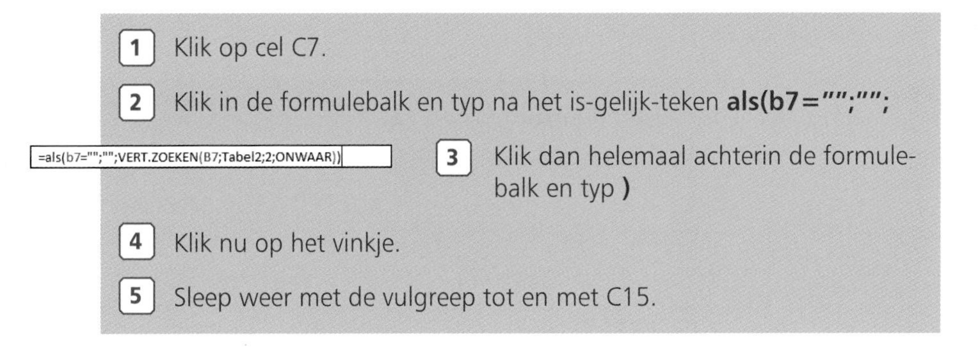

1 Klik op cel C7.

2 Klik in de formulebalk en typ na het is-gelijk-teken **als(b7="";"";**

3 Klik dan helemaal achterin de formulebalk en typ **)**

4 Klik nu op het vinkje.

5 Sleep weer met de vulgreep tot en met C15.

De bijbehorende prijs opzoeken

De prijzen staan in de vierde kolom van de tabel waarin de gegevens worden opgezocht. Maar om niet al het werk van het invullen van **Verticaal zoeken** opnieuw te moeten doen, wordt de formule in C7 nog één keer aangepast, zodat deze ook naar de kolom rechts ervan kan worden gesleept. Maak gebruik van het dollarteken, want de zoekwaarde staat in kolom B!

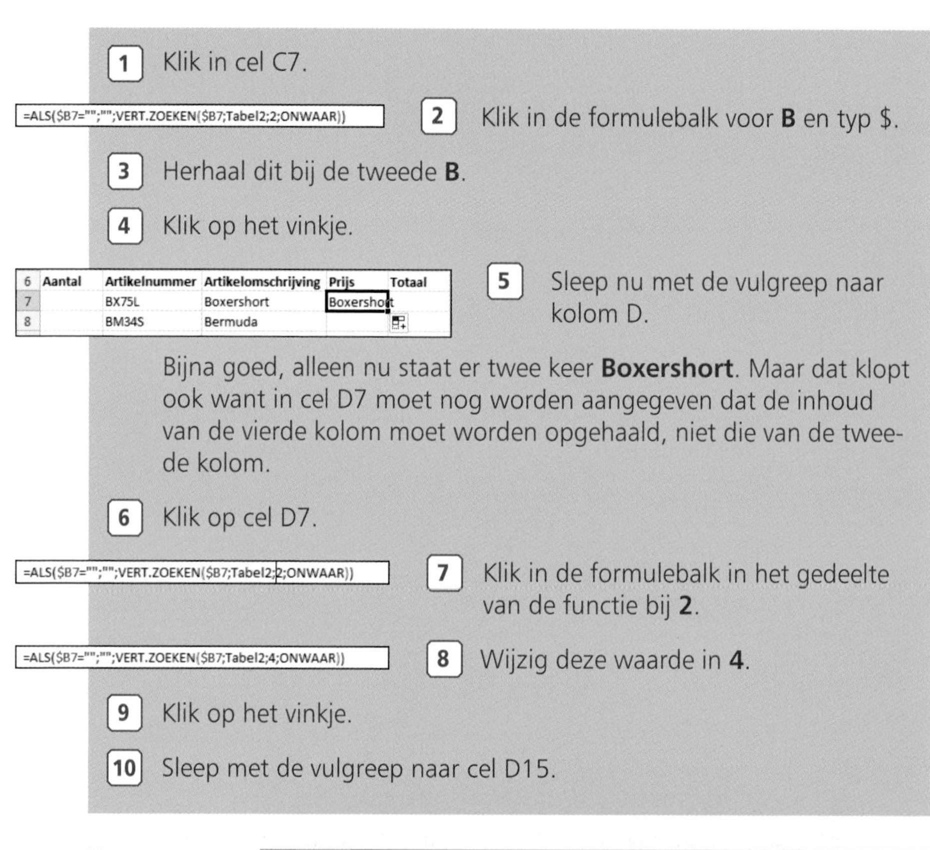

1. Klik in cel C7.
2. Klik in de formulebalk voor **B** en typ $.
3. Herhaal dit bij de tweede **B**.
4. Klik op het vinkje.
5. Sleep nu met de vulgreep naar kolom D.

Bijna goed, alleen nu staat er twee keer **Boxershort**. Maar dat klopt ook want in cel D7 moet nog worden aangegeven dat de inhoud van de vierde kolom moet worden opgehaald, niet die van de tweede kolom.

6. Klik op cel D7.
7. Klik in de formulebalk in het gedeelte van de functie bij **2**.
8. Wijzig deze waarde in **4**.
9. Klik op het vinkje.
10. Sleep met de vulgreep naar cel D15.

Het systeem werkt nu goed. Nog een paar aantallen invullen en de totaalprijs kan worden berekend.

INFO

VERT.ZOEKEN, deze functie vraagt om een zoekwaarde bijvoorbeeld het artikelnummer, gaat vervolgens in de eerste kolom van de opgegeven tabel zoeken naar de rij met het artikelnummer. Is er een artikel met het juiste nummer gevonden, dan wordt de inhoud van de cel in de opgegeven kolom opgehaald en in de cel weergegeven. De opdracht ONWAAR zorgt ervoor dat exact hetzelfde artikelnummer wordt gezocht.

Formules voor prijs en totaal

Voor het berekenen van de prijs per besteld artikel is het nodig dat er aantallen worden ingevuld in kolom A. Dit aantal kan dan worden vermenigvuldigd met de inkoopprijs die inmiddels is opgezocht.

1. Klik in cel E7 van **Bestellijst 1**.
2. Typ de formule: =als(a7="";"";a7*d7)

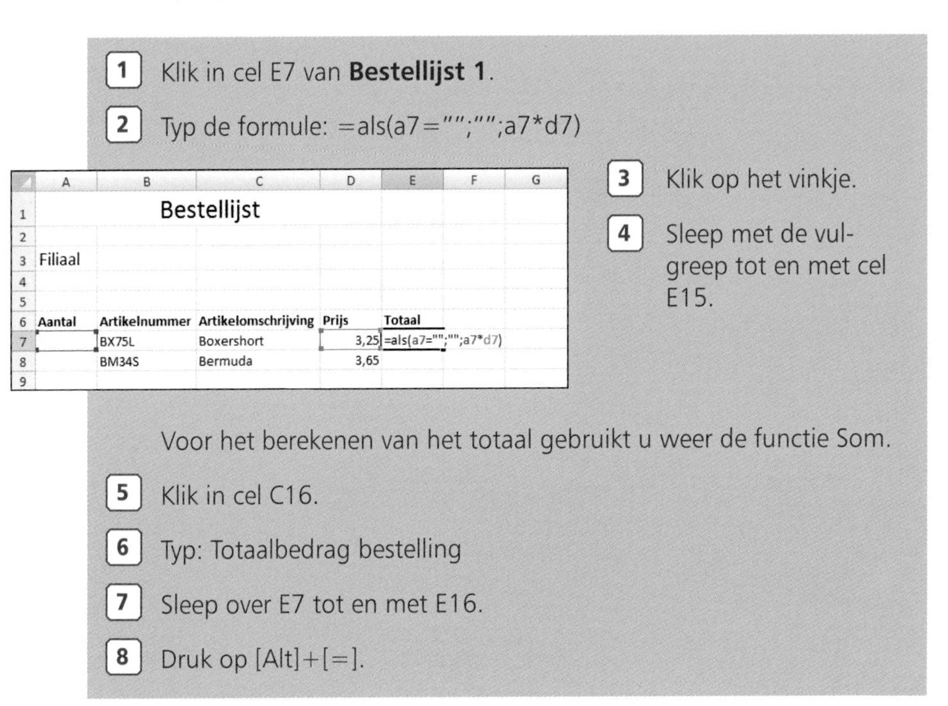

3. Klik op het vinkje.
4. Sleep met de vulgreep tot en met cel E15.

Voor het berekenen van het totaal gebruikt u weer de functie Som.

5. Klik in cel C16.
6. Typ: Totaalbedrag bestelling
7. Sleep over E7 tot en met E16.
8. Druk op [Alt]+[=].

Besteldatum automatisch invullen

Zeker bij bestellingen is het wel belangrijk dat er altijd een datum wordt ingevoerd. U kunt zelf een datum intypen, maar het kan ook met automatische invoer van de systeemdatum van de computer. Dat gebeurt in cel B4 en in de cel ervoor komt de tekst **Datum**.

1. Klik in B3.
2. Typ: Datum
3. Klik in B4.
4. Klik op de tab **Formules**.

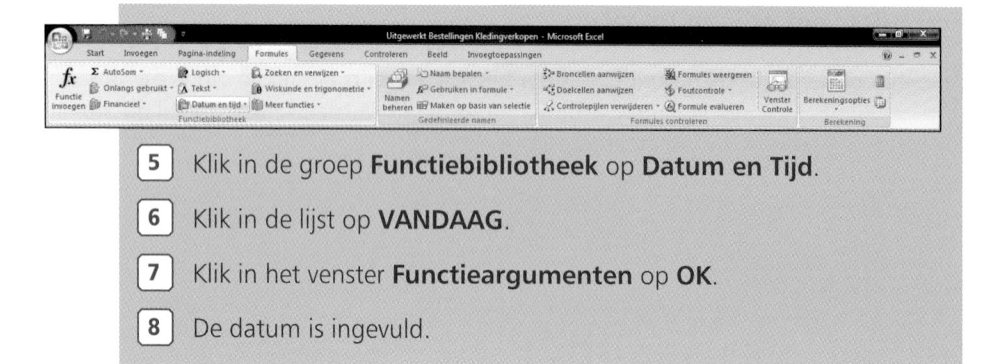

5 Klik in de groep **Functiebibliotheek** op **Datum en Tijd**.

6 Klik in de lijst op **VANDAAG**.

7 Klik in het venster **Functieargumenten** op **OK**.

8 De datum is ingevuld.

Bladen beveiligen

Om te voorkomen dat gebruikers per ongeluk cellen met belangrijke formules overschrijven kunt u het werkblad beveiligen. Maar eerst moet u aangeven in welke cellen de gebruiker wél wat mag.

1 Selecteer cel B3.

2 Houd [Ctrl] ingedrukt en selecteer ook A7 tot en met B15.

3 Klik op het startpictogram van de groep **Getal**.

4 Open in het venster **Celeigenschappen** het tabblad **Bescherming**.

Celeigenschappen
Getal | Uitlijning | Lettertype | Rand | Opvulling | Bescherming
Geblokkeerd
Verborgen
Cellen vergrendelen of formules verbergen heeft pas effect als u het werkblad beveiligt (tabblad Revisie, groep Wijzigingen, knop Blad beveiligen).

5 Vink **Geblokkeerd** aan.

6 Klik op **OK**.

Hiermee hebt u aangegeven dat in deze cellen de gebruiker straks wijzigingen mag aanbrengen.

7 Klik op de tab **Controleren**.

8 Klik in de groep **Wijzigingen** op **Blad beveiligen**.

9 Het venster **Blad beveiligen** verschijnt.

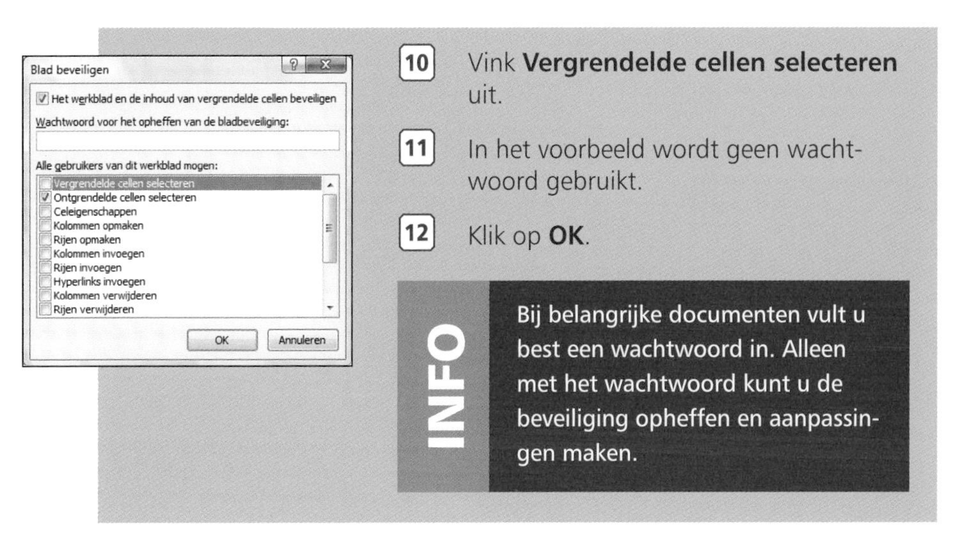

10 Vink **Vergrendelde cellen selecteren** uit.

11 In het voorbeeld wordt geen wachtwoord gebruikt.

12 Klik op **OK**.

INFO

Bij belangrijke documenten vult u best een wachtwoord in. Alleen met het wachtwoord kunt u de beveiliging opheffen en aanpassingen maken.

Probeer maar eens op de verschillende cellen in het werkblad te klikken. Dat lukt alleen in die cellen waar de gebruiker iets mag invoeren. U kunt de beveiliging opheffen door weer in het lint op deze knop te klikken. Die heet nu echter **Beveiliging blad opheffen**.

In dit laatste hoofdstuk kreeg u nog een aantal voorbeelden van bewerkingen in een bestellijst. Uiteraard is dat bestand slechts een voorbeeld. De werkwijzen kunt u toepassen in allerlei praktijksituaties.

Index

#N/B ... 151
[F10] ... 12

A

aangepaste lijst ... 79
aangepast sorteren ... 74
absolute verwijzing ... 38
achtergrond
  patronen ... 34
Acrobat Reader ... 121
afdruk
  kolom herhalen ... 138
  rij herhalen ... 138
afdrukken
  brede tabel op één vel ... 133
  hele werkmap ... 142
  marges aanpassen ... 134
  meerdere werkbladen ... 142
  schaal ... 134
Afdrukvoorbeeld ... 135
aftrekken ... 28
alfabetisch sorteren ... 73
ALS-functie ... 111, 146
  genest ... 113
AutoCorrectie-opties ... 40
AutoFilter ... 38, 80
AutoFilter-knop ... 83
AutoFilter uitschakelen ... 82

B

berekening ... 21
  haakjes ... 120
bestand importeren
  in Excel ... 127
bestand opslaan ... 30
bestandsindeling ... 20
  xps ... 123
beveiligen
  blad ... 154
beveiliging blad opheffen ... 155
bewerking
  volgorde ... 119
blad beveiligen ... 154

C

cel ... 23
  datum ... 29
  formule ... 28
  getal ... 25
  opvulling ... 34
  tekst ... 25
celaanwijzer
  verplaatsen ... 24
celeigenschappen ... 34
celkleur ... 78
cel kopiëren ... 109
cellen
  naam toekennen ... 147
cellenbereik ... 107
celnaam ... 28
cel opmaken
  achtergrond ... 34
  kleur ... 34
  lettertype ... 34
  puntgrootte ... 34
celstijl ... 31
celverwijzing
  dollarteken ... 119
celverwijzingen ... 119
controleren ... 154
  invoer ... 144
csv ... 130

D

datumfilters ... 83
datum invullen ... 29
delen ... 28
dollarteken ... 38, 119
dollarteken typen ... 119
doorvoeren ... 109
doorzichtigheid ... 88
draaitabel
  gegevens kopiëren ... 69
  naast gegevens ... 66
  sorteren ... 63
  tekst wijzigen ... 63
draaitabel aanpassen ... 64
draaitabelgrafiek ... 101
draaitabel maken ... 61
draaitabelveld ... 62

E

EN-filter ... 82
euro ... 26
eurosymbool ... 25
Excel starten ... 21

F

filter uitschakelen ... 82
filter wissen
  allen in één keer ... 82
  per kolom ... 82
financiële getalnotatie ... 31
formule
  dubbele punt ... 106
  typen ... 107
  zelf maken ... 119
formulebalk ... 22, 106
  vinkje ... 24
formule kopiëren ... 28, 145
formule maken ... 145, 153
formule typen ... 28, 107
foutcontrole
  groen driehoekje ... 108
  opties ... 108
foutmelding ... 151
  voorkomen ... 151
foutmelding aanpassen ... 145
functie ... 51
  ALS ... 111
  ingebouwd ... 105
functie toepassen ... 41

G

gegevensbalk ... 52
gegevens bijwerken ... 126
gegevens importeren
  van webpagina ... 124
gegevens samenvatten ... 61

gegevensvalidatie ... 148
geldbedrag
  opmaak ... 33
  uitlijning ... 33
  valutasymbool ... 33
geneste functie ... 115
getal opmaken ... 26
grafiek
  aslabels ... 95
  gecombineerd ... 100
  gegevens selecteren ... 86
  hoekpunt slepen ... 90
  hulpmiddelen ... 87
  indeling veranderen ... 91
  legenda ... 91
  lijn opmaken ... 93
  meerdere reeksen ... 94
  object ... 90
  op eigen werkblad ... 91
  op zelfde werkblad ... 90
  selectie ... 85
  tabel met waarden ... 91
  titel ... 91
  titel aanpassen ... 87
  titel in cel ... 99
  titel opmaken ... 87
  vergroten ... 90
grafiekindeling ... 91
grafiek maken ... 85
grafiekstijl bepalen ... 86
grafiektype
  wijzigen ... 92
grafiek verplaatsen ... 91
groen driehoekje ... 108
groeperen ... 65, 70
groeperen per kwartaal ... 64
groeperen per maand ... 64

I

importeren
  kopiëren en plakken ... 124
infolabel ... 108
inhoud verwijderen ... 60
invoegtoepassing
  opslaan als pdf ... 121
invoer
  grenswaarden ... 145
  keuzelijst maken ... 147, 149
invoerbericht
  toelichting ... 144
invoercontrole ... 144
invoer controleren ... 144
is-gelijk-teken ... 148

K

kleurbalk ... 16
kleurenschalen ... 53
kolom ... 22
  breder maken ... 25
  gegevenstype ... 129
kolomgrafiek ... 92
kolommen
  aantal ... 15
kopiëren ... 131
  formule ... 28
  met vulgreep ... 109
kopiëren en plakken ... 124
koppeling plakken ... 131
koptekst ... 136

L

lijngrafiek ... 92
lijsten ... 35
liniaal ... 136
lint ... 9, 22
  grafiekstijlen ... 86
  inhoud ... 11
  minimaliseren ... 10
logische test
  onwaar ... 113
  waar ... 113

M

marge
  aanpassen ... 134
miniwerkbalk ... 87

N

naam wijzigen ... 37
nieuw
  lint ... 9
  Office-knop ... 9
  Snelle toegang ... 10
  werkbalk ... 9
nieuw werkblad ... 68

O

Office-knop ... 10, 22
ongedaan maken ... 10
onwaar
  logische test ... 113
operator ... 119
  aftrekken ... 119
  delen ... 119
  optellen ... 119
  vermenigvuldigen ... 119
opmaak ... 31
  valutasymbool ... 31
  voorwaardelijk ... 15, 46
opmaakregel aanpassen ... 55
opmaak wissen ... 60
op maand sorteren ... 79
opmaken als tabel ... 37
opslaan ... 30
  als pdf ... 121
opslaan als pdf
  invoegtoepassing ... 121
optellen ... 28, 105
  kolom of rij ... 105
Opties voor Excel ... 10
opvulling
  cel ... 34

P

pagina-einde
  invoegen ... 140
  verslepen ... 141
  verwijderen ... 140
pagina-indeling ... 135
patroon ... 34
pictogram ... 54
pictogramserie ... 54
plakken ... 131

R

rand ... 34
rapportfilter ... 66
record ... 41
regel bewerken ... 55
regels
  soorten ... 56
regels beheren ... 54
rij ... 22
rij blokkeren ... 38
rijen

aantal 15
ruitjespapier 21

S

samenvatting
gegevens 61
schuifbalk 22
selectie
kopiëren 82
selectie maken
in tabel 80
SmartArt 18
Snelle toegang 10
snelle toegang
positie 10
sneltoets 12, 24
Som 29
som 105
sorteren 69
aangepast 74
aflopend 73
alfabetisch 73
niveau verwijderen 77
op kleur 77
sorteervolgorde aanpassen 77
standaardgrafiek 85
starten
Excel 21
Startpictogram voor dialoogvenster 11
statusbalk 22, 37
selectie 81
sterretje
tab 14
subtotaal
functie 42
systeemdatum invullen 153

T

tab
sterretje 14
tabblad 22
tabel 35
als grafiek 85
hulpmiddelen 41
ontwerpen 41
standaardstijl 45
stijl bekijken 38
stijl toepassen 38
tabel opmaken 31
tabelstijl 31
nieuwe toepassen 42
zelf maken 44
tabelstijl wissen 42
tabel uitbreiden 39
tekenkleur 78
titelbalk 22
titel blokkeren 38, 138
titelblokkering 135
totaalprijs 29
totaaltelling 66

V

valideren 144
getal 144
lijst 147
valuta 33
valutasymbool 26
vandaag() 154
vastzetten
rij 38
veld groeperen 65
veldnaam 35
Verticaal zoeken 150
verwijzing
absoluut 38
vinkje
formulebalk 24
voettekst 136
voorwaardelijke opmaak.. 15, 46
regel 48
vulgreep 28, 109
slepen 109

W

waar
logische test 113
waarde-als-onwaar 113
waarde-als-waar 113
weergave
Pagina-indeling 135
werkbalk 9
snelle toegang 10
werkblad 35, 37
aantal cellen 23
grootte 15, 23
Werkbladopties 11
werkbladopties 140
Windows Vista 21
wissen
opmaak 44
wizard tekst importeren 128
Word
plakken 131

X

xlsx 20
XML 20
xps 123

Z

zoeken en vervangen 46

Neem een kijkje op **www.easycomputing.com** en kom alles te weten over uw boek en de andere producten van Easy Computing!

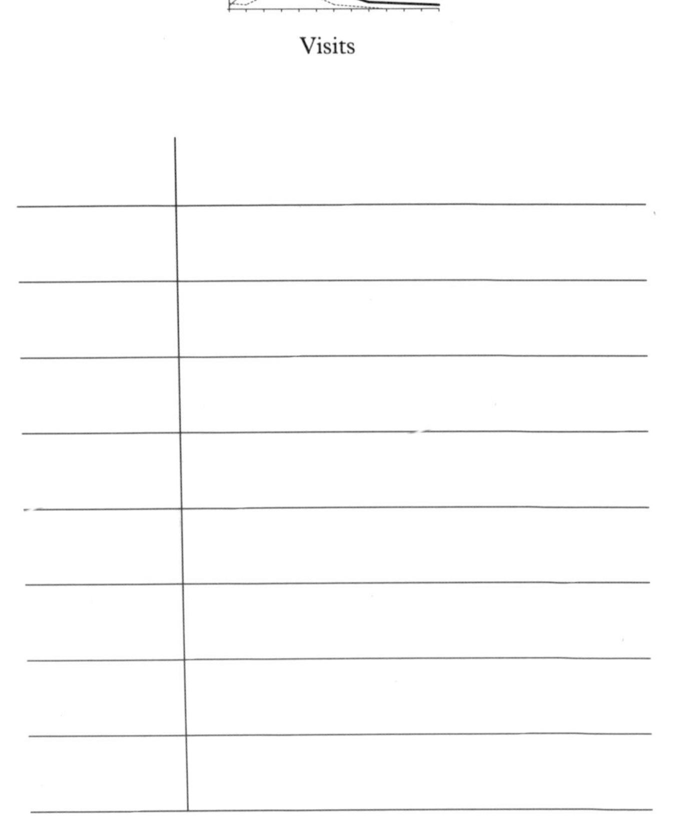

n naar voren hebt
boek uit en kunt u
rwachtingen heeft
uur uw suggesties
m!

aag over uw boek?
rtpagina van onze
cht van de **veelge-**
voord per titel. Bo-
lden uit het boek,
via **downloads** op
et!

mentboeken krijgt
ftware en ons **pa-**
) titels, 15 verschil-
sen. Jong of oud,
r ieder wat wils!

en van de nieuwig-
ch inschrijven voor
d up-to-date!

ier zijn te koop bij
tershop. Via onze
t in uw buurt van

A service from Sankyo